LA FAMILLE QUI NE DORMAIT PAS

DANIEL T. MAX

LA FAMILLE
QUI NE DORMAIT PAS

Enquête sur l'un des plus grands mystères médicaux
de notre temps

Traduit de l'américain par Anatole Muchnik

ROBERT LAFFONT

Titre original : THE FAMILY THAT COULDN'T SLEEP
© Daniel Max, 2006
Traduction française : Éditions Robert Laffont, S.A., Paris, 2008

ISBN 978-2-221-10586-3
(édition originale : ISBN 978-1-4000-6245-4 Random House, New York)

Pour Sarah

Dove andrai tu andrò anch'io
E dove starai tu io pure starò

Et tous mes jours sont des extases
Et tous mes songes de la nuit
Sont où ton œil s'allume
Et luit ton pas –
Dans quelles danses éthérées –
Auprès de quels fleuves italiens.

Edgar Allan Poe
« Le rendez-vous »

Les protéines, pour autant que l'on sache, ne se répliquent pas d'elles-mêmes, en tout cas pas sur cette planète. Ainsi considéré, le [prion] semble être la chose la plus étrange qui soit en biologie et, en attendant qu'on découvre dans quelque laboratoire ce dont il s'agit, le parfait candidat au mystère moderne.

Lewis Thomas
Late Night Thoughts on Listening to Mahler's Ninth Symphony
New York, The Viking Press, 1984

Introduction

En octobre 1997, après vingt-cinq années de recherche sur le prion, Stanley Prusiner, professeur à l'université de San Francisco, se rend à Stockholm pour recevoir des mains du roi de Suède le prix qu'il qualifie lui-même de « gros lot ». L'exploit qui lui vaut pareille distinction est d'avoir démontré que le prion, l'agent infectieux à l'origine de l'encéphalopathie spongiforme bovine, ou maladie de la vache folle, celui de Creutzfeldt-Jakob, et de la tremblante du mouton, n'est pas un virus ni une bactérie, mais une protéine, c'est-à-dire une chose sans vie. La protéine, comme son nom l'indique, n'est que protomatière, de la matière première. (Un chercheur confie d'ailleurs à un journaliste que « ces agents sont à peu près immortels [1*] ».)

L'académie Nobel déclare que la découverte de Prusiner dote la science d'un « nouveau principe biologique d'infection ». Prusiner, homme ambitieux alors âgé de cinquante-cinq ans, a toujours cultivé le goût des vins et de la bonne chère. Et à présent que l'élite suédoise le convie dans les meilleurs restaurants et que reporters et photographes se bousculent pour lui soutirer une image ou quelques mots, l'instant ressemble fort à ce qu'il a toujours souhaité (et dont il n'a cessé de rêver). Aux journalistes qui lui demandent ce qu'il compte faire maintenant qu'il a reçu la plus haute récompense scientifique, il dit qu'il entend désormais se consacrer à la recherche d'une « thérapie efficace »

---

* Les notes sont rassemblées, par chapitre, en fin d'ouvrage.

contre les maladies à prion[2]. En 1998, il confie à un journal israélien sa détermination à trouver un remède avant cinq ans[3].

Trois ans plus tard, en 2001, au moment où une famille de Vénétie tient son premier conseil, ces paroles de Prusiner résonnent dans la tête de chacun de ses membres. Ce genre de conseil est rare en Italie, parce qu'il n'a pas lieu d'être : ici, tout se fait en famille ; nul besoin de réunir ce qui n'est pas dispersé. Mais ces gens-là possèdent en l'occurrence un excellent motif de le faire – bon nombre portent en eux le gène d'un mal effroyable. Dans cette famille d'origine noble, on trouve des médecins, des ingénieurs, des chefs d'entreprise et même un universitaire respecté.

La lignée semble pourtant maudite. Depuis au moins deux siècles, elle souffre d'une maladie à prion appelée insomnie fatale familiale, qui frappe généralement après la cinquantaine et tue par privation de sommeil. L'IFF est une mutation autosomale dominante, ce qui signifie que l'enfant dont l'un des parents est atteint d'IFF a cinquante chances sur cent de l'être à son tour. Une sur deux ; pour le reste de la population, c'est une sur plus de trente millions.

Les symptômes de l'IFF sont aussi spectaculaires que sinistres. En général, autour de la cinquantaine, le malade se rend compte qu'il transpire abondamment. Un regard dans le miroir lui révèle des pupilles en tête d'épingle et un port de tête étrangement raide. Il est généralement atteint de constipation, entre d'un coup dans la ménopause s'il s'agit d'une femme et devient impuissant s'il s'agit d'un homme. Le sommeil se fait difficile, alors il tente de compenser par une sieste dans l'après-midi, mais sans y parvenir. La tension et le pouls ont monté et le corps est en surrégime. Les mois qui suivent le voient désespérément chercher le sommeil, fermer les yeux sans jamais obtenir mieux qu'une légère somnolence. Certains malades souffrant d'IFF parviennent à un demi-sommeil évoquant vaguement le sommeil agité que connaît parfois le commun des mortels juste avant le réveil, mais sans jamais obtenir de réel repos. L'épuisement est immense, indicible.

Une fois qu'il a perdu le sommeil, le malade voit sa dégradation s'accélérer, il perd le sens de l'équilibre et ne marche qu'avec grande difficulté. Le plus tragique est peut-être que la faculté de penser demeure intacte ; le malade est conscient de ce qui lui arrive. Au début, il peut encore en parler et même coucher ses pensées sur papier. Mais, après quelques mois, certains perdent ce niveau de fonctionnement. Une fois leur corps ainsi éteint, seuls leurs yeux révèlent qu'ils savent ce qui se passe. D'autres restent toutefois capables de parler et de raisonner jusqu'au bout. En phase terminale, soit généralement une quinzaine de mois après l'apparition de la maladie, ils tombent dans un état d'épuisement voisin du coma et meurent. « Quand j'ai entrepris ces travaux, m'a dit Pierluigi Gambetti, le directeur du Centre national de surveillance du prion à la Case Western Reserve University-School of Medecine de Cleveland et codécouvreur de la maladie, je pensais qu'il n'existait pas de pire maladie que celle d'Alzheimer. Mais voir un être aimé se désintégrer sous vos yeux – et qu'il sache ce qui est en train de lui arriver ? D'une certaine façon, la rareté de cette maladie ne la rend que plus atroce. Je trouve aujourd'hui qu'un accident de voiture est moins cruel. »

Cette famille italienne est l'une parmi quelques autres dans le monde à souffrir d'insomnie fatale familiale. Elle est parvenue à faire remonter la présence du mal en son sein au milieu du dix-huitième siècle, en la personne hypothétique d'un médecin de Venise qui vivait près de la place Saint-Marc, et plus certainement en celle d'un aristocrate local nommé Giuseppe, qui précéda Vincènzo vers 1880, puis Giovanni autour de 1910, Pietro vers 1940, Assunta, Pierina et Silvano dans les trois dernières décennies du vingtième siècle pour en arriver à... à qui ? La question plane à chacune de ses réunions annuelles.

Pourtant, la réponse à cette question est connue. Au début des années 1990, l'université de Bologne, dont l'Institut de neurologie est spécialisé dans le sommeil, a examiné la plupart des membres de la famille pour y rechercher la mutation génétique responsable de l'IFF, et classé le résultat dans ses archives. On sait donc qui mourra, mais pas dans quel ordre. On a aussi la quasi-certitude qu'un décès surviendra bientôt – au moins trente membres y ont succombé au siècle dernier, quatorze depuis 1973, sept dans la dernière décennie. La loi des probabilités veut qu'au moins douze des membres survivants soient porteurs de la mutation responsable du mal.

La plupart des maladies génétiques mortelles finissent par s'éteindre d'elles-mêmes, parce qu'elles tuent leur victime avant que celle-ci ait eu le temps de se reproduire, mais pas l'IFF – pas dans cette famille, en tout cas. Non seulement la mort y frappe après l'âge reproductif, mais on a de toute façon décidé de procréer quand même. Choisir de mettre au monde un enfant qui risque de voir la vie s'interrompre à mi-parcours de façon atroce n'est pas simple. Au moment des tests génétiques, le problème s'est posé au personnel de l'Institut de Bologne, qui a décidé de ne pas livrer à la famille l'identité des membres porteurs pour qu'elle n'en tire aucune décision en matière de reproduction. La famille a accepté de rester dans l'ignorance et, à ma connaissance, aucun de ses membres n'a interrompu de grossesse par crainte de transmission du syndrome.

L'Institut a certes déterminé le problème de cette famille, mais sans pour autant le résoudre. Chacun continue donc de guetter l'apparition de l'étrange port de tête et des pupilles rétrécies, qui constituent les premiers symptômes, puis les suées et frissons, le mouchoir toujours en poche qu'il faut changer dès midi ou la brusque survenue de la ménopause, avant la terrible dernière étape, celle de la perte du sommeil.

Le sommeil nous est essentiel. Il est au cœur de notre condition d'humains. À bien y réfléchir, le fait que tout individu dorme chaque soir, qu'il se cherche une place sûre et chaude où il passera le tiers de sa vie à se reposer et se régénérer, partout dans le monde et à tout âge, et qu'il en fût ainsi avant même que nous soyons devenus *Homo sapiens*, est parfaitement sidérant. S'allonger pour dormir est le plus enfantin des gestes, celui qui réclame la plus grande confiance. C'est en même temps le symbole d'une force vitale déclinante, comme une répétition générale du jour où l'on se couchera pour ne plus se relever.

Le sommeil est un phénomène homéostatique – c'est-à-dire qu'il est régi par l'équilibre corporel interne. Une fois qu'on a assez dormi, le corps nous réveille, et quand on manque de sommeil, il nous force à dormir, avec autant de douceur que de fermeté. Lorsqu'on reste trop longtemps éveillé, on éprouve une certaine lourdeur, on a la sensation de couler. On a beau se forcer à garder les yeux ouverts, le sommeil nous gagne par les oreilles et le nez, enveloppe nos bras et jambes, et fait choir notre tête jusqu'à ce que le menton atteigne la poitrine. Cette impression d'un sommeil nous pénétrant de l'extérieur est illusoire : le sommeil demeure toujours en nous. On vient au monde en sachant déjà le trouver. En fait, nous dormons même avant cela, dans le ventre de notre mère. Dès le troisième mois de gestation, notre vie se définit déjà par le sommeil et l'éveil. Le corps commence par apprendre à s'éteindre.

Le sommeil étant l'une des fonctions primaires du corps, il n'est que plus étrange qu'on n'en sache pas vraiment l'utilité biologique. Nous est-il venu pour nous mettre à l'abri du danger pendant une partie de la journée – pour nous cacher à l'heure où les prédateurs étaient en chasse ? S'agit-il d'un temps réservé à la mise à jour des bases de données de l'unité centrale qu'est notre cerveau ? Ou bien l'état d'inconscience du sommeil sert-il le propos exactement inverse : nous permettre d'oublier toutes les informations superflues ? On se sent toujours mieux après une bonne nuit de sommeil, il est donc naturel de penser que ce dernier est un facteur de santé – qui tonifie les fonctions immunitaires, répare les tissus endommagés, améliore les connexions nerveuses. Au début du dix-septième siècle, dans son *Anatomie de la mélancolie*, l'essayiste Robert Burton avait fait l'inventaire de ses vertus. Le sommeil, écrivait-il, « humidifie et engraisse le corps, concocte et facilite la digestion [...] écarte les soucis, apaise l'esprit et délasse les membres fatigués après une longue journée de travail* ». À n'en pas douter, le sommeil accomplit tout cela et plus encore, mais cela n'explique pas son existence pour autant, car les études ont montré que le simple fait de se tenir calmement allongé et éveillé remplit mieux encore chacune de ces fonctions. N'empêche, nous dormons, et tous les animaux aussi, parce qu'il le faut. Le spécialiste américain du sommeil Allan Rechtschaffen a dit : « Si le sommeil ne sert pas une fonc-

---

* José Corti, Paris, 2000, traduction de B. Hoepffner et C. Goffaux.

tion absolument vitale, c'est la plus grosse erreur jamais commise par l'évolution[4]. »

Fidèle à son image, l'homme cherche à corriger cette erreur – qu'il soit veilleur de nuit, chauffeur routier ou astronaute. Le record moderne de privation volontaire de sommeil appartient à un adolescent américain, Randy Gardner, qui, en 1964, lors du concours pour le prix scientifique de son lycée, a tenu onze jours à grand renfort de beignets, de flipper et de télévision. « Après ça, j'ai dormi pendant environ quatorze heures, a-t-il déclaré. À mon réveil, j'étais frais comme un gardon. Comme un nouveau-né[5]. » La nuit d'après, son sommeil était des plus normaux.

La plupart d'entre nous, toutefois, succomberaient au bout de trois jours. Avant de s'écrouler, ils présenteraient des symptômes semblables à ceux de l'IFF. Ils transpireraient. Ils auraient l'esprit assez confus. Ils deviendraient maladroits. Et si la situation se prolongeait beaucoup plus, ils commenceraient à avoir des hallucinations et à perdre prise avec le réel. Mais par bonheur, pour les 99,999 % d'humains ne souffrant pas d'IFF, l'homéostasie finirait par reprendre le dessus : ils s'endormiraient, et après quelques heures de sommeil, seraient comme neufs. Et ce rétablissement leur paraîtrait extraordinaire – comme la renaissance de Randy Gardner.

Entre 1918 et 1930, lorsqu'une épidémie de la maladie de von Economo, ou encéphalite léthargique, a balayé l'Europe et l'Amérique, des millions d'individus ont souffert d'hypersomnie. Mais pour un petit nombre d'autres – essentiellement localisés en Italie – le mal s'est traduit au contraire par une perte du sommeil, doublée de symptômes qui restent à notre connaissance les plus voisins de ceux de l'IFF. Certains sont devenus extraordinairement actifs, ont commencé à s'agiter, à se crisper puis à parcourir l'établissement hospitalier de long en large en déployant une exubérance sans objet, jusqu'à en mourir, probablement d'épuisement. D'autres ont présenté un type d'insomnie chronique moins tonitruante – moins une manie qu'une constante agitation nerveuse. Leur état ne semblait pas menacer leurs jours – pourtant, eux aussi sont morts. De quoi ? Nulle expérience n'a jamais répondu à cette question. Allan Rechtschaffen a failli y parvenir en forçant des souris à rester en éveil jusqu'à la mort, qui survenait autour du quatorzième jour[6]. Entre-temps, elles avaient commencé à surproduire des hormones semblables à l'adrénaline, ce qui les mettait en surrégime, et à sous-produire des hormones thyroïdes, utiles à la régulation du poids et de la température. Les souris avaient beau se nourrir avec voracité, elles perdaient du poids et leur peau se détériorait. À la fin, prises de tremblements, elles mouraient. À l'évidence, quelque chose se détraquait dans leur régulation interne – le système nerveux autonome – mais à l'autopsie, rien ne semblait suffire à expliquer la mort. Elles semblaient avoir succombé à une tautologie : si l'on force une souris à rester éveillée, elle meurt de manque de sommeil.

L'expérience de Rechtschaffen n'avait rien de plaisant, car la contemplation d'un animal pris d'insomnie est pour le moins dérangeante ; mais lorsqu'il s'agit d'un humain, c'est insoutenable. Bien des membres de la famille italienne en savent quelque chose. Ils ont vu le sommeil lentement abandonner un être cher qu'ils ont emmené chez le médecin qui, déconcerté, les a envoyés auprès d'un spécialiste qui, en tant que spécialiste, a établi un diagnostic. Pour systématiquement se tromper : encéphalite, gonflement cérébral, méningite, anxiété, dépression, schizophrénie ou encore, justement, maladie de von Economo. L'épidémiologiste britannique John Wilesmith, qui à la fin des années 1980 a établi le lien entre la maladie de la vache folle, très proche de l'IFF, et la contamination des aliments pour animaux, m'a dit qu'il aurait été plus approprié de parler de « vache saoule ». Le mal qui afflige la famille passe en effet souvent pour de l'ivresse. Et les médecins croient presque toujours avoir affaire à un alcoolique, jusqu'à ce qu'ils aient la preuve du contraire.

Ainsi accablée, la famille ne peut faire que ce qu'elle a toujours fait : prendre des herbes, prier Dieu et éviter le stress, coupable à ses yeux – et de récentes études semblent le confirmer[7] – de déclencher l'IFF. « Ma famille a cru que le meilleur moyen de prévenir le mal était de ne pas en parler », m'a expliqué l'un de ses membres, dont le père était mort d'IFF trois mois à peine avant la première réunion.

J'ai assisté à cette réunion, c'était en juillet 2001. Il s'agissait de rompre avec l'éternel fatalisme de la famille, et d'envisager une stratégie pour s'engager sur la voie d'un traitement. Une cinquantaine de personnes étaient présentes, toutes embarrassées, nerveuses, pleines d'espoir et remontées contre les imprécations des aînés hostiles à leur participation. Par leur simple présence, elles reconnaissaient que la famille avait un problème, et qu'on pouvait peut-être y trouver une solution, par un effort concerté.

Il faisait beau, et les fleurs resplendissaient le long des routes et canaux de Vénétie. Moutons et vaches paissaient dans les prés alentour, et les habitants du coin allaient et venaient au marché à vélo, contournant les barrières du passage à niveau. Certains étaient même venus de Padoue, qui, bien qu'à une heure de voiture, n'en constitue pas moins le bout du monde : en Italie, on aime bien rester *in paese*, très près de chez soi.

On se trouvait ce jour-là dans un foyer que la maladie avait privé d'un oncle, de deux tantes et d'un grand-père. Le maître des lieux possède une petite entreprise assez prospère qui lui a permis de bâtir une maison de type ranch dont le spacieux vestibule ne déparerait pas en Californie du Nord ou en Virginie. L'endroit est baigné par la lumière. Contrairement à sa sœur que j'appellerais Caterina, lui ne se soucie que peu de la maladie, n'y pense quasiment jamais. C'est assez courant dans les familles atteintes de maladies génétiques : il y a ceux qui pratiquent l'ignorance, et ceux qui portent le fardeau. Cati, comme on appelle Caterina, fait partie de ces derniers. Avant la réunion, elle m'a entraîné à vélo le long des cyprès jusqu'au cimetière, où gisent nombre de ses parents. Alors que nous regardions les photos de son oncle et de son grand-père, elle était au bord des larmes.

Cati et son mari, Ignazio, docteur en médecine interne, ont joué un rôle déterminant dans la découverte de la maladie. Ignazio est le premier médecin à s'être sérieusement penché sur la question. Au lieu de lever les mains au ciel comme des générations de confrères avant lui, il a pris le taureau par les cornes et étudié la liste des symptômes, aussi spectaculaires que déroutants, pour remonter jusqu'aux altérations neurologiques semant la mort dans sa belle-famille. Dans le même temps, Cati, qui avait une formation d'infirmière, faisait la tournée téléphonique de ses parents pour récolter les informations restées enfouies pendant deux longs siècles de peur et de honte. De quoi Rita était-elle morte ? Et Maria ? Le médecin avait parlé de schizophrénie, mais le certificat de décès mentionnait une méningite. Qu'en avait pensé la famille proche ? Avait-on remarqué dans la fratrie certains comportements étranges ?

Cela faisait des siècles que la honte conduisait les diverses branches de la famille à mutuellement s'éviter. C'est Cati qui a inversé cette tendance isolationniste. Petite femme enflammée, aux cheveux châtains et aux yeux passablement cernés, Cati ne dort jamais que d'un œil. « Existe-t-il une pilule pour oublier ? » m'a-t-elle demandé un jour. Lorsqu'elle parle, il lui arrive de se mettre à trembler. Étant donné qu'elle ne conduit pas, c'est à vélo qu'elle déambule le long des canaux asséchés de sa petite ville. Ignazio m'a montré dans un livre le fameux dessin d'Albrecht Dürer représentant la mélancolie. « *Ecco Cati* », m'a-t-il dit. Ça, c'est Cati.

Ignazio présidait aux débats. Jeune quinquagénaire aux tempes grises et aux yeux doux, arborant une moustache de chanteur d'opérette, l'homme exsude la patience. Au fil des années, son métier – il dirige aujourd'hui le département de médecine interne de l'hôpital de Trévise – lui a appris à parler aux malades. Dès qu'il s'agit de questions médicales, il prend grand soin de s'exprimer lentement, mettant toute son intelligence au service de son interlocuteur, sans jamais perdre de vue que l'esprit est par définition rétif à l'idée même de maladie dans le corps. Si l'homme n'a pas manqué de constater les malheurs causés par l'IFF, le médecin n'en éprouve pas moins une certaine admiration pour le fonctionnement du mal – la façon extraordinaire dont les prions qui valurent à Prusiner son prix Nobel rongent le thalamus, la partie du cerveau qu'attaque l'IFF – et son extrême particularité. Le fait d'avoir participé à la définition d'une nouvelle maladie inspire en outre à Ignazio une certaine possessivité (mêlée à l'horreur que lui inspirent les dégâts provoqués dans sa belle-famille), une volonté bien compréhensible de défendre sa conquête face aux grands pontes de la recherche – tous les Prusiner du monde – qui, forts de leurs dotations multimillionnaires et de leurs attachés de presse, ne cessent de rogner sur ses mérites.

Ce jour-là, je me suis assis auprès d'Ignazio sur un banc d'écolier, et j'ai contemplé la famille installée en demi-cercle de l'autre côté de la salle carrelée. J'étais là à titre de visiteur, d'invité, de journaliste ayant écrit sur cette famille, et venu d'Amérique, là où la technologie arrange toujours tout. Ignazio a souhaité la bienvenue à l'assemblée et expliqué l'importance de cette rencontre pour l'avenir de la famille, ajoutant qu'à l'instant précis, fort heureusement, personne n'était en proie au mal. « J'aimerais qu'il en soit toujours ainsi, mais... » Exprimant le scepticisme de chacun devant un tel vœu, il a tourné les paumes au ciel.

Tout le monde admettait cette vérité, mais personne ne pleurait – si quelqu'un dans l'assistance songeait à la mort, il se réfugiait dans la distance qui l'en séparait encore. Chacun était surtout venu faire le point sur sa propre situation et constater la présence des autres à ses côtés. Il n'y avait là quasiment pas de personnes âgées, absence que j'ai d'abord attribuée au tribut déjà prélevé par le mal, doublé de la certitude des survivants qu'ils ne risquaient désormais plus rien, mais il s'est avéré que c'était davantage une affaire de culture et de honte. Pour dire de quelqu'un qu'il fait preuve de brusquerie ou d'agressivité superflues, les Italiens disent qu'il fait l'*Anglosassone*, l'Anglo-Saxon. L'idée même de cette première réunion avait quelque chose de très *anglosassone*, de très semblable à la façon dont les activistes du sida ont obtenu que des fonds soient alloués à la lutte contre leur mal. Se signaler, se regrouper, partir en quête de sympathisants, faire pression sur le gouvernement, et obtenir gain de cause : voilà qui n'est certainement pas dans les mœurs italiennes. Personne n'aurait donc eu l'idée de reprocher aux aînés leur absence à la réunion. Dans le monde où ils ont grandi, le handicap et la maladie n'attirent pas grand soutien.

Ignazio a alors expliqué ce qu'était une maladie à prion : un mal provoqué par une protéine qui se déforme. Dans le cas de l'IFF, cette déformation commence habituellement lorsque le malade atteint la cinquantaine. Pour beaucoup de présents, c'était la première fois qu'on entendait évoquer au sujet de la maladie familiale autre chose que le caractère héréditaire. Ignazio a ajouté que leur famille avait été un temps la seule connue dans le monde à subir cette mutation, mais qu'on en avait depuis signalé quelques autres, pas très nombreuses, tout juste une quarantaine, aux quatre coins du globe. Cette information a troublé une bonne partie de l'assistance. Quelqu'un a dit : « Je ne comprends pas, comment se peut-il que nous soyons ainsi liés à une bande de Japonais ? »

Ignazio a soigneusement expliqué qu'il n'y avait aucun lien entre les deux familles : la même mutation peut toucher des familles distinctes en des lieux et des temps différents. Il a ensuite dit que les spécialistes du prion, dont Prusiner lui-même, espéraient que l'IFF permettrait d'en découvrir un peu plus sur toute une gamme de maladies échappant depuis toujours à l'explication médicale, notamment celles de Parkinson, d'Huntington, d'Alzheimer et la sclérose latérale amyotrophique (ou maladie de Lou Gehrig). Ces pathologies ne sont pas dues au prion, a-t-il expliqué, mais elles impliquent aussi la déformation de protéines. Cette correspondance entre l'IFF et d'autres maladies dues aux protéines, ainsi que l'épidémie de vache folle, apporte une lueur d'espoir à leur situation familiale. Et d'autres encore pourraient en profiter.

Il suffirait que le moindre élément de l'IFF se révèle utile à des millions d'autres malades pour qu'on puisse sérieusement espérer un traitement. Le groupe a soudain paru s'animer. « Pourquoi n'avons-nous pas fait cela plus tôt ? » a demandé un jeune membre de la famille qui s'était jusqu'alors notoirement opposé à toute initiative concernant la maladie. Bien vite, d'autres jeunes ont posé des questions sur un éventuel traitement. Ignazio s'est montré prudent. « Des travaux sont déjà en cours, mais le cas est particulièrement difficile. » Toute publicité, a-t-il dit, accélérerait le mouvement.

C'est là que j'intervenais. Jusqu'à ce jour, l'ensemble de la famille avait observé le silence, y compris en son propre sein. L'isolement et le déni lui semblaient exercer un effet protecteur. Et je ne m'étais pour l'instant attiré que des regards méfiants. « Que faites-vous là ? » m'a demandé un jeune homme. Oui, j'allais écrire à leur sujet, ai-je expliqué, et je souffrais moi aussi d'une maladie. Elle n'était pas mortelle ni liée au prion, mais, à l'instar des maladies neurodégénératives à prion, la mienne supposait une incapacité des protéines du corps à correctement se replier. Au fil de sa progression, mon mal, jamais vraiment identifié, provoque un affaiblissement des jambes et des bras. Bien que nos deux pathologies aient pour seul point commun de provenir d'une malformation des protéines – la mienne n'est pas liée au prion ; la leur n'est pas neuromusculaire – la découverte d'un traitement pour l'une pourrait néanmoins en signifier autant pour l'autre.

Certains membres de l'assistance ont acquiescé, d'autres ont conservé le silence, mais un jeune homme, dont la mère avait succombé à l'IFF alors qu'il était enfant, ne considérait pas ma présence justifiée pour autant. Il tenait pour infranchissable la distance séparant son mal du mien. « *Sei un curioso* », a-t-il dit : tu es un curieux, un indiscret.

Il faut dire que, par le passé, la famille n'avait pas manqué d'attirer les curieux, non sans laisser de traces. L'histoire de Silvano – l'oncle de Cati, cadre d'entreprise débonnaire décédé de l'IFF en 1984 – avait atterri dans les journaux italiens à la suite de la publication par Pierluigi Gambetti et d'autres d'un article sur la maladie dans le *New England Journal of Medicine* en 1986. La presse locale avait titré : « Au secours, nous mourons d'insomnie ». Les enfants du voisinage étaient ensuite venus pousser des meuglements de vache folle autour de la maison d'Ignazio et Cati. Le genre de cruauté qui ne laisse pas une famille indemne.

J'ai expliqué à l'assistance que le premier propos de mon ouvrage serait de rappeler au lecteur que nous sommes tous mortels et condamnés à vivre avec la conscience de cette mortalité, que si la mort frappe cette famille-là sous une forme particulièrement atroce, aucun de nous n'est exempt. Que la mort soit bonne ou mauvaise, nul n'y échappe. L'Italie n'est peut-être plus aussi religieuse qu'elle le fut, mais les choses de l'âme y ont conservé une place importante, et l'assemblée tout entière a approuvé mes propos.

Les États-Unis jouissant en Italie d'une bonne réputation, ma qualité d'Américain a facilité les choses (c'était avant l'inva-

24

sion de l'Irak). On m'a demandé mon avis sur la façon de mener la lutte, alors j'ai suggéré la création d'une fondation chargée de lever des fonds pour la recherche, idée aussitôt appuyée par Ignazio et qui a semblé plaire au groupe. C'était évident, pourquoi n'y avait-on pas pensé plus tôt ? Un ami d'Ignazio s'est proposé pour créer un site Internet ; un jeune homme a suggéré que le logotype représente un homme en train de bâiller, ce qui a fait rire tout le monde. La famille est ressortie à la lumière du jour, débordante d'enthousiasme, disposée à ouvrir un nouveau chapitre. Nous étions à l'âge moderne, celui de toutes les guérisons, et elle entendait fermement en profiter. Écrivez vite, m'a demandé quelqu'un.

Le présent ouvrage traite des maladies à prion – de ce qu'elles sont, de ce qui les provoque, de ceux qu'elles atteignent, de leurs éventuels traitements et de la façon dont a été découvert ce qu'on en sait. Les maladies à prion nous venant par trois voies – certaines, comme l'IFF, sont héréditaires, d'autres, comme certaines formes de la maladie de Creutzfeldt-Jakob, frappent au hasard, et d'autres enfin, comme la maladie de la vache folle, le font par le biais de l'intervention humaine – le rapport que nous entretenons avec elles est le reflet de notre rapport à la maladie en général. Parfois, c'est elle qui nous frappe – un gène évolue mal, une cellule se multiplie sans contrôle – et parfois, c'est nous qui l'amenons : en empoisonnant l'environnement ; en avariant nos aliments ; en faisant migrer certains pathogènes de leur milieu naturel jusqu'au nôtre. Face aux maladies du hasard, nous luttons sans relâche ; face à celles que nous avons engendrées, une fois passée la culpabilité, nous finissons quand même par chercher une issue.

Les maladies à prion composent un fascinant mystère médical, car elles sont apparemment les seules à pouvoir revêtir ces trois formes : génétique, infectieuse et accidentelle (on dit « sporadique »). Selon la théorie des maladies à prion – je dis « théorie » parce qu'on n'a pas encore atteint le stade définitif de la preuve – cela n'est possible que parce le prion est un agent biologique unique : une protéine infectieuse. C'est-à-dire une protéine agissant comme un virus ou une bactérie.

Jusqu'à la découverte du prion, la science pensait les protéines dépourvues de cette aptitude. Elle les tenait pour les éléments bâtisseurs du corps – « les robots de la nature », selon l'expression un peu facile d'un ouvrage qui leur est consacré[8], – produits par l'organisme et, une fois leur fonction remplie, mis au rancart. Le corps humain contient une centaine de milliers de protéines ; la peau aussi en est constituée. On trouve en outre dans les cellules quelques dizaines de milliers de protéines dont on ne sait pas grand-chose, voire rien du tout, car le fonctionnement des différentes protéines dans le corps reste l'ultime horizon à conquérir de la biologie humaine. L'intitulé d'une récente conférence de protéomique traduit bien toute l'ampleur du défi : « Projet du protéome humain : "Les gènes, c'était facile"[9] ».

Plus facile en tout cas que le prion. On ne connaît même pas le rôle du prion chez un être sain – peut-être sert-il la mémoire ; dans la levure, on a constaté qu'il favorisait l'adaptation génétique. Sa présence chez tous les mammifères permet de supposer qu'il remplit une réelle fonction – sinon, le gène qui en est à l'origine aurait disparu ou cessé d'opérer à un stade ou à un autre de l'évolution animale.

Comment le prion infecte-t-il ses victimes ? Les protéines que produit le corps présentent dans un premier temps l'aspect d'un ruban, puis elles se replient sur elles-mêmes pour adopter une forme tridimensionnelle qui les destinera à leur fonction, quelle qu'elle soit. Par la disposition de leurs atomes, la plupart ne se présentent que sous une forme, mais le prion – en théorie du moins – en revêt deux, l'une normale, l'autre, infectieuse et mortelle.

Une fois le premier prion apparu, il se multiplie dans le corps selon un processus nommé « influence sur la conformation » – c'est-à-dire sur la « mise en forme ». Lorsqu'un prion devient malin, la forme de son pli lui permet de se lier aux prions adjacents, et de les conduire à mal se plier à leur tour. La réaction se propage alors de protéine en protéine, et les prions normaux se transforment en prions tueurs dans une sorte de chaîne de mutations à la Dr Jekyll et Mister Hyde. Les cellules porteuses d'un prion difforme tombent malades et meurent, pour des raisons qu'on ne comprend pas vraiment, mais l'effet de tant de protéines mal repliées sur les délicates cellules du cerveau est ravageur : le tissu cérébral des victimes de maladies à prion présente de multiples perforations, des zones où toutes les cellules sont mortes, comme si une explosion s'y était produite. « En voyant les radios de son cerveau, mon mari a dit que c'était comme si on lui avait tiré dessus à la 22 long rifle », témoigne l'épouse d'une victime sur un forum électronique consacré à la maladie de Creutzfeldt-Jakob [10].

Pour le biologiste, la théorie du prion est une hérésie. L'« infection » revêt à son entendement un sens précis – c'est un processus pathologique véhiculé par du vivant, plus précisément par des choses porteuses d'acides nucléiques ou de matériel génétique. Or, quoi qu'on puisse dire des protéines, elles ne sont pas vivantes et ne contiennent pas d'acide nucléique. La théorie du prion s'attaque donc à l'ensemble de l'édifice de la biologie actuelle. En 1862, Louis Pasteur avait porté du bouillon à ébullition pour y tuer toute vie microscopique, versé le liquide obtenu dans une éprouvette, et montré que si aucun organisme vivant n'y était apporté, la vie ne s'y développerait jamais. Les implications pratiques de cette expérience étaient immenses ; elles ont appris aux médecins ce qui leur permet aujourd'hui encore de sauver des vies, à savoir que l'infection est une chose vivante qui se reproduit, et qu'il suffit donc de stériliser un environnement, et de le maintenir en l'état, pour conserver un patient en bonne santé. Si l'éprouvette de Pasteur avait contenu des prions, la médecine curative n'aurait pas vu le jour. Et nos docteurs auraient encore à subir la concurrence des chamans et autres guérisseurs de tout poil.

L'idée d'un agent infectieux non nécessairement vivant étant contraire au paradigme établi, diverses maladies à prion ont longtemps circulé sans que personne ne mette le doigt dessus. Avant l'actuelle recherche du principe sous-jacent commun, le savoir des médecins et des scientifiques se limitait à ce qu'ils pouvaient constater : l'existence d'un petit groupe de maladies aux symptômes globalement similaires, parmi lesquels la perte de coordination et la démence, et une intrigante absence de fièvre – en effet, si l'infection s'accompagne de fièvre, tel n'est pas le cas des maladies à prion. La communauté scientifique constatait aussi que ces maladies avaient tendance à faire de soudaines apparitions et disparitions, mais elle était bien incapable de se l'expliquer. Cela ne rendait toutefois que plus urgente la nécessité de comprendre.

La menace des maladies à prion est ancienne, mais elle s'est nettement précisée à partir du milieu des années 1990, lorsque les chercheurs ont découvert que l'une de celles qui frappaient le bétail – l'encéphalopathie spongiforme bovine – pouvait franchir la barrière des espèces pour atteindre l'homme. Plus on en a appris sur la question, plus il a paru possible que dans tout être vivant une protéine mal pliée entame le processus rapide de malfaçon et d'infection causant la mort de cet individu et se fraye un chemin invisible d'un corps à un autre et d'une espèce à une autre. On peut juger de la crainte qu'inspire la force du prion aux précautions que prennent les légistes et les fossoyeurs lors de la manipulation du corps des victimes. Ils les enfouissent à près de trois mètres de profondeur, recommandent aux membres de la famille de ne toucher le défunt en aucun cas et vont parfois jusqu'à interdire toute présence dans la même pièce que le cercueil fermé. « Le légiste ne nous a même pas laissé disposer du corps de mon mari, raconte une femme sur un site Internet consacré aux familles des victimes du prion. Il a fallu nous contenter d'un service *in memoriam*[11]. »

La désinfection d'un prion est une tâche immensément difficile. Tout ce qui tue virus et bactéries n'est d'aucun effet. L'ébullition ou la chaleur n'y peuvent rien. Les radiations ne « tuent » jamais un prion à coup sûr. Impossible d'y verser du formaldéhyde pour le rendre inoffensif – cela ne fait au contraire que le renforcer. Toutes les eaux de Javel ne tuent pas le prion, seules y parviennent les plus concentrées. Le prion se fixe sur le métal. Il peut par exemple se propager lorsque le médecin réutilise sur un patient les électrodes qu'il a plantées dans la tête d'un autre à l'occasion d'un électroencéphalogramme. Pendant des décennies, les instruments et scalpels employés pour l'autopsie des victimes de la maladie de Creutzfeldt-Jakob ont certainement résisté aux procédures de décontamination en vigueur dans les hôpitaux et probablement contribué par la suite à des dizaines de décès. Par mesure de sécurité, certains hôpitaux jettent désormais tout instrument ayant servi à l'opération ou à l'autopsie de victimes de MCJ dès le premier usage. Le prion survit aussi dans le sol. En Islande, après l'élimination d'un troupeau de moutons atteint de tremblante, les parcelles qu'il occupait sont restées inutilisées pendant dix ans. Puis les fermiers y ont amené un nouveau troupeau, qui a attrapé la maladie à son tour. Ailleurs, des chercheurs ont ouvert le bocal contenant le cerveau d'une personne décédée d'une maladie à prion depuis vingt ans, et injecté un peu de tissu cérébral dans des cobayes de laboratoire. Qui ont aussi été atteints.

C'est par la vache folle que se sont révélées à nous les maladies à prion – sinistres par leurs symptômes, aussi inattendues qu'imprévisibles, leur apparition chez le bétail constituant la première du prion pour la médecine moderne, et leur passage à l'homme constituant le premier cas avéré d'une maladie à prion capable de franchir la barrière des espèces. La vache folle a tué plus de cent cinquante personnes en Europe à ce jour et menace de gagner l'Amérique. Beaucoup pensent d'ailleurs que le mal s'y trouve déjà – récemment arrivé par des bœufs contaminés ou déjà présent sous forme de dépérissement chronique affectant les cerfs et les élans. Si l'on en croit ces voix, l'ignorance par la population américaine du fait qu'on meurt de la vache folle serait due à l'incompétence des autorités ou à leur silence délibéré. Sur un site Internet consacré à la maladie de Creutzfeldt-Jakob, un internaute a émis ses vœux du nouvel an 2006 : « Si seulement il y avait moyen de traduire en justice quelques agents et organismes officiels, quelques responsables de l'industrie alimentaire et quelques politiciens pour meurtre et tentative de meurtre parce qu'ils ont sciemment déformé leur présentation de l'épidémie[12]... »

Malgré la part de drame et de peur que recèlent ses pages, le présent ouvrage se veut non pas un hommage, mais au moins un témoignage admiratif de la conquête humaine. Si l'on avait dû compter sur les méthodes qui prédominent dans la recherche moderne, nul doute que le prion et les maladies qu'il provoque n'auraient pas été découverts. Pour aboutir à une théorie sur les maladies à prion, il a fallu que des hommes et des femmes remarquables fassent preuve de beaucoup d'imagination. Deux de ces individus – Carleton Gajdusek, qui a étudié une tribu de Papouasie-Nouvelle-Guinée passée tout près de l'extinction à cause d'une maladie à prion nommée *kuru*, et Stanley Prusiner, de l'université de San Francisco, qui a participé à l'identification de la protéine déterminante et l'a nommée – ont vu leurs efforts récompensés du prix Nobel. On ne saurait ici faire autrement que d'admirer leur œuvre et ce qu'elle révèle des aptitudes humaines, de cette tendance à sans cesse s'interroger, enquêter, imaginer, qui fit de l'*Homo sapiens* l'animal dominant la planète.

Mais les maladies à prion nous offrent une deuxième leçon, plus inattendue : c'est précisément la disposition qui nous fit ce que nous sommes, l'ambition, qui a ouvert la voie au mal – pas sous ses formes héréditaires, comme l'insomnie fatale familiale, mais infectieuses, comme la maladie de la vache folle. Il apparaît aujourd'hui que les grandes résurgences du prion, que ce soit la tremblante du mouton au dix-huitième siècle, la maladie de la vache folle ou celle du dépérissement chronique du ruminant aujourd'hui (et même une épidémie de prion à l'ère préhistorique), ont été dues à certaines formes d'élevage et à l'alimentation du bétail. Il sera donc aussi question ici d'une facette dangereuse de la nature humaine qui accompagne toujours le besoin de savoir : celui de refaire. À la Renaissance, l'humaniste florentin Pic de La Mirandole avait défini l'homme comme étant *plasteis et fictor*, faiseur et modeleur de lui-même. Mais cela ne suffisait pas. L'homme ne pouvait se contenter d'être le faiseur et le modeleur de lui-même. Il se voulait aussi faiseur et modeleur du monde environnant. Conformément à la promesse biblique, l'homme dominait. Il eût été stupide de ne pas en profiter.

Ça n'est pas non plus la première fois que notre espèce se voit tenue de s'acquitter du prix de son ambition. Il y a quelque dix mille ans de cela, nos ancêtres inventaient l'agriculture. Les raisons de s'établir ne manquaient pas. La sédentarité offrait des réserves alimentaires plus constantes que la chasse et la cueillette ; elle a permis à l'homme de peupler plus densément la planète. Mais le choix de s'établir nous a aussi mis au contact de virus et de bactéries que nous ne connaissions pratiquement pas auparavant : la rougeole, la variole et la tuberculose – autant de maladies venues des animaux que nous avons domestiqués et qui ont échappé à notre contrôle jusqu'à la fin du dix-neuvième siècle – enfin ! – après avoir tué les hommes par centaines de millions.

Comparée à celle des bactéries et des virus au temps de la sédentarisation, l'apparition du prion présente en outre une différence intéressante – elle contredit la théorie darwinienne selon laquelle la vie serait une immense compétition d'individus avides de propager leurs gènes. Le prion n'est qu'une protéine ; il n'est pas vivant. Il n'a pas d'ADN à transmettre. Contrairement aux virus et aux bactéries, qui cherchent à se multiplier, il ne nous fait pas concurrence – il n'est que molécules qui s'attirent et se repoussent, se plient et se déplient selon certaines lois de la chimie. L'idée établie selon laquelle les maladies infectieuses sont le reflet de la lutte darwinienne entre agresseur et agressé n'a fait que détourner les chercheurs d'autres facteurs pourtant susceptibles de jouer un rôle significatif dans la maladie.

Le paradigme de la compétition n'a jamais vraiment permis d'expliquer des maladies comme l'IFF ou celle de Creutzfeldt-Jakob, et encore moins celles d'Alzheimer ou de Parkinson, où le corps semble aussi se saborder lui-même en fabriquant des protéines défectueuses. Nous avons aujourd'hui beaucoup avancé vers une explication : les maladies de Parkinson et d'Alzheimer, et bien d'autres maladies neurodégénératives et neuro-musculaires, ne naissent pas d'infections communes ou de réactions du système immunitaire, mais d'une sorte de mauvaise pliure de protéines très voisine des maladies à prion.

Les succès obtenus dans le domaine du prion nous ont permis d'en savoir plus sur ces dernières maladies, et peut-être leur accorderons-nous un jour un rôle dans leur guérison. Cette extension des prions et de leur modèle à d'autres maladies protéiques est, à mon sens, la première application que nous leur trouverons – mais d'autres suivront, biologiques ou pas. Nous continuerons à trouver des usages au prion, ne serait-ce que parce que nous avons tout fait pour lui ouvrir la voie, et que son absence d'objet et son aptitude à nuire s'accommodent fort bien de notre mentalité postmoderne. À maints égards d'ordre symbolique mais aussi environnemental, nous sommes de plain-pied dans l'ère du prion. D'ailleurs il ne saurait en être autrement, car le prion se tient très précisément à la croisée de l'ambition humaine et de l'imprévisibilité de la nature, et l'on ne saurait dire laquelle est la plus dangereuse.

Première partie

SEULS DANS LA NUIT

1

Le dilemme du médecin
Venise, 1765

> *Qui a dit que la différence est grande entre le bon*
> *médecin et le mauvais ; et pourtant si faible entre le pre-*
> *mier et pas de médecin du tout ?*

> Arthur Young, *Tour de France et d'Italie*

En novembre 1765, un médecin d'une grande famille de
Vénétie meurt au Campo Santi Apostoli, tout près du ghetto juif
de Venise. Son décès est attribué à « un défaut organique de la
poche du cœur » – c'est en tout cas ce qui figure dans les
registres de la paroisse. En vérité, nul ne savait vraiment ce dont
il souffrait et nous n'en savons pas plus aujourd'hui. Mais, en ce
temps-là, les prêtres ne s'attardaient pas à décrire une maladie
dans le détail, sauf s'ils y avaient décelé quelque chose d'inhabituel. Et force est de constater que, dans les livres de la paroisse,
la description de la maladie du médecin est l'une des plus
longues de l'année.

On peut y lire que le défunt a souffert pendant plus d'un an
de « difficultés respiratoires intermittentes » et qu'il a été alité et
« totalement paralysé pendant deux mois » avant sa mort. Beaucoup de descendants du médecin connaîtront les mêmes symptômes lorsqu'ils succomberont à l'insomnie fatale familiale, ce qui
fait peut-être de ce médecin vénitien le premier cas connu d'une
affliction qui tourmente sa lignée depuis plus de deux siècles.

Au milieu du dix-huitième siècle, Venise est un lieu de joie
et de vice[1]. La ville a toujours entretenu un petit air de conte de

fées, mais, jusqu'au dix-septième siècle, cet aspect irréel cache en fait un immense appétit marchand. À la croisée de l'Occident et de l'Orient, de l'Asie et de l'Europe, Venise tire goulûment profit de son heureuse situation. Mais depuis la colonisation des Amériques, les échanges se font ailleurs – à travers l'Atlantique – et Venise dilapide son héritage. Lors d'une visite en 1768, Goethe note que sa lagune s'assèche, que son commerce « diminue, sa puissance [s'est] évanouie [...] [Venise] succombe sous l'effet du temps, comme tout ce qui appartient au monde des phénomènes ». La fin est proche, et chacun le sait.

La décadence de Venise aura pourtant été le temps de sa plus grande opulence, celui des Mémoires libertins de Casanova, des régates et processions splendides immortalisées par Canaletto et Francesco Guardi. Une anecdote restitue particulièrement bien l'air du temps : en 1709, un bal est donné chez un noble vénitien en l'honneur de Frédéric IV, roi du Danemark. Alors que le roi danse avec une des convives nommée Caterina Quirini, jeune épouse d'un noble de la ville, la boucle de son ceinturon accroche la rangée de perles qui noue la robe de la jeune femme à la taille, et toutes les perles se répandent au sol. La dame n'y prête pas la moindre attention. Le roi, lui, s'agenouille déjà pour tenter de les ramasser, mais le mari se lève d'un bond et traverse la salle pour écraser du pied chacune des perles tandis que sa femme continue de danser.

Venise fonctionne selon une oligarchie héréditaire. Sa classe dominante – les doges, procurateurs et ambassadeurs – provient de deux cents familles dont le nom, comme celui des Quirini, a été inscrit au « livre de noblesse » dès le début du quatorzième siècle[2].

Notre médecin mourant descend lui-même d'une lignée de notables, de grands marchands et de commis d'État, dont on a attribué le nom à une place du centre-ville. S'il n'a pas le droit de porter la toge pourpre du patricien, il n'en jouit pas moins de la plupart des autres privilèges de naissance dans la république.

Il possède un *palazzo* de trois étages sur un canal ainsi qu'une maison de campagne en Vénétie (l'un et l'autre sont encore debout de nos jours). Cette dernière se trouve dans un village sur les bords de la Piave, à trois jours de la ville, à travers la lagune, en gondole jusqu'à Portegrandi, puis en voiture. À la campagne, sur la terre ferme, notre médecin de bonne famille trouve le loisir de jouer aux cartes ou aux échecs entre gens bien nés, de surveiller ses jardins et d'avoir un œil sur la collecte des loyers de ses fermiers, tout en se mettant à l'abri des infections que l'été répand à Venise.

Si cet homme a vraiment souffert d'insomnie fatale familiale – selon l'hypothèse émise par ses descendants en quête des origines de leur mutation – c'est probablement là qu'il en constate les premiers symptômes, à l'été 1746. Devant ses yeux vitreux et son front dégoulinant, ses serviteurs auront peut-être pensé qu'une sorcière lui a jeté un sort, mais cette idée ne l'a certainement pas effleuré un instant lui-même. Il est diplômé de l'école de médecine de Padoue, la meilleure d'Europe, alors pour lui la maladie n'est pas un phénomène magique mais naturel. Il faut dire que dans l'État vénitien, auquel appartient Padoue, la méthode scientifique est en plein essor[3]. Le saint patron laïc Galilée a montré le chemin à tous. « La science, disait-il, est écrite dans cet immense livre toujours ouvert devant nos yeux, je veux dire l'univers. Mais on ne peut le comprendre si l'on ne s'applique d'abord à en comprendre la langue [...] : la langue mathématique[4]. » Le travail du médecin consiste donc à substituer l'observation exacte à la spéculation, à porter un regard dépouillé de toute métaphysique ou théologie.

Notre médecin insomniaque a de quoi revendiquer une filiation médicale directe avec Galilée. Galilée a eu pour disciple le moine Castell, qui a enseigné à Borelli, qui à son tour a formé l'anatomiste Malpighi, dont le disciple Valsalva a transmis son savoir à Morgagni, dont il a lui-même été l'élève. La plupart d'entre eux ont appris leur métier à l'Acquapendente de Padoue, le plus bel amphithéâtre d'autopsie d'Europe. Ses gradins de bois forment un « profond entonnoir pointu », selon la description de Goethe[5] – d'où l'assistance peut contempler le cadavre allongé dans toute son euclidienne splendeur. Les médecins italiens manient le scalpel avec brio ; vu d'en haut, leur travail semble promettre à l'étudiant plein d'entrain qu'est alors notre médecin que, si l'on étudie la nature avec assez d'ardeur, elle finira par livrer ses secrets.

Mais pour ce qui le concerne, la promesse ne tient pas. Il ne trouve plus le sommeil et ne sait pas pourquoi. Au début, la sensation n'était pas nécessairement désagréable – il pensait pouvoir passer ses nuits à jouer aux cartes ou à lire Morgagni, dont les fameuses comparaisons du corps humain avec la machine ont paru quelques années plus tôt. Ainsi la machine, qui doit se reposer pour préparer le lendemain, ainsi l'homme Sauf que la mécanique du médecin donne l'impression de ne plus jamais devoir s'arrêter. Il transpire de plus en plus, et ses serviteurs lui apportent à présent une chemise de rechange plusieurs fois par jour.

Le médecin aurait-il la possibilité d'interroger nos sommités contemporaines sur l'insomnie que cela ne lui serait pas d'un grand secours. Le sommeil, qui conserve à bien des égards une part de mystère pour la science et la médecine de nos jours, est un phénomène parfaitement obscur pour les médecins d'alors, qui comprennent à grand-peine ce qui se produit sous leurs yeux. En fait, notre médecin insomniaque est obligé de remonter jusqu'à Galien, le savant romain dont les préceptes ont dominé la médecine jusqu'à sa remise en question par Galilée, à peine un siècle auparavant. Galien tenait à peu près tout ce qu'il savait du sommeil d'Aristote, qui s'était doctement prononcé sur la question (comme sur à peu près tout ce qui touche à la science). « Tout ce qui a une certaine fonction par nature, avait-il déterminé dans *Petits traités d'histoire naturelle*, lorsqu'il a dépassé la durée pendant laquelle il est capable d'exercer une activité, est nécessairement dans l'impossibilité de le faire (comme les yeux l'exercice de la vision) et cesse de le faire – par exemple, les yeux de voir. Tout individu à l'état de veille est nécessairement capable de dormir. Une activité permanente est en effet impossible. » Aristote tenait le sommeil pour un sous-produit de l'alimentation. Le sujet qui venait de consommer un bon repas sentait les chaudes vapeurs de la digestion pénétrer ses veines, remonter jusqu'au cerveau, puis gagner le cœur, siège de la conscience, où leur refroidissement déclenchait le sommeil. Cinq siècles plus tard, Galien corrigeait Aristote – le repas chaud monte directement au cerveau, où il obstrue les pores par lesquels vont et viennent les sensations.

Notre médecin vénitien ne prend probablement pas plus Aristote que Galien au sérieux. À côté des certitudes acquises à Acquapendente, l'un et l'autre semblent hautement spéculatifs. Toutefois, de retour à Venise, et parce qu'on ne sait jamais, peut-être demande-t-il à son cuisinier de lui préparer des repas plus copieux – volaille rôtie, jambons et saucisses, poissons de l'Adriatique, le tout baignant dans les lourdes sauces françaises alors en vogue. Le résultat renforce le scepticisme que lui inspirent les enseignements dispensés partout ailleurs qu'à Padoue. Peut-être attend-il assis sur sa chaise, l'estomac distendu, que le repas vienne lui réchauffer la tête. Pour favoriser le processus, il ingurgite beaucoup de vin – le vin est particulièrement recommandé pour l'insomnie – et passe la nuit à attendre que le soleil se montre derrière le Lido.

Peut-être encore se lève-t-il et sort-il, agacé par le bruit – rabatteurs et prostituées, gondoliers chantant à tue-tête dans la nuit d'une ville où, comme se plaignait Goethe, « les gens [...] apprécient le vacarme plus que tout ». Si l'on est en Carême, le médecin peut se rendre à l'un des immenses carnavals qui se tiennent dans les palais du Grand Canal, où sa qualité de noble lui vaut d'être toujours le bienvenu. Là, déguisé en *medico della peste*, il n'éveillera pas de soupçons. C'est typiquement le genre de personnage que les Vénitiens admirent – le médecin et sa cape noire, le long nez blanc, et le masque de celui qui combat la peste. Ainsi grimé, le seul signe apparent du mal qui le ronge proviendra de ses pupilles, petites billes noires luisant derrière le masque. Il rentrera à l'heure où sonne la Marangona, le bourdon de la place Saint-Marc qui annonce le début de la journée de labeur, et le sommeil sera encore largement hors de portée.

Peut-être se demande-t-il s'il n'a pas attrapé quelque chose. Venise, au dix-huitième siècle, est très touchée par les infections. La ville possède un département de santé que la question préoccupe vivement. Pour neutraliser la contagion, on brûle la couche des victimes décédées, puis on laisse une semaine leurs vêtements prendre l'air et le soleil. Mais que neutralise-t-on au juste ? C'est là que les avis divergent. L'idée prédominante veut que l'infection soit une substance invisible transportée par l'air comme l'odeur. Ce qui explique la présence d'une éponge au bout du long nez blanc du costume du médecin de la peste, et le fait que le personnel désigné par les autorités pour désinfecter les vêtements veille à soigneusement parfumer la chambre et les effets personnels du défunt.

Mais le catalogue médical de notre médecin ne comporte aucune infection correspondant à ce qu'il éprouve. Il n'a pas seulement chaud, il est aussi extraordinairement agité, comme un cheval au grand galop, il sue abondamment et se trouve pris d'un tremblement venu du fond de ses entrailles. Il est épuisé, et oscille sans cesse entre l'éveil et un très léger sommeil encombré de rêves. Peut-être ses serviteurs l'ont-ils entendu frapper à sa propre fenêtre, croyant qu'il s'agissait d'une porte, ou préparer les sangsues, remuant une eau imaginaire dans la carafe de verre fumé où il les conserve. Les serviteurs entrent dans sa chambre pour le réveiller, suivis de l'épouse, rongée d'inquiétude. Il ne se souvient pas avoir dormi, et ne se sent nullement reposé. « *Mi so straco* » – « Je suis fatigué », dit-il en vénitien. Puis, une fois les serviteurs ressortis, il fait part de toute sa détresse à son épouse : « *Mi divento mato.* » Devient-il vraiment fou ? Est-il voué à finir sur les bateaux d'aliénés qui mouillent tout au bout de la lagune, où la Serenissima rassemble les pauvres âmes auxquelles Dieu a confisqué la raison ?

À ce stade, il a sans doute déjà consulté les savants de l'experte société médicale du collège de Venise. Malheureusement, ses confrères possèdent peu ou prou les mêmes connaissances que lui : ils savent la structure du corps, la fonction et l'apparence des principaux organes pour les avoir examinés après la mort. Mais ils ne savent proprement rien des maladies chez les vivants. Il n'empêche, les médecins d'alors (comme ceux d'aujourd'hui) se fient à leur jugement, ils savent quand il convient de saigner ou d'appliquer un onguent, de prescrire des bains froids ou du vin chaud. Sans doute sont-ils intrigués par la constante sudation du malade, dont ils prennent la température – le thermomètre est une récente invention venue de Padoue – et voilà que les choses se compliquent. Contrairement aux autres victimes du prion, les malades d'IFF voient leur température passer brutalement d'un extrême à l'autre[6]. Bien que ne sachant trop que penser de ces impressionnantes fluctuations, les médecins traitent sans doute leur compagnon comme une victime de la fièvre. (La sagesse clinique consistait en partie à savoir ignorer les informations incohérentes.) Ils décident finalement de prescrire l'immersion du malade dans l'eau froide – les serviteurs s'échinent à empêcher le corps de couler – et lorsque cela s'est révélé parfaitement inutile, ils le saignent pour refroidir ses humeurs, et constatent avec stupeur le tremblement qui prend ses membres alors qu'ils cherchent à ouvrir la veine. S'ils n'étaient pas gens de science, l'état du malade les aurait sans doute fait songer à la possession plutôt qu'à la maladie, mais les deux derniers siècles ont vu la médecine franchir un cap, et les savants de leur acabit n'invoqueront plus jamais les démons ni les augures.

Ils se réunissent à nouveau, arborant les toges noires et les molles coiffes de velours réservées à la profession, probablement dans la salle des cartes de la maison du médecin où, après dîner et autour d'une bouteille de vin, ils débattent des prescriptions qui s'imposent à présent. Des purgatifs ? Des émétiques ? Des diurétiques ? Nul n'a l'honnêteté d'admettre son impuissance à soigner son ami, parce qu'en réalité aucun d'eux n'a jamais été capable de soigner qui que ce soit. En fait, au dix-huitième siècle, aucun médecin ne savait soigner son patient ; il n'avait pas davantage de succès que les saltimbanques de la place Saint-Marc. Tous ont connu des humiliations du type de celle que raconte Casanova dans ses *Mémoires* et que voici. Le célèbre aventurier se trouvait dans une gondole en compagnie d'un patricien vénitien lorsque ce dernier fit une crise cardiaque. Casanova raccompagna alors l'homme à son *palazzo*, jusque dans son lit, et attendit la venue du médecin du sénateur. À peine arrivé, l'éminent docteur Ferro posa un cataplasme d'onguent au mercure sur la poitrine de son patient et s'en repartit aussitôt, absolument certain de le trouver rétabli à son retour le lendemain. Ce qui fut bien le cas – mais seulement parce que, dans la nuit, voyant que le traitement mettait le sénateur au bord de l'agonie (le mercure est hautement toxique), Casanova lui avait retiré le cataplasme et lavé le corps à l'eau chaude. Le patricien fit alors de Casanova lui-même son nouveau médecin, qui ne se priva pas de raconter l'histoire partout[7].

« Qui a dit que la différence est grande entre le bon médecin et le mauvais ; et pourtant si faible entre le premier et pas de médecin du tout ? » demandait en 1787 le journaliste agricole anglais Arthur Young, qui parcourait le continent[8]. Toujours est-il que face à leur confrère privé de sommeil et pris de secousses, et sous l'insistance de l'épouse terrifiée, les médecins décident d'agir. Par sa gravité, le cas exige le plus puissant remède que comporte leur répertoire : la *triaca*, ou *teriaca*, ou encore *theriaca ex Galieno*. Soit, en français, la thériaque de Venise.

L'histoire de cette thériaque est typiquement vénitienne. Galien lui-même en aurait concocté la version originale, dont la recette a suivi les légions romaines en Europe. À la chute de l'empire, elle a été conservée dans les monastères : elle sera pendant quatorze siècles le remède miracle de l'Europe. La thériaque est réputée soigner la fièvre, la peste, et servir d'antidote à tous les poisons. La composition exacte varie en fonction des ingrédients disponibles dans chaque région et du goût de l'apothicaire.

C'est au Moyen Âge que les Vénitiens se sont mis à la préparer, profitant de leur fenêtre ouverte sur l'Orient pour y adjoindre des ingrédients inaccessibles aux autres pays d'Europe[9]. Au moment où l'apothicaire broie ces ingrédients et les mélange, la loi exige la présence de représentants du *magistrato alla sanità*, la santé publique. Il arrive que les curieux soient invités à y assister, et la boutique de l'apothicaire, avec ses impressionnantes jarres et ses étagères de bois bruni, devient alors un lieu tout à fait spectaculaire. Une fois la thériaque officiellement authentifiée par les autorités sanitaires, l'apothicaire est autorisé à hisser le drapeau vénitien, le lion de saint Marc l'évangéliste, pour faire savoir au monde qu'un nouveau cru est disponible à la vente. Cette certification gouvernementale de pacotille fait de la thériaque une marque déposée, dont Venise tirera grand profit en la vendant à l'Europe entière.

L'ingrédient essentiel de la thériaque est la chair de vipère – « base et fondement [...] sans lequel il est absolument impossible de la concocter », selon le grand médecin bolognais du seizième siècle Aldrovandi[10]. La théorie, qui repose sur les travaux de Galien, est qu'il faut un poison pour en contrer un autre. La fièvre étant un poison dans le corps, seul un autre de force équivalente peut la faire cesser. Et la meilleure chair de vipère (également la plus coûteuse) provient justement des collines euganéennes, près de Padoue, en Vénétie.

Les collègues de notre médecin malade acquièrent l'onéreux remède à bon prix car, à Venise, c'est auprès d'eux que les pharmaciens doivent solliciter leur licence. Ils apportent donc la concoction chez leur ami, à présent confiné au lit. Ils déposent la pâte directement sur sa langue et l'enjoignent d'avaler, ou bien, s'il est trop faible, ils en diluent une petite quantité dans de l'eau de rose, pour atténuer l'amertume, et versent la mixture directement dans la gorge. La thériaque est un diaphorétique, ce qui signifie qu'elle fait transpirer le patient, et c'est bien la dernière des choses dont ait besoin une personne atteinte d'insomnie familiale fatale. Si l'effet de la chair de vipère est nul, celui de l'opium que contient aussi la thériaque, lui, ne l'est pas. Si l'expression « sommeil de thériaque » désigne dans diverses langues un sommeil profond, dépourvu de rêves, l'opium exerce sur notre médecin un tout autre effet. Son cerveau a perdu toute capacité de sommeil, parce que les prions l'ont tout bonnement rongé. L'opium soulage sans doute un temps les souffrances, il atténue les horribles sensations que le patient éprouve, mais ses yeux demeurent désespérément ouverts.

Une fois la thériaque assimilée par le métabolisme, l'homme se sent beaucoup plus mal qu'auparavant, et ses serviteurs sont maintenant contraints de lui immobiliser bras et jambes pour empêcher les spasmes de le projeter hors du lit. Peut-être son épouse leur donne-t-elle même la permission de l'attacher. Reclus dans un absolu silence, le malade ne peut que les regarder faire.

Cela n'entame en rien la satisfaction de ses confrères : la thériaque a incontestablement réduit le flegme, le niveau de sudation n'en témoigne-t-il pas ? En outre, d'un point de vue professionnel, qui songerait à leur reprocher le décès, qui ne tardera certainement plus ? Confrontés à un cas difficile, ils ont conçu une thérapie, la meilleure dont ils disposent. Et si la médecine a accompli de grands progrès au cours du dernier siècle, et continuera de le faire au suivant, ils ne sont après tout que des hommes. C'est à présent aux prêtres d'agir.

En 1770, naît en Vénétie un homme nommé Giuseppe. On ne sait pas exactement quel lien de parenté il entretient avec le médecin ; au dix-huitième siècle, ce nom de famille est très courant et les citoyens qui le portent sont « répandus dans Venise tout entière », comme le dit un document de ce temps, mais il pourrait s'agir de son neveu.

Giuseppe a grandi dans la maison de campagne du médecin, dont il héritera peut-être même un jour, puis il a déménagé dans un bourg voisin. Il appartient à la noblesse rurale, c'est un *sìòr*, un propriétaire terrien. Mais il ne profitera pas bien longtemps des privilèges de son rang. Il a vingt-huit ans lorsque la France envahit Venise. Napoléon fait de la république de Venise une méritocratie et tout le monde – patricien, médecin, homme de loi, gondolier – devient du jour au lendemain simple *cittadino*. À peine Venise a-t-elle eu le temps de se faire à la devise *Libertà, Virtù, Eguaglianza* – « liberté, vertu, égalité » – que Napoléon l'offre aux Autrichiens en échange de la Belgique et de la Lombardie. Une fois encore, les Vénitiens s'adaptent. On prête à un noble ce célèbre commentaire : « une loi vénitienne ne dure jamais plus d'une semaine »[11]. Bien vite, le pantalon, le col et les gants vénitiens passent du rouge (couleur de la révolution) au noir (couleur de la piété), et l'on se précipite avec les Autrichiens sur la place Saint-Marc pour célébrer une messe dédiée à l'empereur catholique. Neuf ans plus tard, devenu empereur lui aussi, Napoléon est de retour ; les Vénitiens lui érigent une statue et ornent la place Saint-Marc d'un magnifique « N » doré, qu'ils abattront aussitôt après Waterloo, en 1815. Les vainqueurs, l'Autriche, la Grande-Bretagne et la Prusse, restituent Venise aux Autrichiens, qui y règnent cinquante ans encore – malgré la parenthèse d'une insurrection libérale en 1848 – avant que l'Italie naissante ne l'absorbe.

Le temps est loin où un Vénitien préférait écraser les perles de son épouse que paraître s'agenouiller devant un roi étranger. Les grandes puissances s'affrontent sans trêve aux portes de Venise, confisquent les récoltes et bloquent les ports. Ainsi coupée de ses territoires, la cité connaît un effondrement économique dont elle ne se remettra pas avant un siècle.

Les petites villes qui jalonnent la campagne de Vénétie,

comme celle de Giuseppe, sont particulièrement touchées. Les Vénitiens originels n'avaient jamais vraiment prêté grande attention aux terres de l'intérieur. Ce n'est qu'au quinzième siècle que la république, par souci de protection, change son fusil d'épaule en acquérant divers domaines parmi les terres italiennes. Fidèle à elle-même, au fil du temps, elle trouvera moyen de tirer quelque revenu de ces propriétés. Non seulement les villes en terre ferme servent-elles à la défense de la république, mais elles constituent aussi un lieu de villégiature abordable pour les riches de la resplendissante cité de l'autre bord de la lagune. Les paysans de Vénétie cultivent le maïs qu'ils convoient jusqu'aux moulins des rivières, d'où il vogue vers la capitale ; ils élèvent aussi des vers à soie dont les cocons sont livrés aux artisans de Venise, passés maîtres dans l'art de tisser les beaux habits des riches de la ville. Lorsque ces vêtements sont sales, on les envoie par bateau dans l'arrière-pays, où les autochtones assurent la blanchisserie et le repassage. Au balcon de sa maison de campagne, le patricien regarde passer son linge propre, sa nourriture et son bois à brûler vers son *palazzo* citadin.

Lorsque l'aristocratie vénitienne voit fondre sa fortune, toute cette industrie suit le mouvement. Et la région entière souffre davantage encore lorsque, pour satisfaire aux nécessités du transport à travers la campagne, Vénitiens puis Autrichiens entreprennent de remodeler l'étroit et sinueux réseau des rivières par lequel l'eau s'écoule des montagnes dans la lagune. Ce chambardement a pour effet de transformer le pays en marais pendant la majeure partie de l'année. Or, les marais attirent les moustiques, et les moustiques amènent le paludisme ; un rapport militaire autrichien de 1849 affirme que le quart des habitants de la ville de Giuseppe souffrent de ce mal qui les affaiblit et, parfois, les tue[12]. Le paludisme rend impossible aux paysans le travail de la terre, ce qui provoque l'apparition de la pellagre, une maladie liée à la malnutrition. La pellagre compte parmi ses principaux symptômes la démence, quant au paludisme, il s'accompagne généralement de délire et de fièvre intermittente. Par conséquent, la Vénétie du milieu du dix-neuvième siècle fourmille d'individus présentant des symptômes très semblables à ceux de l'insomnie fatale familiale.

Des huit enfants de Giuseppe, cinq périssent avant l'âge d'un an, ce qui est dans la moyenne de la mortalité infantile rurale, y compris parmi les riches, et Giuseppe l'admet sans grande difficulté. En revanche, il ne manque probablement pas de s'interroger lorsque, vers 1827, son fils adolescent Costante tombe malade. Au début, sans doute la fièvre repart-elle comme elle est venue, mais après quelques mois, le jeune homme a des hallucinations, il se croit possédé. On fait donc venir la sorcière locale, une vieille fille qui habite à l'orée de la ville[13]. Elle fait placer des lumières aux quatre coins de la chambre à coucher de Costante, pour chasser le *massariòl*, le mauvais génie qui n'aime rien tant que surprendre le dormeur au milieu de la nuit en s'asseyant sur sa poitrine pour le faire suffoquer. Ou peut-être choisit-elle plutôt d'emmener Costante dans la campagne, pour le faire balancer trois fois sous un châtaigner, remède infaillible en toute circonstance.

L'état de Costante ne montrant aucun progrès, Giuseppe aura sans doute fait appel au prêtre local – certains dans la région ont la réputation de pouvoir rendre l'esprit à ceux qui l'ont perdu. Sur l'autel de l'église du village, sous les fresques vertigineuses du baptême du Christ peint par l'un des fils Tiepolo, le prêtre aura versé de l'eau bénite sur le jeune homme en lui faisant serrer un crucifix. Ne rencontrant pas davantage de succès, il se sera enfermé avec le malade dans l'église pour procéder à un exorcisme. La tâche est éreintante, mais si transpirant que soit le prêtre, Costante transpire davantage encore.

Le garçon meurt en 1829. Les registres de la paroisse attribuent son décès à la pellagre, mais ça ne tient pas debout – la pellagre est une maladie de pauvres, la famille de Giuseppe est riche. Ce dernier n'a cependant pas le temps de méditer sur les errances des prêtres. Il ne tarde pas à tomber malade à son tour, sans faire forcément le lien avec la maladie de son fils, parce que l'IFF se manifeste de façon fort différente selon l'âge de la victime ; chez les jeunes, elle provoque des troubles mentaux, alors que chez les plus âgés le symptôme principal est l'insomnie. Le mal dont souffre Giuseppe ressemblerait davantage à celui de son aïeul, le médecin vénitien – suées, fièvre et, surtout, perte de sommeil.

« *Tempo, siori, dotori i fa chelo che i voli lori* » – « Le temps, messieurs, et les médecins font ce que bon leur semble », proclame un dicton local. Toutefois, à cinquante ans passés, *capofamiglia* – chef de famille – et *siòr* lui-même, Giuseppe aura sans doute convoqué *il medico*. Mais cela ne lui vaut pas grand soulagement. Le médecin diagnostique naturellement le paludisme et prescrit de la quinine – que Giuseppe, malgré le prix exorbitant, a les moyens de s'offrir – mais sans plus de succès. Cinquante années ont passé depuis la mort du médecin vénitien, et la science a beaucoup avancé : on sait par exemple désormais que les gens respirent de l'oxygène et que les nerfs véhiculent les impulsions sensorielles et motrices. Mais l'IFF demeure largement hors du champ des compétences médicales de l'époque. Giuseppe meurt peu après Costante, et son décès n'est pas moins mystérieux.

Rétrospectivement, sachant comment s'est transmise la mutation génétique de Giuseppe et les souffrances qu'elle provoquera par la suite, on peut penser qu'il aurait mieux valu qu'au lieu de lui prendre cinq enfants en bas âge, la maladie emporte l'ensemble des huit, parce que c'est à travers Angelo et Vincènzo, les deux qui atteindront l'âge adulte, que la mutation va se répandre. En effet, le schéma des porteurs actuels de la mutation de l'IFF indique que les deux frères étaient des porteurs obligatoires. Angelo, né en 1813, est mort d'IFF, sans doute dans les années 1870, et Vincènzo, né en 1822, a succombé à un cancer de la lèvre avant que l'IFF n'ait eu le temps de le frapper, en 1880.

Angelo a eu un enfant, dont on ne sait absolument rien. On en sait davantage de Vincènzo, parce que sa branche de la famille, dont Cati est une descendante directe, a établi un arbre généalogique. Vincènzo était fermier – les livres de la paroisse le qualifient de *contadino*, paysan, mais il possédait sans doute ses propres terres, héritées de Giuseppe. Marianna, sa femme, réputée pour sa flamboyante chevelure rousse, lui a survécu, et n'a cessé pendant son veuvage de rendre visite à chacun de ses nombreux enfants, conduisant elle-même sa calèche. Elle a eu la chance de voir six de ses huit rejetons atteindre l'âge adulte, et à sa mort, en 1893, dans sa chambre, d'où elle voyait le soleil se coucher derrière les Dolomites, elle avait tout lieu de se féliciter d'une vie bénie.

Mais des six descendants de Vincènzo et Marianna, quatre sont probablement morts d'IFF : Angelo, vers trente-cinq ans, en 1901, Pierina, peu après quarante ans, en 1906, Giovanni, vers cinquante-cinq ans, en 1913, et Antonio, également autour de cinquante-cinq ans, en 1926. Pour chacun, le registre de la paroisse attribue le décès à une cause différente – de la démence à la pellagre. Il faut dire qu'une épidémie balaie alors l'Europe : l'encéphalite léthargique ou maladie de von Economo[14]. Elle a pour principaux symptômes l'insomnie ou son contraire, l'hypersomnie. L'autopsie des victimes de l'encéphalite léthargique révèle un gonflement du cerveau, mais l'autopsie est encore une pratique réservée aux plus démunis parmi les démunis. Les membres de la famille morts d'IFF à l'époque ont donc probablement été comptabilisés parmi les millions d'autres qui, par pur fait du hasard, les avaient provisoirement rejoints dans leur odyssée insomniaque.

Des années plus tard, lorsque les membres de la famille commenceront à comprendre ce qui leur arrive, ils accuseront Marianna – « la rousse accusée », comme l'appelait la mère de Cati. Était-ce parce qu'elle n'était pas originaire de Vénétie ? Ou à cause de sa rousseur, qui a porté la famille à penser que les roux avaient plus de chances d'être atteints que les autres ? Sauf que le mal n'est pas venu d'elle, mais de Vincènzo, son mari.

À partir de leurs enfants, l'IFF a tracé un bien triste destin. Les branches porteuses ne cessant de perdre des adultes valides, elles se sont paupérisées. Et comme la plupart des familles démunies, elles ont alors fait davantage d'enfants pour pourvoir à la main-d'œuvre et compenser la forte mortalité infantile. Les familles nombreuses étant plus sujettes aux maladies génétiques, les branches atteintes l'ont donc été plus que les autres[15]. Dans le même temps, celles qui y avaient échappé se sont empressées de prendre des distances avec leurs cousins malades. En Vénétie, la maladie était une affaire particulièrement honteuse, car dans le marais infesté qu'était alors la région, on jugeait inévitablement tout homme et toute femme à son état de santé. Celle-ci a-t-elle les hanches assez larges pour accoucher sans problème ? Celui-là ne paraît-il pas trop chétif pour les récoltes ? Cette famille ne recèlerait-elle pas la tuberculose ? Chaque famille redoutait tellement de passer pour malade qu'on rendait souvent visite au médecin en contournant la ville afin de ne pas être vu des voisins.

Le taux de mortalité rurale de la Vénétie a fini par baisser, au début du vingtième siècle, grâce aux projets de réhabilitation des terres et à l'émigration (quatre millions d'individus ont quitté la région pour les Amériques). Mais alors que la situation s'arrangeait autour d'eux, les descendants de Vincènzo ont vu leur malédiction s'aggraver. Sachant que beaucoup de membres de la famille avaient péri d'une mort étrange avant soixante ans, les voisins y réfléchissaient à deux fois avant d'épouser l'un d'eux. Certains des enfants de Vincènzo ont fini célibataires dans la région ; d'autres sont partis pour l'Amérique, la Suisse, la France – où personne ne les connaissait et où ils ont pu nourrir l'espoir d'un nouveau départ. Ceux qui sont restés ont fait bonne figure, et n'ont jamais évoqué leur mal en public. Et même entre eux, ils ne l'ont jamais fait que de façon indirecte. C'était une affaire d'épuisement ou de stress, dû au chagrin ou au deuil. Jamais il n'a été question d'affliction échappant à tout contrôle, dormant dans leur corps en attendant de frapper, eux puis leurs descendants. Désormais seuls dans la douleur, ils souffraient d'un mal unique – du moins le croyaient-ils.

2

Mérinos-mania
Angleterre, 1772

Des machines à convertir le fourrage... en argent.

Robert Bakewell, à propos des moutons [1]

À peu près à l'époque où mourait le médecin vénitien, une autre maladie à prion déferlait sur l'Europe. Les troupeaux de moutons qui faisaient la fierté du continent étaient frappés d'un nouveau mal étrange, dont le nom de tremblante est inspiré de son symptôme principal. Le mouton est ordinairement une créature docile, aussi peu intéressée qu'intéressante – au point que si les bergers n'avaient pas de flûte (ou, aujourd'hui, de radio), ils auraient bien du mal à ne pas s'assoupir. Mais lorsqu'une de ces bêtes est atteinte de tremblante, son comportement change du tout au tout. Elle devient agressive et particulièrement nerveuse, charge ou au contraire détale à la vue du chien de berger ou au son du sifflet. Lorsqu'on lui chatouille le menton, elle produit un drôle de bruit avec les lèvres, un peu comme des baisers – chose qu'habituellement elle ne fait pas. Le plus curieux, chez le mouton atteint de tremblante, c'est qu'il s'acharne à vouloir se gratter à l'endroit d'une démangeaison permanente et imaginaire. Cela se situe généralement sur son dos, à la naissance de la queue, et c'est là qu'il se frotte jusqu'au sang contre un poteau, un mur, un rocher – tout ce qui fera l'affaire – pour se soulager. Cette démangeaison est en fait provoquée par des altérations du cerveau dues au prion, et aucun grattement n'en viendra à bout. À sa mort – car la maladie est toujours mortelle – le dos et les flancs de l'animal sont à vif, couverts de croûtes, et sa laine en lambeaux.

La tremblante continue aujourd'hui de poser problème presque partout dans le monde. *Scrapie, vertigo, Traberkrankheit* (maladie du trot) – chaque langue d'Europe, et bien d'autres dans le monde, possède un terme pour la désigner. Certains signes permettent de supposer que la tremblante a toujours existé dans les campagnes, mais elle n'a jamais constitué un réel problème agricole avant qu'une nouvelle génération d'hommes et leurs idées – notamment celle de rentabiliser le mouton par l'élevage intensif – ne la mettent à l'ordre du jour.

C'est autour du dix-huitième siècle que les Européens commencent à trouver des insuffisances à ce que la nature a disposé sur la Terre. Il doit sûrement y avoir moyen d'améliorer la réalité palpable. Ne pourrait-on faire des animaux de la ferme plus gros ? Moins gourmands ? Pratiquer l'élevage de façon à les rendre plus riches en viande et moins en os ? Ces questions se posent avec d'autant plus d'urgence que le continent connaît une formidable poussée démographique – la seule Angleterre compte trois fois plus d'habitants en 1850 qu'en 1750 ; les fermes du pays ont donc sensiblement plus de bouches à nourrir. Lors de leurs réunions dans les cafés de Londres, ces grands esprits ne parviennent pas à déterminer si leur rêve est réalisable ou pas. C'est donc dans *La Richesse des nations* d'Adam Smith, paru en 1776, qu'ils vont chercher une réponse. La théorie de Smith, selon laquelle la main invisible du marché suffit à assurer l'équilibre entre l'offre et la demande, s'applique à merveille aux biens manufacturés. Mais, dans le monde agricole, beaucoup ne manquent pas de le signaler, le marché n'exerce pas du tout le même effet. La Grande-Bretagne, nation insulaire, n'est pas appelée à s'étendre, et l'on n'accroîtra pas indéfiniment le volume que produit chaque hectare du pays. Or, si une population croissante exige davantage de nourriture, conformément aux prédictions de Smith, la hausse consécutive des prix ne produira pas en revanche (par impossibilité pure et simple) de vaste augmentation de la production. La famine paraît donc inévitable.

Telle est en tout cas l'opinion du grand pessimiste de ce temps, Thomas Malthus. Professeur à Cambridge, et rejeton d'une riche famille londonienne, on ne peut pas dire que Malthus ressente une grande compassion pour les pauvres. (Le critique William Hazlitt a écrit : « Tant qu'il n'a pas inventé une nouvelle façon de pousser quelqu'un à la famine, M. Malthus a l'impression de n'avoir rien fait de la journée. ») Il a cependant raison sur un point, qu'Adam Smith lui-même reconnaissait : la famine est le type même de manifestation brutale de la main invisible.

Dans l'ensemble, pourtant, les temps sont à l'optimisme. « Nous vivons des temps d'agitation, écrivait le philosophe politique Jeremy Bentham, où le savoir progresse à grands pas vers la perfection. Dans le monde naturel, en particulier, tout fourmille de découvertes et d'améliorations. » Une certaine frange de nobles et d'intellectuels inspirés par les richesses que leur a values la révolution industrielle est ainsi persuadée de pouvoir apporter aux aspirations de Bentham une réponse concrète. Ils croient notamment à la possibilité de rendre plus productives les terres déjà cultivées.

Dans la seconde moitié du dix-huitième siècle, la productivité agricole devient une cause majeure, pas seulement en Angleterre, mais dans toute l'Europe. On retrouve là toutes les idées des Lumières – la force de la raison et la vision d'un homme intrinsèquement bon ; la reconnaissance aussi de son avidité naturelle et l'idée que cette avidité puisse être vertueuse. En outre, correctement approvisionner les populations de son pays – notamment en viande – est désormais un acte patriotique. Les émeutes de la faim et l'agitation sociale en France font la preuve que la stabilité politique dépend de l'approvisionnement.

L'esprit d'alors est parfaitement incarné par Robert Bakewell, talentueux éleveur de bétail bien décidé à s'enrichir[2]. Bakewell exerce son métier à l'extérieur de la petite ville de Dishley, dans le Leicester, à quelque cent cinquante kilomètres au nord de Londres. Comme la plupart des fermiers anglais, il n'est pas propriétaire de ses pâturages, qui appartiennent à un riche Londonien. Bakewell est, comme on dit alors, fermier commun, mais il n'a pas de grande sensibilité pour les questions de classes. Seul compte l'argent, or, fait déterminant dans l'histoire du mouton et de ses maladies, Bakewell a compris qu'il y a plus de profit à tirer de ce qui gambade sur la terre que de ce qu'on y plante. Les villes anglaises explosent sous la poussée de la nouvelle classe ouvrière, immensément friande d'une viande de mouton qu'elle ne peut s'offrir.

En général, le travailleur doit se contenter de quelques déchets de viande dans sa soupe – les bons morceaux sont rares. Pour Bakewell, le problème vient du fait que les animaux d'élevage anglais sont maigres, mal constitués et lourdement osseux. Leur viande est située aux mauvais endroits et ils consomment d'immenses quantités de pâturage pour de bien chiches retours. Pour résumer, ils sont « peu économiques » – ce qui est à ses yeux la pire des condamnations.

Bakewell est persuadé qu'il peut modifier cette équation. Le mouton idéal, se dit-il, doit être doté d'une tête minuscule, d'un petit cou, de pattes maigrichonnes et d'une poitrine et de flancs immenses (un peu comme les dindons industriels de notre temps). L'animal n'est pas une création divine mais humaine – seulement destinée à l'abattage, la vente et la consommation. Ainsi Bakewell voit-il les choses. Or, cette vision sera précisément l'une des premières causes de l'épidémie de tremblante.

Bakewell sait que, pour améliorer les animaux d'élevage, il faut partir de ceux qui présentent déjà les caractéristiques souhaitées – notamment l'aptitude à prendre rapidement du poids. Évidemment, s'il était si simple de remodeler la nature, voilà longtemps que quelqu'un l'aurait fait. Mais l'élevage est une affaire délicate. Darwin, qui s'appuiera plus tard sur la réussite de Bakewell et de ses partisans dans la sélection artificielle pour postuler la sélection naturelle – l'évolution –, en convient lui-même dans L'Origine des espèces : « Pas un homme sur mille n'a la justesse de coup d'œil et la sûreté de jugement nécessaires pour faire un habile éleveur. » Robert Bakewell est pourtant celui-là.

Le plus remarquable dans sa technique d'élevage, c'est qu'il la façonne au fur et à mesure. Personne ne comprend alors vraiment le mécanisme de l'hérédité. Mais Bakewell se fie à ce qu'il voit – moutons et brebis transmettent leur physionomie à leur descendance et, bien souvent, ces caractéristiques vont par deux ; les moutons dotés de petits os, par exemple, ont aussi tendance à grossir vite. Mais, surtout, Bakewell devra son succès à son flair pour sélectionner les moutons sur lesquels miser. À partir de 1740, ses bêtes se font de plus en plus grosses et charnues. Lorsqu'il tient un mouton parfait – sur une génération de mâles, seule une poignée deviennent reproducteurs ; Bakewell ne tolère pas les perdants – il l'accouple à sa progéniture, à de multiples reprises, jusqu'à ce que l'apport génétique d'un des parents sur sa descendance puisse atteindre 95 %. C'est la méthode du croisement consanguin. Elle n'a jamais vraiment été pratiquée jusqu'alors parce qu'elle heurte le sens commun des éleveurs, pour qui la consanguinité est synonyme de défauts héréditaires. En outre, le croisement consanguin inspire alors les mêmes réserves que le clonage aujourd'hui : certains y voient le viol d'un certain ordre naturel. L'écrivain agricole Richard Parkinson se plaint du fait que Bakewell et ses émules « se placent en opposition à leur Créateur et cherchent à détruire Son œuvre[3] ».

Bakewell n'en a cure, et ses résultats commencent à épater ses voisins. Il a transformé la maigrelette race locale de Leicester en phénomène de foire. Rebaptisée Dishley Leicester, la bête présente désormais un corps disproportionné, des pattes en allumette et une tête minuscule, qui lui donnent un air de tonneau à quatre pattes. L'éleveur peut claironner à loisir qu'il a « substitué la chair profitable aux ossements inutiles[4] ». Malthus lui-même est impressionné.

Sa ferme est située sur la route de Londres, emplacement idéal pour atteindre un plus vaste public. Le tournant se produit en 1771, lors de la visite que lui rend Arthur Young, l'écrivain agricole le plus apprécié de son temps. Young a l'oreille du roi, et ses ouvrages se vendent fort bien. De cette rencontre naît une association certes fondée sur l'admiration mutuelle mais quand même très teintée d'intérêt individuel. Young qualifie Bakewell de « prince des éleveurs ». Bakewell baptise son mâle préféré du nom de Young.

Attirés par la publicité qu'en fait Young, les notables viennent à présent jusqu'à Bakewell[5]. En 1788, le roi lui-même, qui aime s'affubler du surnom de « Farmer George », reçoit chaleureusement l'éleveur au palais de St. James. Young raconte qu'ils s'entretiennent pendant plus d'une heure. Fort de l'approbation de Sa Majesté, Bakewell voit sa réputation croître encore – de même que sa fortune. Ainsi obtient-il par exemple de porter à 1 200 livres (150 000 livres actuelles, ou 230 000 euros) le prix unitaire de la saillie d'un bélier.

Avec ceux qui ont utilisé ses Dishley Leicester, Bakewell cherche à nouer une entente pour maintenir des prix élevés, mais les progrès qu'il a induits échappent désormais à son contrôle. Il a créé un mouvement, un état d'esprit, est devenu un genre de prophète ; il a fait des milliers d'émules. Tout éleveur se voulant moderne se met à pratiquer l'élevage en consanguinité, que ce soit à partir d'un animal du troupeau de Bakewell ou d'un autre. Agir autrement serait contraire à l'objectif national d'autosuffisance, mais signifierait surtout un manque à gagner. En 1710, au Smithfield Market de Londres, le mouton moyen pèse une quinzaine de kilos et l'agneau une dizaine. En 1795, à la mort de Bakewell, le poids moyen du mouton dépassera la quarantaine de kilos, vingt-cinq pour l'agneau. Les descendants des Dishley Leicester de Bakewell modifieront la physionomie de l'espèce en Angleterre, puis en Europe et en Amérique jusqu'à nos jours ; nos moutons ressemblent bien plus aux bêtes de Bakewell qu'à leurs ancêtres du dix-septième siècle.

Bakewell et ses imitateurs améliorent aussi les conditions de vie d'une classe ouvrière en pleine expansion. Pour la première fois, on trouve toute l'année de la viande dans les marchés des grandes villes, et les pauvres n'ont plus à se contenter des déchets. Pourquoi la Révolution française n'a-t-elle pas gagné la Grande-Bretagne ? En partie grâce à Bakewell et à ceux qui s'en inspirent. La « bonne cause » de Bakewell contribue à la paix dans le pays.

Pourtant, la haute société anglaise ne se réjouit pas pleinement de la réussite de Bakewell. Elle a l'intuition que tout cela ne sert pas forcément ses intérêts à long terme. On se met à porter des attaques à l'éleveur, à déclarer qu'il a détérioré le goût de la viande. Une plume anonyme écrit même que son mouton « n'est bon qu'à descendre le gosier d'un mineur de Newcastle[6] ». Des principaux opposants à Bakewell, Sir Joseph Banks, le président de la Royal Society, n'est pas le moindre[7]. Premier conseiller scientifique auprès du roi, Banks est un homme important. Propriétaire de moutons lui-même, il n'aime pas Bakewell, et ne laisse que rarement passer une occasion de le pourfendre. L'un et l'autre ont toutefois un point commun ; comme Bakewell, Banks caresse un projet concernant le mouton, mais c'est la laine qui l'intéresse. Bon nombre des filatures qui commencent à pulluler le long des fleuves et rivières anglais tissent du textile. Le quart de la population du pays, quelque six millions d'individus, travaille en connexion avec cette industrie, et fabrique du tissu pour des pantalons, des couvertures et des vestes. Ces fabriques réclament avec insistance une fibre de qualité que seuls donnent les meilleurs moutons.

Or, à cet égard, la Grande-Bretagne est à l'époque largement surclassée par son premier concurrent, l'Espagne. La laine espagnole est si belle que les fabricants anglais consacrent chaque année plus d'un million de livres à son importation. Et l'accroissement de la demande provoque une augmentation des prix.

Dans un pays comptant dix-huit millions de moutons, la situation a quelque chose de honteux. Pire encore, l'Espagne est un ennemi héréditaire de l'Angleterre. « Dépendre d'un pays naturellement inamical pour la matière première de la meilleure branche de notre principale manufacture et risquer à tout moment de perdre le privilège d'en obtenir sont, pour une grande nation, une considération humiliante », écrit Banks en 1788 dans une note adressée au roi.

Banks sait que l'excellence du mouton espagnol ne doit rien au hasard. Depuis des siècles, les Espagnols mettent un soin particulier à l'élevage de leur meilleure espèce, le mérinos. Leur cheptel, qui compte quelque cinq millions de têtes, dépend de la Mesta, un corps privé mandaté par le roi, qui bénéficie de l'incroyable privilège de pouvoir faire paître ses troupeaux où bon lui semble. Chaque année, les bergers de la Mesta conduisent les mérinos des montagnes de Castille aux chaudes plaines d'Estrémadure, par vingt mille kilomètres de routes tracées à cet effet, et refont le chemin inverse à l'automne. L'office de berger se transmet de père en fils, et les jeunes garçons acquièrent en grandissant l'œil nécessaire à l'évaluation des bêtes, pour distinguer les qualités à promouvoir de celles à faire disparaître[8].

Cinq siècles d'élevage attentif accouchent d'un animal merveilleux : élancé, doté d'un ample poitrail et d'une tête touffue (qu'un Anglais d'alors qualifie de « grosse touffe curieuse et répugnante sur le front et les joues »), de gros bourrelets au cou (« étrange relâchement de la peau »), et d'une laine si grasse qu'on aurait cru la bête trempée dans de la pâte à frire[9]. Mais une fois le mérinos tondu et la laine nettoyée, sa spécificité devient plus flagrante encore. La fibre est plus fine, plus souple, plus élastique, c'est tout simplement la meilleure du monde. Une fois tissée, sa texture est reconnaissable entre toutes.

Les Anglais, et avec eux le reste de l'Europe, savent depuis bien longtemps que la possession de quelques spécimens de mérinos reproducteurs leur permettrait de considérablement améliorer la qualité de leurs troupeaux. Mais l'Espagne refuse catégoriquement d'exporter – en fait, tout membre de la Mesta pris à traverser la frontière avec ses moutons est passible de prison. Les choses pourraient en rester là, mais Banks est un homme entreprenant et le roi se montre insistant.

Banks cherche donc des façons de contourner l'embargo. Par l'entremise de marchands britanniques, de contrebandiers espagnols et d'un ami agronome français pour amadouer, corrompre et négocier, il finit par s'approprier quelques dizaines de mérinos. Mais une fois rendues en Angleterre, les bêtes ne se reproduisent pas. Banks soupçonne le climat, ou les bergers du roi, qui ne semblent pas très enthousiastes du surcroît de travail que leur vaut le mérinos. À maintes reprises, Banks et le roi s'en vont voir les moutons, qui paissent à Kew Palace et à Windsor, mais c'est toujours pour apprendre la mort d'une nouvelle bête. Près du quart des mérinos périssent entre 1795 et 1796, et 28 % du reste dans la seule année suivante. Au total, plus du tiers des béliers, particulièrement précieux pour leur cadence reproductive, disparaît ainsi. Et les survivants sont en piteux état.

Les mérinos trouvent toutefois preneurs. Banks prend soin de les vendre à des propriétaires terriens possédant suffisamment de bêtes pour favoriser la continuité de la race. Quelque trente-cinq aristocrates se voient ainsi directement attribuer un animal aux premières années du projet. Des commis du roi transportent la bête – trop fragile pour marcher – des pâturages royaux jusqu'à sa nouvelle demeure. Mais le plus souvent, lorsque Banks expédie un mouton en tant que présent de Sa Majesté, c'est pour entendre le destinataire lui répondre un peu plus tard que l'animal est malheureusement arrivé mort à sa porte.

Pour ceux qui arrivent en bonne santé, le temps presse, car ils ne vivent que rarement plus de trois ans. L'élite méprise Bakewell, mais elle a quand même pris bonne note de ses innovations : pour modifier rapidement les caractéristiques d'un troupeau, il faut pratiquer le croisement consanguin. Banks a délibérément convoyé des mérinos aux quatre coins du royaume ; et leurs heureux récipiendaires veillent à présent à ne pas laisser disparaître les têtes touffues et la laine grasse. Les propriétaires terriens les croisent avec leurs espèces locales, puis à nouveau avec leur propre progéniture, et encore avec la progéniture de leur progéniture. Un mouton mérinos peut donc être à la fois l'arrière-arrière-arrière-grand-père et le père de son descendant. Les mérinos croisés, ainsi qu'on appelle ces descendants (alors que beaucoup, pour cause d'endogamie, sont quasiment de purs mérinos), sont ensuite envoyés à d'autres propriétaires pour favoriser la propagation de leurs caractéristiques si prisées.

En 1802, Arthur Young peut écrire qu'on trouve le mérinos « dans quasiment chaque district de Grande-Bretagne[10] ». Et les aristocrates en tirent tout l'argent qu'ils peuvent. Comment le leur reprocher ? Cela fait plus de cinq siècles qu'ils attendent cette opportunité, alors on leur pardonnera de ne pas trop songer aux conséquences.

C'est Thomas Comber, un clerc du Huntingdonshire, qui, le premier, prend acte de l'existence du problème. On est en 1772. Banks n'a pas encore constitué son troupeau, mais cela fait déjà trente ans que Bakewell et ses émules pratiquent le croisement consanguin.

Bien qu'étant homme d'Église, Comber nourrit un vif intérêt pour les questions d'élevage. Il a pour habitude de parcourir la campagne, à l'occasion d'« excursions quotidiennes », soi-disant nécessaires à sa santé, mais surtout vouées à satisfaire sa curiosité. Il a lu et assimilé les œuvres d'Arthur Young – avec qui il a même entretenu une correspondance, essentiellement à sens unique – et c'est fréquemment l'esprit rempli des thèses de ce dernier qu'il s'adonne à ces promenades. Conservateur par nature, Comber est assez rétif aux idées de l'écrivain agricole et de sa passion pour le progrès. Il trouve par exemple assez fumeuse cette nouvelle tendance à préférer le cheval de trait au bœuf, et désapprouve l'enthousiasme qu'inspire le jeune mouton. « Nul homme de goût, écrit-il, ne doute que la viande du mouton tondu quatre fois est préférable à celle du mouton tondu trois fois[11]. »

Près d'un an après son arrivée dans le Huntingdonshire, Comber rencontre un paroissien qui lui fait une révélation troublante au sujet de ses moutons. Thomas Beal est le plus gros éleveur de Morborne, la plus petite des deux paroisses de Comber. Riche et opportuniste, il a fait contre douze guinées l'acquisition d'un reproducteur auprès de Robert Bakewell.

Beal dit que certains de ses moutons sont malades, et d'une façon qu'il n'a encore jamais vue. Ils paraissent souffrir de terribles démangeaisons et ne cessent de se frotter le dos et le sommet du crâne, derrière les oreilles, aux barrières, aux murs de la grange, aux poteaux de l'étable, et même à leur propre sabot. Mais la démangeaison ne passe pas et, aux phases ultérieures de la maladie, l'animal oscille, titube, trébuche, et finit par s'effondrer raide mort. Les décès sont si nombreux que Beal en est déjà pour plusieurs centaines de livres.

Le mouton a toujours été sujet à de multiples maux, comme l'entérotoxémie, le louping-ill, la nécrosante, la douve du foie, ou le rot du mouton pour n'en citer que quelques-uns. Et à chacune de ces maladies correspond un remède supposé – térébenthine, tabac, teinture de mercure ou corne du diable mélangée à du houx. Mais le mal dont souffrent les bêtes de Beal se distingue des autres. D'une part, il tue rapidement. Deux mois à peine séparent les premiers signes du décès. D'autre part, il semble se propager : à en croire Beal, il aurait gagné l'ensemble du comté au cours des quatre dernières années. Les paysans parlent de « rachitisme », par analogie avec la maladie qui affaiblit les jambes des enfants. Le rachitisme n'étant identifié chez l'homme que depuis un siècle, il n'est pas déraisonnable de se demander si un autre mal relativement nouveau n'aurait pas à présent atteint le mouton. Mais les fermiers ne sont pas médecins, et personne ne paraît vraiment vouloir se pencher sur la question.

Comber est intrigué. Il n'a entendu évoquer le problème nulle part. Il comprend que l'apparition d'une nouvelle maladie du mouton n'a rien d'anecdotique – et que la vitesse de propagation avancée par Beal risque d'avoir de terribles répercussions économiques. Désireux d'en savoir plus, il demande à Beal quels signes lui permettent de déduire qu'un mouton est atteint de rachitisme. Beal répond que, dans un premier temps, l'animal montre un appétit sexuel insatiable. En outre, son regard se fait distant, il refuse de se mêler au troupeau, et porte sa tête d'étrange façon, adoptant une posture que l'écrivain vétérinaire James Hogg décrit comme « fixe et contractée par la douleur »[12]. À mesure que le mal le gagne, le mouton est parfois si fatigué qu'il demeure immobile, la tête posée contre le sol. Les fermiers ont essayé d'appliquer la plupart de leurs remèdes domestiques, mais aucun n'a eu de succès. L'animal meurt en général à la nuit tombée, dans le froid ou sous la pluie.

Comber reporte soigneusement ces éléments dans son carnet. Puis il rédige une lettre adressée au Dr Alexander Hunter de York, un médecin qu'il connaît du temps où il officiait précisément dans cette ville. Hunter, qui publie le journal agricole local et appartient à la Royal Society de Banks, avait autrefois fait à Comber l'honneur de lui offrir un exemplaire de ses *Essais géorgiques*. De sa plus belle plume médicale, Comber classe donc en trois catégories ses observations sur une nouvelle « maladie de Carré sévissant parmi les moutons, extrêmement fâcheuse pour tous les Amoureux de l'Agriculture », et commence par détailler les symptômes avant de solliciter du secours. « Si la sagesse, Monsieur, dont vous et vos pairs êtes parés pouvait nous assister, il se peut qu'un remède soit trouvé ; et dans le cas contraire, il faudrait informer le fermier par une voix autorisée qu'il doit renoncer à tout espoir de soigner ses bêtes et se défaire de toute la lignée au plus tôt, afin de ne pas perdre de temps ni d'argent à vainement tenter de la sauver. »

Le monde scientifique d'alors est, comme aujourd'hui, très soumis au jeu politique. Selon toute vraisemblance, Hunter ignore la lettre de Comber. Mais ce dernier ne se décourage pas pour autant. La famille dont il est issu jouit d'une certaine réputation – son grand-père, vice-chancelier de Cambridge, a autrefois défié Cromwell – et on le dit homme à ne pas faire les choses à moitié. Les possibles répercussions économiques de ce qu'on lui raconte sont trop importantes pour ne pas en informer le grand public. Il persuade donc un libraire-imprimeur qui a été l'un des éditeurs de Young d'imprimer sa lettre sur le « rachitisme » et diffuse sa thèse d'un nouveau mal[13].

La nouvelle de la « terrible maladie » de Comber se répand très vite à travers l'Angleterre ; au début du dix-neuvième siècle, elle atteint l'Écosse, où, cinquante ans plus tard, les fermiers la nomment *scrapie*, la « gratouille ». À l'instar des langues et de la cuisine, la perception d'une maladie des champs varie selon les régions, et la gratouille hérite de tout un assortiment d'appellations diverses et souvent pittoresques (comme la « parcelle de la bête » – au sens de « lieu diabolique » –, le « tournoiement » ou le « trot du poney »), la plus répandue étant toutefois *goggles*, qui pourrait être une variante dialectale propre au Gloucestershire de *giddies,* « vertiges », ou une évocation de l'effet de la maladie sur les yeux du mouton*[14]. « Je me permets d'affirmer, écrit Comber, que si l'on examinait ces pupilles, on y décèlerait une inflammation. »

La Grande-Bretagne ne possède pas d'autorité centrale scientifique ou sanitaire censée alerter le pays de l'apparition d'une nouvelle épidémie ; en tant que dirigeant de la Royal Society, Banks serait le mieux placé pour remplir cette fonction, mais il ne dit rien de la tremblante du mouton. Il est certainement conscient du tort que la rumeur d'une maladie infectieuse causerait à ses visées commerciales, ainsi qu'à l'admiration que lui porte le roi. Quant à Young, dont le propre troupeau est décimé, il n'en dit pas beaucoup plus. « Qu'est-ce que cela ? s'interroge-t-il en 1793 dans les *Annals of Agriculture*, c'est décidément bien curieux. » Si l'on veut se faire une idée de l'étendue de l'épidémie anglaise de tremblante, il faut donc se

---

* *Goggles* désigne aussi des lunettes. (*N.d.T.*)

contenter de l'évaluation de H. B. Parry, professeur de médecine vétérinaire à Oxford, qui, dans un manuscrit rédigé un siècle plus tard, estime que 5 à 10 % des moutons du pays sont atteints. En fait, le nombre est peut-être bien plus élevé.

S'il est particulièrement difficile d'estimer l'étendue d'une épidémie de ce genre c'est que les bergers – aujourd'hui comme alors – se donnent beaucoup de mal pour la dissimuler. Le métier de berger est solitaire, c'est le cauchemar du collecteur d'impôts : pas de livres de comptes, quasiment aucun matériel hormis les étables, et un recensement des têtes en mouvement constant. À force de passer son temps seul à s'ennuyer dans les champs, le berger est un excellent observateur qui perçoit long-temps avant tout acquéreur le moindre signe de « dédain » – l'attitude rigide et détachée caractéristique de la tremblante – et il lui est très facile d'abattre l'animal ou de prétendre qu'il a fui. Comber ne manque pas de le souligner, les éleveurs qui mettent des bêtes malades sur le marché risquent bien « l'infamie et des poursuites légales », mais cela ne suffit pas à les en dissuader. La valeur d'un reproducteur de choix atteint 1 500 livres, soit l'équivalent de 185 000 à 270 000 de nos dollars actuels. Même un reproducteur ordinaire s'emporte à 200 ou 300 livres aux enchères. Mais aussitôt qu'un tel animal montre des signes de tremblante, il n'est plus qu'un morceau de viande.

À peine la tremblante est-elle signalée dans le district de Comber et ses environs que les aristocrates montrent Bakewell et ses pratiques du doigt. En 1800, un propriétaire du Somerset-shire écrit à Banks pour accuser Bakewell et ses comparses de « mauvais goût et de fierté déplacée pour la pratique du croise-ment visant à obtenir des bêtes de grande taille[15] ». Il prétend être remonté jusqu'aux origines de la tremblante qu'il attribue à un premier lot de moutons importés de Hollande par Bakewell. L'existence de tels indices paraît aujourd'hui toutefois hautement invraisemblable. D'une part, Bakewell ne laissait que fort peu de traces – il s'est montré extrêmement secret de son vivant – et d'autre part tous ses registres ont disparu à sa mort. (Banks a eu l'occasion d'envoyer un ami à la pêche aux informations sur les techniques de Bakewell, mais le contact de cet homme, un ber-

63

ger, a mystérieusement fini au fond d'un puits.) Plus encore, Bakewell était un homme d'affaires avisé. Au premier signe de maladie, on peut être sûr qu'il aurait abattu l'animal atteint. « La seule façon d'entretenir un capital vivant est de maintenir les prix élevés », se plaisait-il à dire, et la moindre rumeur concernant son cheptel n'aurait certainement pas servi cette cause. En outre, la tremblante serait-elle vraiment provenue de ses troupeaux que Bakewell n'en aurait peut-être même pas eu conscience : il vendait ses béliers reproducteurs bien avant que le mal ne se manifeste. Il n'empêche que la méthode du croisement consanguin a ouvert la porte au désastre, et que Bakewell le savait bien.

Les éleveurs espèrent que les mérinos de Banks amèneront l'éradication de la tremblante par l'apport de sang neuf dans leurs troupeaux, mais il semble au contraire que les bêtes espagnoles ne font qu'aggraver le problème, parce que certaines d'entre elles sont déjà atteintes. Les registres des bergers de Banks présentent de multiples références à la « gratouille » ou autres « titubations démentes »[16]. En 1798, lors de la tonte annuelle, Banks remarque un mouton « tremblant » qu'aussitôt il « fait abattre ». Deux ans plus tard, une brebis similairement atteinte, « si faible qu'elle ne parvenait plus à se lever », subit le même sort. Les problèmes auxquels se heurte Banks ne surprendraient pas les Espagnols. Comme le note un journaliste agricole allemand[17], « la maladie du mouton est bien connue en Espagne. Mais les Espagnols n'ont pas encore trouvé de remède. Aussitôt qu'un mouton ou une brebis est atteint, ils le tuent sans attendre ».

Banks et le roi en viennent même à soupçonner que la mauvaise santé de leurs mérinos n'est peut-être pas due au hasard – que leurs correspondants espagnols leur ont intentionnellement fourni des bêtes malades pour enrayer leur quête d'une laine supérieure. L'explication serait plus plausible si d'autres pays, en meilleurs termes avec l'Espagne, ne rencontraient pas les mêmes ennuis avec le mérinos espagnol. L'Espagne a quelque peu assoupli sa prohibition de l'exportation du mérinos – politiquement affaibli, le pays a besoin d'alliés. Parmi les premiers, le roi de France en a reçu plusieurs cargaisons – toutes atteintes. En

Prusse, où des bêtes sont aussi arrivées par la Silésie, le mal a pris de telles proportions qu'un ouvrage de soixante-huit pages détaillées sur l'épidémie est imprimé à Breslau.

Aux alentours de 1820, la tremblante du mouton menace le commerce de la viande et de la laine sur l'ensemble du continent. Pis encore, elle se dresse à contre-courant d'une tendance globale positive qui semblait pourtant promettre aux peuples une existence plus clémente – les abondantes récoltes et les gras moutons qui ont conduit jusqu'au pessimiste Malthus à rectifier le passage sur l'inexorabilité de la famine humaine dans la deuxième édition de son *Essai sur le principe de population*.

Mais rien n'arrête l'élan des Lumières ; dès le départ, l'homme a la certitude de pouvoir comprendre la maladie. Les théories sur les causes et remèdes se multiplient. Dans ce qui constitue probablement la première mention de la tremblante en anglais, Thomas Fuller, un évêque anglican, suggère dès 1642 qu'on mette des chèvres avec des moutons malades pour enrayer l'épidémie[18]. Edward Lisle, aristocrate anglais qui, à la fin du dix-septième siècle, s'est retiré dans le Hampshire où, comme Thomas Comber, il consacre l'essentiel de son temps à bavarder avec les fermiers, recommande de mélanger des vaches laitières avec des moutons aux mêmes fins[19]. Les Français pensent qu'il suffit, pour soigner la tremblante, d'un gramme de verveine et vingt de camphre, tandis que Banks et Young misent sur l'arsenic et le mercure, les Espagnols sur la fumée de soufre, le poivre et la graisse de porc et les Allemands sur l'ellébore fétide et le chêne-vert.

Le problème ne tient pas vraiment à l'absurdité de ces théories sur la tremblante et ses remèdes. Le savoir scientifique fondamental qui permettrait de les comprendre n'a pas encore jailli. À la fin du dix-huitième siècle, les universités créent leurs premières chaires de médecine vétérinaire, ce qui fait considérablement progresser la discipline – à tel point qu'au milieu du dix-neuvième, à une époque où l'on accorde peut-être plus de valeur à l'animal qu'au fermier qui s'en occupe, les techniques vétérinaires ne sont pas loin de dépasser celles de la médecine. Mais ces deux disciplines sont encore dépourvues des connaissances avérées qui constituent le point de départ de toute entreprise médicale ou scientifique. L'infection est-elle une chose vivante ? Une chose malveillante ? Une fois qu'un être vivant tombe malade, qu'est-ce exactement qui cause sa mort ? Est-ce la force intrusive, les dégâts provoqués par elle, ou le choc éprouvé ? La science ne s'est pas encore émancipée de la philosophie naturelle. « La maladie est un détournement de la santé, qui, à un degré plus ou moins important, désorganise la constitution ou l'esprit, soumettant l'un et l'autre à quelque effort critique de la Nature ou de l'Art, ou, par sa résistance sans faille, détruisant le corps en produisant la mort[20] », écrit l'un des premiers vétérinaires, Charles Vial de Sainbel, dans un ouvrage dont la traduction anglaise paraît en 1797.

Ce genre de formulation constitue une élégante impasse. Elle ne permet pas de comprendre ce qui rend un corps vivant susceptible de tomber malade, ni le fait que de deux personnes (ou deux troupeaux) exposées au même mal, il arrive qu'une seule soit atteinte. La question d'un érudit célèbre du Moyen Âge reste entière : si l'on peut attraper une maladie, pourquoi ne peut-on pas attraper un remède ? La notion de contagion demeure floue. Quelque chose – une force ou un corps – transmet le mal ou en provoque la transmission à une entité vivante. Cette force ou ce corps peuvent être vivants ou morts, voire un peu des deux, comme l'air fétide des marais (cause supposée du paludisme). Mais ce genre de tâtonnements ne suffit que rarement à résoudre le mystère entourant l'origine d'une maladie donnée, et, s'agissant de la tremblante, la confusion est totale. (D'ailleurs, les chercheurs du vingtième siècle n'ont eux-mêmes que partiellement réussi à démêler cet inhabituel enchevêtrement de causes génétiques et infectieuses.)

Certains accusent l'air paludique, d'autres le vent ou les enclos surchauffés. Certains pensent que les symptômes sont dus à l'excès ou au contraire à l'insuffisance alimentaire – voire à un trop brusque changement de pâturage. Pour d'autres, c'est l'exposition directe à la lumière du soleil. En 1772, Thomas Beal émet l'hypothèse qu'il s'agit de vers qui entrent par le nez et vont se loger dans le cerveau. Certains ne manquent pas de souligner que si les moutons atteints de tremblante ont bien des vers dans le cerveau, on peut en dire autant de ceux qui ne le sont pas.

Il demeure que l'idée d'attribuer la tremblante à un insecte est séduisante. Le mouton est un animal amplement infesté, et la théorie du ver offre à la tremblante une cause visible. Au moment où Beal avance son hypothèse, un professeur français d'économie rurale, Hénon, parvient à en extraire d'un mouton malade. Aussitôt après, si l'on en croit le professeur, l'animal « a recouvré gaîté et appétit[21] ».

Young et Banks, probablement inspirés par l'ouvrage d'A. K. S. von Richthofen, baron de Silésie, et expert en agriculture, conviennent que la tremblante provient d'un insecte. Ancêtre du fameux Baron Rouge de la Première Guerre mondiale, von Richthofen voit dans la tremblante une double menace – l'une pèse sur l'industrie de la laine de mérinos, d'abord, et l'autre sur l'approvisionnement alimentaire puisque, comme il le souligne, les pays riches comme le sien consomment beaucoup de mouton alors que les pauvres, comme la France, mangent surtout du bœuf. Von Richthofen pense avoir identifié une mite, qu'il a baptisée mite trotteuse, coupable d'irriter la peau du mouton, de provoquer la chute de la laine, la nervosité de l'animal, et de déclencher « sans délai les caractéristiques mortelles de la maladie ». Il faut douze jours pour passer de l'état infectieux à l'irruption du mal et la mite se transmet par les mucosités nasales – « la morve verte et blanche » – ou par l'acte sexuel, pour reparaître intacte sous la peau de la progéniture[22].

La trouvaille de Richthofen rend admirablement compte de la double voie de transmission du mal : infectieuse et héréditaire. La mite se transmet d'un animal à l'autre de la même façon que la gale chez le mouton et les poux chez l'homme. C'est la voie infectieuse. Simultanément, elle se transmet à la brebis puis à ses agneaux par la copulation. Le mal se répand donc aussi par voie familiale.

Ce que le baron ne peut pas saisir, c'est la distinction entre maladie héréditaire et sexuellement transmissible. Et il n'est pas le seul : nul ne sait comment les caractéristiques héréditaires passent d'une génération à la suivante (Darwin pense par exemple qu'elles résident dans le sang). Cette confusion conduit à l'attribution de causes sexuelles à de nombreuses maladies. Le collaborateur de Richthofen, M. Augustin, qui travaille à Potsdam, croit que la tremblante est due à un excès d'accouplement, ou à une saillie trop hâtive, et qu'elle se transmet à la progéniture lorsque la conception se fait par une chaleur excessive. Il trouve significatif que la naissance de la queue et la base de la colonne vertébrale, sièges des premières manifestations de l'infection, se trouvent si près des organes génitaux.

Pour les Français, l'excès de copulation n'explique rien. Ce serait même plutôt le contraire. Ils ont remarqué que les mâles les plus virils – c'est-à-dire les plus « chauds » – sont plus atteints que la moyenne. C'est donc forcément une question de frustration sexuelle, et le trop-plein de semence provoque la tremblante chez la progéniture. Le remède consiste donc à fournir aux reproducteurs l'occasion de décharger leur surcroît d'énergie sur quelque docile brebis laitière avant de les amener à se reproduire pour de bon.

Cette hypothèse est soutenue par le constat que les moutons atteints de tremblante commencent par subir un état de surexcitation sexuelle (les humains atteints de maladie à prion commencent aussi parfois par ressentir l'intensification de leur appétit sexuel, qui résulte de la dégradation du système maintenant l'équilibre des fonctions vitales du corps). Mais il devient assez flagrant au fil du temps que la frustration sexuelle n'y est pour rien. « Nous ne parvenons pas à voir en quoi l'ardeur violente, incomplètement satisfaite, pourrait provoquer une infection névralgique vertébrale [23] », écrit J. Girard, l'éminent directeur de la jeune École royale vétérinaire d'Alfort.

Tandis que s'empilent les théories, les anatomistes dissèquent les corps des moutons, certains que leurs méthodes plus empiriques viendront à bout du mystère. Ils vont être déçus. Certains vétérinaires croient déceler « des tumeurs d'une taille variant de celle du haricot à celle de la noix, voire à celle d'un œuf de poule [24] », d'autres une lésion de la région uro-génitale, et d'autres encore la trace incontestable de kystes aux ovaires. Nul homme n'est peut-être aussi fier de sa profession que le vétérinaire français Roche-Lubin, qui exerce au milieu du dix-neuvième siècle dans l'Aveyron, région alors peu développée, où il brandit l'étendard de la science contre « l'ignorante simplicité ou la superstitieuse crédulité de nos malheureux fermiers [25] ». La tremblante est l'un de ses sujets de prédilection. Pour en déterminer la cause, il abat plusieurs bêtes à divers stades de la maladie et les ouvre sur place, à la ferme, pour constater que leurs organes sont parfaitement normaux. Ses investigations anatomiques pointilleuses ne donnent absolument rien – « ni ulcères, ni vésicules, ni pustules, ni rougeurs, ni rien » – selon les termes d'un confrère [26]. Passé la déception de l'autopsie, il se rabat sur une théorie aussi primitive que tout ce qu'il a toujours combattu. Les « causes véritables » de la tremblante, écrit-il en 1848, sont « l'excès de copulation, les combats brutaux entre moutons, l'ingestion répétée d'aliments épicés, les bonds démesurés, les efforts violents en général, la fuite devant les chiens, les roulements du tonnerre et l'isolement forcé aux jours suivant immédiatement la tonte [27] ».

Roche-Lubin est tellement persuadé d'avoir résolu l'énigme qu'il essaye d'induire lui-même la maladie chez des bêtes pour ensuite les guérir. À un troupeau de quarante brebis d'élevage, il fait manger une concoction d'avoine, de son, de sel, de poivre, de poudre d'herbe à vipère, d'herbe de sang de dragon et de gingembre. À sa grande satisfaction, huit jours plus tard, dix-neuf d'entre elles ont attrapé la tremblante. Puis, Roche-Lubin leur donne une dose d'antispasmodique. Dans un premier temps, le remède semble faire merveille, mais l'état des bêtes finit par empirer et elles périssent. Ces résultats ne démontent pas notre homme. « Nous avons énoncé notre opinion sur son incurabilité [28] », écrit-il depuis Maisons-Alfort. Autrement dit, pour emprunter la formule admirablement sombre d'Arthur Young, « la *gratouille*, genre de démangeaison ; elles se grattent à en mourir ; pas de remède [29] ».

La grande épizootie de tremblante du début du dix-neuvième siècle finit par s'en aller de la même façon qu'elle est venue, c'est-à-dire par les mécanismes du marché. Joseph Banks, homme de projets multiples, s'en va prendre part à la fondation de la colonie anglaise en Australie. Et quand l'Australie, avec ses millions d'hectares d'herbages et ses coûts d'élevage réduits, se lance sur le marché du mouton, au milieu du dix-neuvième siècle, l'industrie européenne s'effondre. L'élevage en consanguinité perd toute rentabilité économique et, débarrassées de la pression de l'élevage artificiel, les races résistantes à la tremblante reprennent le dessus au sein des troupeaux. La tremblante ne disparaît pas, mais elle a été reléguée au rang de problème endémique de basse intensité, « une obscure maladie du mouton », selon le titre d'un article scientifique anglais de 1913 [30].

Entre-temps, l'humanité s'entend enfin sur une théorie de la contagion. Dans les années 1860 et 1870, Louis Pasteur et Robert Koch montrent que les microbes vivants sont la cause des infections, rejetant à jamais toute idée de maladie due à un déséquilibre des humeurs ou véhiculée par un air nauséabond. Les vétérinaires tiennent raisonnablement pour acquis que la tremblante s'inscrit dans ce nouveau paradigme, en attendant que quelqu'un se donne la peine et les moyens de le prouver.

3

Pietro
Vénétie, 1943

Les médecins prétendent que ça ne sert à rien, mais
je ne les crois pas ; papa semble aller si bien par ailleurs.
Qu'est-ce que c'est que cette horrible maladie ?

Lettre d'une des filles de Pietro

Le début du vingtième siècle est pour la Vénétie une période d'espérance. L'Italie rattrape enfin son retard sur ses voisins européens. La poussée industrielle et l'émigration commencent à attirer les paysans loin des terres, ce qui entraîne une hausse des revenus des travailleurs agricoles. Le gouvernement installe d'immenses pompes hydrauliques qui assèchent les marais, répand massivement les pesticides et distribue des millions de doses de quinine, et le paludisme séculaire recule enfin.

Mais toutes ces avancées n'ont pas grand effet sur les descendants du médecin vénitien. Alors que la plupart des habitants de la région entendent sonner les cloches du progrès, eux n'entendent que le roulement de tambour de la mort. Giovanni, le fils aîné de Vincènzo et Marianna, a eu douze enfants, dont au moins huit ont atteint l'âge adulte. De ceux-là, six mourront probablement d'insomnie fatale familiale. Le deuxième, Pietro, naît en 1894.

Pietro est un beau jeune homme aux yeux clairs et à la mâchoire carrée, qui a hérité de la rousseur de Marianna. Bien qu'étant né pauvre, il a appris à lire et écrire à l'école et continué de se cultiver par lui-même. Le monde semble taillé à sa mesure, un homme neuf dans une Italie neuve. Après avoir été longtemps raillé pour son édification tortueuse, le pays commence à être pris au sérieux par le reste de l'Europe[1]. C'est désormais une puissance industrielle qui compte ses propres fabriques de voitures, de vélos et d'avions.

Toutefois, le renouveau italien ne dure pas, puisqu'il prend fin dès l'entrée dans la Première Guerre mondiale, qui tue 571 000 Italiens et en mutile un million d'autres. Le pays tout entier s'effondre. Le paludisme est de retour (les pompes de Vénétie ont succombé à la négligence), ainsi que la malnutrition, car nombre de fermiers sont partis au combat. Dans les campagnes, la rébellion couve. Dans le sillage de la révolution russe survenue deux ans plus tôt, le parti socialiste italien ébranle l'assise de l'orthodoxie catholique traditionnelle. Les élections de 1920 se soldent par un triomphe socialiste, y compris dans la Vénétie, pourtant d'ordinaire conservatrice. Dans sa ville, Pietro, à peine âgé de vingt-six ans, est élu conseiller municipal, et ses pairs le nomment maire. Il promet de briser l'immuable toute-puissance des propriétaires terriens toujours absents, d'apaiser la colère des femmes qui assiègent l'hôtel de ville pour du pain, et de donner aux paysans ce qu'on leur a promis en échange de leur participation à la guerre : la terre.

Pietro montre de réelles capacités de politicien, et renvoie dos à dos l'enthousiasme révolutionnaire des uns et le nationalisme poussiéreux des autres. Il joue tout son crédit politique en refusant de hisser le drapeau rouge au fronton de la mairie, déclarant devant le conseil municipal que « le tricolore – vert, blanc et rouge – est le seul vrai drapeau de la nation ». Au lieu de consacrer les deniers de la ville à la lutte contre la famine en Russie, comme l'en pressent les conseillers municipaux socialistes, il dote sa région d'un hôpital psychiatrique pour enfants et d'une école pour illettrés.

Malgré sa prestance, son influence croissante et son grand charisme, Pietro ne parvient pas à se trouver une épouse. Son oncle Angelo est mort en 1901 d'un mal qui, à l'extérieur, est passé pour de la démence ; le même mal a emporté sa tante, Pierina, en 1906 puis son père, Giovanni, en 1913. La rumeur se répand que la famille est frappée par les décès précoces et la

folie. Il finit quand même par rencontrer Albina, une femme brune et corpulente qui, la trentaine passée, semble bien partie pour devenir vieille fille. Elle n'en est pas moins réticente, et confie à ses amies que les pieds de Pietro sont si grands qu'elle n'aura jamais assez de laine pour lui tricoter des chaussettes. Mais en 1920, alors qu'il se présente aux élections municipales et qu'elle est enceinte, ils se marient. Sur la photo, on voit Pietro, souriant et sincère, engoncé dans un costume bien trop grand ; Albina apparaît plus solennelle, avec ses cheveux laqués, dont une boucle tombe négligemment sur son front carré de femme mûre. Peu après, Albina donne naissance à Isolina, puis en 1921 à Tosca (pour qui Pietro nourrira toujours une tendresse particulière).

Pendant ce temps, la situation de l'Italie ne cesse de se détériorer. Le gouvernement central implose. Pour combler le vide, des brigades en armes conduites par un ancien journaliste socialiste nommé Benito Mussolini s'emparent du pouvoir dans toutes les provinces. Portant chemise noire, clamant partout leur détermination à restituer sa grandeur à la *razza italica* (la race italienne), les fascistes deviennent vite l'organisation la plus puissante du pays et, en octobre 1922, ils forcent le roi à remettre le pouvoir à Mussolini.

Un mois plus tard, Pietro est convoqué à l'imposant *palazzo* (ancienne résidence d'été d'une famille de notables vénitiens) où siège le gouvernement de la ville : trois chemises noires l'attendent dans son bureau. Deux sont des gens de la base, le troisième est commissaire d'escadron régional, qui lui demande immédiatement s'il a déjà remis sa démission. Pietro lui répond que non, et qu'il n'a aucune intention de le faire, parce que seul le gouvernement détient l'autorité de le démettre. L'autre lui rétorque que le gouvernement, à présent, c'est lui, et qu'il serait heureux de le voir partir. Après deux semaines d'une résistance particulièrement périlleuse pour sa personne, Pietro finit par céder. Faisant ses adieux au conseil municipal, il dit : « Le mécontentement qui couve, attisé par des partis politiques adverses, rend impossible toute administration raisonnable de notre ville. » Les autres conseillers socialistes démissionnent avec lui, laissant les clés de la mairie aux fascistes, qui y demeureront jusqu'à la fin de la guerre.

Peut-être n'y a-t-il rien d'étonnant à ce que Pietro, vu son naturel conciliant, soit réhabilité par les fascistes, qui en viennent même à l'admettre dans leurs rangs. Il n'a toutefois jamais eu la fibre de sympathisant de leur parti, et quand il lui faut vêtir l'uniforme fasciste, chemise et guêtres noires, tête surplombée d'un fez à grelots, l'expression de son visage trahit l'embarras d'un homme trop mûr pour s'habiller en garçonnet.

Pietro devient gérant d'une coopérative agricole locale. Coup sur coup, Isolina et Tosca ont deux petites sœurs, Pierina, en 1923 et Assunta en 1925, puis, en 1931, Albina donne enfin naissance à un garçon, Silvano. La famille prospère, alors que beaucoup autour d'eux ne joignent les deux bouts qu'à grand-peine. Pietro et les siens quittent la maison qu'ils partageaient avec ses frères et sœurs, où réside la famille depuis les temps de Vincènzo, et abandonnent les plafonds bas et l'intérieur étriqué pour l'ancienne résidence d'été d'un notable vénitien. On voit sur une photo les sept membres de la famille posant devant leur nouvelle demeure : Pietro arbore une petite moustache finement taillée sous des cheveux roux raréfiés et la digne bedaine d'un *capofamiglia*, Albina est cette fois souriante, les filles, élancées comme de jeunes arbres, portent des robes au col clair leur arrivant au genou, et Silvano, le bébé, apprêté comme un gentilhomme, un vrai *signorino* en culotte courte, porte cravate à pois et pochette carrée.

Pietro, qui s'est lancé dans l'acquisition de négoces et de propriétés, ne manque pas de temps libre. Le samedi après-midi, il passe sa cape fourrée et prend le train pour Venise, où il va écouter de la musique à La Fenice (de toutes les sopranos, c'est Toti dal Monte, avec son magnifique timbre flûté, qu'il préfère). Il caresse le projet d'ouvrir une salle de cinéma – tout le monde s'est pris de passion pour les films, et il flaire la belle opportunité.

Mais le cours de la nouvelle guerre ne tarde pas à se préciser. Pendant les quatre-vingts premières années de son histoire, l'Italie a développé l'habitude néfaste de se jeter dans la mauvaise guerre, dans le mauvais camp et au mauvais moment. Elle a donc versé un maximum de sang pour un minimum de bénéfice et, lors de l'invasion de la Pologne par Hitler en 1939, c'est avec la promesse d'inverser cette proportion funèbre que Mussolini choisit de lier le sort de son pays à celui de l'Allemagne et du Japon. En 1943, la plupart des Italiens savent que leur pays a commis une nouvelle grosse erreur. Les Américains prennent Naples et remontent la péninsule, alors que les Anglais ont réduit à néant le rêve colonial africain de Mussolini. Au lieu de faire renaître l'empire romain, le fascisme n'est parvenu qu'à ruiner quarante années de progrès. En 1943, le gouvernement italien se retourne contre le dictateur fasciste qu'il met aux arrêts, et cherche à se rendre aux Alliés – et constate que ses anciens partenaires nazis sont en train d'envahir le pays par le nord et d'occuper les territoires que les Alliés n'ont pas encore atteints, expédiant sur leur passage tout homme en âge de combattre dans des camps de concentration.

En Vénétie, comme partout ailleurs, l'anarchie est quasiment totale. Les nazis n'ont que peu de considération pour les subtilités locales de la politique italienne – leur seul souci est de protéger la frontière méridionale allemande – alors pendant deux ans, jusqu'à la reddition des troupes allemandes en Italie, en avril 1945, la campagne italienne est une terre sans foi ni loi où fascistes, socialistes et communistes s'en donnent à cœur joie. En Vénétie, cette guerre civile qui ne dit pas son nom est particulièrement intense. Les fascistes abattent ou pendent les partisans, et les partisans abattent ou pendent les fascistes.

Un jour, au printemps 1944, Pietro reçoit une lettre de menaces. « Compte tes os parce que nous allons bientôt les briser. En attendant, reçois nos salutations. » C'est signé « Va-dormir-avec-les-poissons ». Pietro y voit l'œuvre d'un de ses anciens compagnons socialistes fâché de son entente avec les fascistes. Peu après, la fièvre le cloue au lit. Le médecin local diagnostique une infection de l'oreille. La fièvre passe et Pietro tente de reprendre son travail, car les sept bouches de sa famille ne comptent que sur son seul salaire.

Après la guerre, la Vénétie manque de tout – viande et œufs ont disparu des étals et l'on ne trouve de haricots qu'au marché noir. Les fascistes se sont beaucoup gargarisés du fait que Mussolini a remis les trains à l'heure, mais les trains ne roulent plus du tout – les Américains ont bombardé les voies ferrées, les gares, ainsi que les ports et les usines. Un jour, juste derrière la maison familiale, un train militaire essuie la mitraille d'avions de combat et le jeune Silvano s'en va voir au-dehors, pour constater, alors qu'il déambule parmi les cadavres de chevaux, que plus rien ne bouge. Les Allemands envoient s'installer chez Pietro l'un de leurs officiers, qui se prend d'affection pour le garçon.

Dans un tel chaos, Pietro n'est pas vraiment surpris de perdre le sommeil. Sa fièvre revient*. Le médecin modifie son diagnostic – il s'agit à présent d'artériosclérose – et prescrit le repos. Les partisans ont d'autres projets. Ils le traînent jusqu'à la rivière – qui, après de multiples projets d'assèchement des terres, n'est plus qu'un ruisseau – et le laissent là, lui commandant de guetter l'arrivée de troupes allemandes. Tant bien que mal, il finit par se traîner jusque chez lui.

Son état s'aggrave encore. Il prend le train jusqu'à Venise, puis le bateau jusqu'à l'hôpital de Fondamenta Nuove, où les médecins lui annoncent qu'il leur faudra trois jours pour l'examiner, ce à quoi il répond qu'il ne dispose pas de tout ce temps – sans doute le souvenir de la mort de son père lui revient-il à la mémoire. À la mi-mai 1943, il rentre, accompagné de sa fille aînée, Isolina, et de son épouse, après une semaine passée à l'hôpital, une semaine d'angoisse. Pietro est trop lourd pour que les femmes le transportent jusqu'à l'abri antiaérien, alors elles passent chaque nuit dans sa chambre, à le serrer dans leurs bras en priant pendant que les bombes alliées tombent du ciel et que les larmes coulent sur ses joues. « *Che guerra infame* », ne cesse-t-il de répéter, « quelle guerre infâme ». Son esprit se fait confus, somnolent, et ses jambes se mettent à trembler sans contrôle. Un soir, au milieu de la nuit, il se lève de son lit pour tenter d'ouvrir

---

* Avec Pietro, l'histoire de l'IFF prend une tournure moderne – pas seulement parce que les médecins emploient des méthodes de diagnostic toujours en vigueur aujourd'hui, mais parce que la réaction de sa famille face à la maladie – parvenue jusqu'à moi à travers une série de lettres mises à ma disposition – est immédiate. Les auteurs de ces lettres, notamment la fille aînée, Isolina, montrent de grandes qualités d'observation, et leurs descriptions de l'état du père sont aussi pertinentes que tout ce qu'ont pu écrire les chercheurs depuis.

la fenêtre. « Ne vois-tu pas ? demande-t-il à Isolina. C'est ta sœur Tosca qui est là. »

Malgré la pluie de bombes, les médecins réussissent à effectuer quelques examens. Ils passent sa colonne vertébrale aux rayons X, prélèvent un peu de moelle épinière, analysent son sang, et ne décèlent rien d'anormal. Quelque peu décontenancés, ils diagnostiquent une encéphalite, une inflammation du cerveau, et le renvoient chez lui.

Isolina et ses sœurs, Pierina et Assunta, suivent le cours des événements dans l'angoisse. La quatrième sœur, Tosca, est à Padoue, enceinte et sur le point de se marier, brûlant de rentrer célébrer son mariage parmi les siens. La mère, Albina, craignant que la nouvelle de l'état de son père ne la décide à entreprendre le dangereux voyage, interdit aux autres de le lui révéler. Le secret tient un certain temps, mais après le séjour à l'hôpital, d'où il a fallu que deux hommes transportent Pietro jusqu'au bateau, elles se mettent secrètement à écrire à Tosca. Assunta lui raconte que Pietro souffre d'un dérèglement du système nerveux et d'un empoisonnement du sang. « Ne te fais pas trop de souci, recommande-t-elle, espérons que tout cela finisse bientôt, en même temps que les problèmes du monde, et que tout revienne à la normale. »

Pierina aussi se veut rassurante, mais Isolina, l'aînée, ne voit aucune raison de mentir. À l'hôpital, les médecins ont dit que ce n'était plus qu'une question de mois, de jours peut-être, et elle tient à y préparer Tosca. Elle lui envoie une lettre imbibée de larmes : « Papa se porte bien plus mal qu'il y a un mois. Il n'a plus toute sa tête... Il parle à peine, et quand il y parvient, il ne sait pas trop ce qu'il raconte. C'est encore pire quand il dort. Il ne cesse de gigoter, ses nerfs ne connaissent jamais de repos. Il fume. Il allume toutes les lumières, rejette ses couvertures. Il se frotte les mains en disant qu'il a des fourmis, tout ça en dormant – et au réveil, il est encore plus fatigué que jamais. » Elle ne croit pas à l'encéphalite diagnostiquée à l'hôpital : son père n'a pas mal, alors que l'encéphalite est censée produire « d'horribles maux de tête ».

Cette semaine-là, les Alliés bombardent Marghera, un important port de l'Adriatique, ainsi que Mestre, et ils pilonnent la voie de chemin de fer de Trieste, qui passe juste derrière la maison familiale – les sœurs, terrifiées, observent depuis le toit, incapables de sortir leur père de sa chambre en haut de l'escalier. « N'ont-ils rien de mieux à bombarder que notre petite voie ferrée ? » se lamente Assunta. Isolina est épuisée, elle aussi. Elle ne comprend pas que son père soit si malade et lucide à la fois : « Je crois vraiment qu'à présent Dieu devrait dire : "Ça suffit. Tu as assez souffert, ne crois-tu pas ?" » Elle prie pour que survienne un miracle.

Peu après, un spécialiste se présente à elles, il leur dit qu'il n'y en a plus pour très longtemps, mais Assunta refuse de l'admettre. Isolina observe attentivement l'évolution des symptômes de son père – qu'elle note avec un détachement quasi clinique : les yeux grands ouverts, la langue gonflée. Il est très enrhumé mais paraît suffoquer. Il connaît encore quelques moments de lucidité et même de joie : Isolina a mis son visage droit devant le sien, et ça l'a fait sourire, il lui a caressé la main. Profitant que sa mère est ailleurs, elle lui demande s'il désire voir Tosca. Il reconnaît le nom et tourne la tête vers la porte, comme s'il espérait la voir entrer.

La fin est proche ; même Assunta ne peut plus le nier. L'estomac de Pietro a enflé, et il a du mal à respirer. Un dimanche soir, la famille fait venir les prêtres, qui rassemblent tout le monde autour du lit. Pietro les observe, parfaitement conscient de la signification de la cérémonie, comme tout catholique. « Mes filles, dit l'un des prêtres, rien ne sert de se leurrer. Votre père vous a élevées en chrétiennes, et sa mission est à présent remplie. » Tandis que les filles font leur possible pour retenir leurs larmes, il asperge Pietro d'eau bénite et lui administre l'extrême-onction. *Domine non sum dignus*. Après leur départ, Assunta prend la température de son père, trop élevée pour qu'on la mesure. Mais quelle est donc cette horrible maladie ? se demande-t-elle. Elle le regarde une dernière fois dans les yeux avant de le laisser à sa mère et à Isolina. Les deux femmes les plus âgées restent seules auprès de lui. Les tremblements de Pietro sont tels que, du rez-de-chaussée, elle entend le lit cogner le sol.

À son dernier soupir, au petit matin, Isolina lui donne un

dernier baiser. « De la part de Tosca », dit-elle. À ce moment, Pietro se tourne vers sa femme en ouvrant la bouche pour dire quelque chose, mais n'émet qu'un râle désolant. On est le 19 juin 1944, et il n'a pas encore cinquante ans.

La mort de Pietro prend tout le monde de court. Quelques cousins arrivent à vélo de l'autre bout de la Vénétie pour ne trouver que son cercueil. Silvano, tout juste adolescent, se cache tout en haut de la maison pendant que la famille et les proches se serrent dans la pièce commune où gît son père. Trois jours plus tard, à la messe funéraire, Albina et les cinq enfants sont entourés de centaines de personnes. Assunta fait son possible pour se résoudre à la décision de Dieu : « Telle est Sa volonté », se répète-t-elle. Son papa est au ciel. Isolina tire pour sa part une leçon plus dure : Dieu n'a pas jugé digne d'entendre ses prières. Après la cérémonie, son chagrin prend des proportions quasiment bibliques. Elle se hisse sur le corbillard et le conduit jusqu'au cimetière, ardente d'amour pour le père qu'elle a perdu. Il l'a accompagnée vêtu de blanc le jour de son mariage, se dit-elle, à son tour à présent de l'accompagner vêtue de noir. Son courage fait l'admiration de tous.

Pietro est enterré auprès de son oncle Michele, dans un caveau qu'il a acquis étant maire. Les funérailles coûtent 5 000 lires, une somme colossale. Les filles se demandent à présent comment elles vont survivre sans leur père. Il attendait que Silvano soit devenu grand pour le faire entrer dans l'affaire familiale. Tous seront désormais réduits à la misère.

Entre-temps, les Alliés ont débarqué en Normandie et pris Rome. La guerre touche à sa fin : une nouvelle ère s'ouvre, mais la famille est trop anéantie pour s'en apercevoir.

Bien entendu, l'hôpital qui a établi à tort le diagnostic d'encéphalite n'avait pas la moindre idée de ce qu'était une maladie à prion ni de l'aspect que cela pouvait avoir. Mais si le personnel médical y avait regardé d'un peu plus près, il aurait remarqué deux nouvelles entrées au catalogue des maladies neurologiques, qui auraient pu le mettre sur la bonne voie : la maladie de Creutzfeldt-Jakob et celle de Gerstmann-Straussler-Scheinker.

Dans les années 1910, un médecin allemand, Hans Creutzfeldt, reçoit une patiente de vingt-trois ans, nommée Berta. À première vue, elle paraît souffrir de la pellagre – elle a des accès de démence et sa peau vire au rouge – sauf qu'à ce moment-là la pellagre a globalement disparu du continent. Au fil du temps, Berta perd la capacité de marcher et se trouve prise de tremblements. Elle hurle, comme une possédée, clame qu'elle est une meurtrière, et se met à rire sans contrôle. La fièvre la gagne, elle tombe dans le coma, et meurt. Creutzfeldt décide d'examiner son cerveau.

Les Italiens ont autrefois pu s'enorgueillir d'avoir les meilleurs anatomistes, puis les Français, mais à présent, c'est le tour des Allemands. Il y a parmi eux de formidables théoriciens, et ils possèdent les meilleures techniques de marquage et de préservation des tissus. Mais les médecins allemands eux-mêmes ne sont pas tous convaincus de l'utilité de se donner la peine de pratiquer l'autopsie d'un cerveau – une boîte noire dont le cocktail de neurones et de tissus semble loin de pouvoir fournir la moindre explication sur les complexités de l'esprit humain. Le psychiatre Emil Kraepelin a été catégorique : « l'anatomie ne peut aucunement contribuer à la psychiatrie[2] ». Mais Creutzfeldt voit les choses d'un autre œil. Il dissèque le cerveau de Berta, en dépose des prélèvements sur des lamelles de microscope, et procède à leur examen. Il trouve un peu partout des neurones morts, ce qui constitue une surprise parce que les maladies neurologiques et leurs symptômes sont censés produire une déchéance très étroite et circonscrite. Ne sachant que faire de ses observations, au sortir de la Première Guerre mondiale, il les publie.

L'article de Creutzfeldt serait tombé dans l'oubli si un autre neurologue allemand, Alfons Maria Jakob, ne l'avait lu après avoir examiné plusieurs hommes et femmes d'âge moyen dans son propre laboratoire munichois, dix ans plus tard. Les symptômes de ses patients, dont certains entretiennent des liens de parenté, ressemblent à ceux que Creutzfeldt a constatés chez Berta : incapacité de marcher, tremblements des membres, désorientation, démence et mort. Il en déduit que Creutzfeldt et lui ont observé la même maladie. Quelques années plus tard, un autre neurologue qui s'intéresse aux travaux de Jakob lui donne le nom de « syndrome de Creutzfeldt-Jakob ».

Peu après, en 1928, une autre pièce du puzzle se met en place à Vienne lorsqu'un neurologue nommé Josef Gerstmann rencontre une jeune patiente de vingt-six ans. Elle marche maladroitement, et voit impuissante ses bras se croiser à chaque fois qu'elle tourne la tête. En 1936, avec deux autres chercheurs, Ernst Straussler et I. Mark Scheinker, Gerstmann réunit un groupe de patients souffrant des mêmes symptômes. Ils sont dans l'ensemble plus âgés que la patiente de Gerstmann, et leurs symptômes sont moins insolites, mais ils souffrent aussi de défaillances de la mémoire et de la coordination ainsi, parfois, que de démence. Plusieurs de ces patients ont aussi des liens de parenté. L'autopsie de ces victimes révèle la présence de plaques dans le cerveau, qui ne sont pas sans évoquer à nos neurologues viennois la maladie d'Alzheimer, sauf qu'il y manque les dépôts de cellules mortes et d'astrocytes – des cellules en forme d'étoile, dont la présence témoigne d'une tentative de régénérescence neuronale consécutive au traumatisme – que Jakob a trouvés chez ses patients[3].

Si les médecins vénitiens avaient eu vent de ces travaux, ou s'ils avaient songé à consulter leurs registres pour y découvrir le nom de Luigi, le frère de Pietro, mort dans le même hôpital quatorze ans plus tôt, ils auraient tenu le début d'un diagnostic – une pathologie établie, apparemment héréditaire. Ils auraient aussi pu trouver un indice dans la remarque des chercheurs allemands prévenant que les analyses ordinaires (comme celles de Pietro à Venise) ne révéleraient aucune irrégularité. Il n'y avait pas de trace d'infection dans la moelle épinière ni dans le sang des malades, et rien de frappant dans la pathologie du cerveau, du moins à l'œil nu. Mais en examinant des échantillons de cerveau au microscope, les neurologues auraient constaté d'importants dégâts – des perforations, des astrocytes, des plaques, et des amas de protéines mortes.

L'IFF a emporté la fratrie de Pietro en rafale : Angela y a succombé en 1948, Maria en 1957, Emma en 1965 et Irma en 1966. Pour les registres scientifiques, c'est comme si ces personnes n'avaient jamais existé. Non qu'un diagnostic associant leur mal au syndrome de Creutzfeldt-Jakob ou à la maladie de

Gerstmann-Straussler-Scheinker eût changé grand-chose. Mais après les quelques efforts fournis dans les années 1920, l'intérêt pour leur pathologie s'est relâché. Chaque année, ou tous les deux ans, un cas d'un type ou de l'autre apparaît dans la littérature médicale pour ne susciter chez les neurologues qu'un haussement d'épaules. En 1968, les annales de la médecine ne font plus état que de 150 victimes de la MCJ, au point que les chercheurs se demandent s'il convient encore de parler de maladie rare. En 1968, un groupe de médecins britanniques peut écrire qu'il ne s'agit au fond que « d'une catégorie fourre-tout bien commode pour classer des cas autrement inclassables de démence présentant d'intéressantes relations croisées avec certaines détériorations systémiques ». La première réfutation de cette position n'apparaîtra que quinze ans après la mort de Pietro, et presque l'autre bout de la planète.

Deuxième partie

REPOUSSER LES TÉNÈBRES

4

Puissante magie
Papouasie-Nouvelle-Guinée, 1947

> *Prends garde, jeune homme ! J'ai mangé ton grand-père.*
>
> Un vieux Fore à son infirmier, à l'hôpital d'Okapa[1]

Les Fore sont une tribu primitive de Papouasie-Nouvelle-Guinée. À la fin des années 1950, des médecins occidentaux constatent qu'ils sont atteints d'un mal mystérieux nommé *kuru* qu'ils associent à la tremblante du mouton. Pour en chercher l'origine, ces savants disposent d'outils que leurs prédécesseurs du dix-neuvième siècle, le baron von Richthofen ou Roche-Lubin, n'auraient jamais rêvé d'avoir – des microscopes électroniques ou la cristallographie aux rayons X, par exemple. Ils ont la possibilité de voir les virus et de déterminer la structure des protéines presque jusqu'à l'atome. Ils savent que l'ADN fait l'ARN, qui fait à son tour les milliers de protéines du corps, et que ces dernières sont essentiellement constituées d'acides aminés reliés par les lois de la chimie et de la physique.

Mais tant de connaissance pose toutefois un inconvénient : elle peut rendre les scientifiques aveugles aux exceptions possibles concernant deux règles laborieusement établies les décennies précédentes : 1) les gènes déterminent les caractéristiques du vivant, et 2) seul le vivant peut provoquer une infection. Les cas où ces règles ne s'appliquent pas deviennent pour le coup très difficiles à admettre. Comment produire le saut imaginatif permettant de comprendre ce qui est censé ne pas exister : une molécule non vivante capable de se reproduire et de provoquer une infection, comme si elle vivait ? Pour entreprendre un tel saut, il faut un visionnaire de la trempe du chercheur Carleton Gajdusek, honoré en 1976 du prix Nobel pour son œuvre.

En 1918, pour récompenser l'Australie d'avoir rallié le bon camp lors de la Première Guerre mondiale, la Société des nations lui confie le protectorat de la moitié orientale de la Nouvelle-Guinée, autrefois possession allemande. Le cadeau deviendra fardeau. Trois cent cinquante ans plus tôt, beaucoup de sang européen a coulé pour poser le premier pied sur les rivages de l'île. Le paludisme et la combativité des indigènes cannibales avaient transformé le moindre bivouac en champ de bataille. À l'époque, les Européens croyaient l'intérieur de l'île dépeuplé. Rien n'indiquait que dans l'arrière-pays montagneux de la Nou-velle-Guinée et sa forêt tropicale se trouve âme qui vive.

À l'apparition des premiers avions, les Australiens décou-vrent que des centaines de milliers de personnes y habitent – des gens dont le regard ne recèle guère plus de fraternité que celui de leurs voisins du littoral. Ils vivent d'ailleurs en état de conflit perpétuel les uns avec les autres ; arcs, flèches et haches constamment à portée de la main, et toujours prompts à s'en ser-vir contre quiconque passe par là. En outre, une bonne partie des tribus des Highlands pratique le cannibalisme – telle est du moins leur réputation.

Mais les Australiens, désormais bien installés sur leur conti-nent, ont soif d'aventure. Les Highlands sont une chance lucra-tive – grâce à l'or, au bois et au café – et fourmillent d'âmes éga-rées à sauver. Mais ces motivations ne sont au fond qu'annexes. Plus que tout, l'intention des Australiens – ainsi qu'ils ne cessent de se le répéter et de le proclamer – n'est pas de conquérir le ter-ritoire mais de « prendre contact » avec ses occupants. Il s'agit en fait d'aller tapoter l'épaule de l'indigène pour aimablement attirer son attention sur les merveilles du monde moderne : la radio et le téléphone, la pénicilline, les semences résistantes aux maladies et les tracteurs pour les cultiver. Plus que tout, les Aus-traliens désirent leur apporter le progrès.

Par conséquent, dans les années 1940, l'Australie désigne

une équipe d'émissaires qu'elle envoie dans les Highlands. De façon très significative, les « agents de patrouille » – ainsi les appelle-t-on – ne sont pas formés au maniement des armes. On leur remet certes un fusil, mais leur outil principal est leur carnet de notes, car leur mission consiste à observer, pacifier au besoin, et surtout rendre compte. Leurs observations sont lues par leurs chefs à Port Moresby, la capitale de l'île, puis ronéotypées et envoyées à Canberra, d'où les Australiens administrent leur nouveau protectorat.

La tâche de la patrouille n'est pas mince. Les Highlands abritent une mosaïque de centaines de tribus – des Kukukuku (aujourd'hui nommés Anga) aux Kamano, en passant par les Awa – dont chacune n'occupe que quelques kilomètres carrés et compte entre quelques centaines et plusieurs milliers de membres. On parle dans ce petit recoin du monde plus de trois cents langues. Les agents de patrouille vont de village en village, mènent un recensement et dispensent des soins médicaux élémentaires. Ils sont accompagnés de policiers natifs de la côte, ainsi que de porteurs lestés de caisses de coquillages et de haches métalliques censées tenir lieu de monnaie d'échange.

Il faut attendre 1947 pour que ces patrouilles atteignent ce petit segment de forêt quasi verticale, au sud des montagnes Kratke, entre les rivières Lamari et Yani. C'est l'un des derniers territoires avec lesquels on « prend contact », et c'est là que la patrouille fait la connaissance des Fore. Un jour, R. I. Skinner, un ancien de l'armée qui fait exception au sein de la patrouille en ce sens qu'il se déplace généralement avec une mitraillette, pénètre leur territoire, et tire quelques rafales au sol[2]. Saisie de terreur, persuadée d'avoir affaire à un genre de divinité, la tribu entame un rite de purification. Les hommes jouent de leurs flûtes sacrées et s'interdisent toute activité sexuelle avec leurs épouses.

La peur et le trouble des Fore sont compréhensibles ; des siècles de développement les séparent de l'intrus. Skinner est vêtu de coton transformé par une machine et se rase avec des lames d'acier. Les Fore portent des jupes de feuilles, des plumes dans les cheveux, et les hommes cachent leur pénis dans un étui en ossement d'oiseau. Ils ne connaissent ni l'argent ni l'écriture. D'ailleurs, ils ne possèdent pas de terme pour se désigner eux-mêmes (le nom de « Fore », prononcer *fauré*, qui signifie « en bas » ou « au sud », leur a été donné par des voisins). Ils n'ont absolument pas conscience de vivre sur une île, ni même la notion de ce qu'est une île.

Les Fore pratiquent une économie de subsistance. Ils consomment de la patate douce et des racines de taro, et agrémentent leurs légumes du gibier que chassent les hommes. Femmes et enfants attrapent à la main des rats et des insectes et ne se privent pas de les manger. Les Fore élèvent également des cochons, qu'ils ont bien du mal à tenir à l'écart des réserves alimentaires : l'essentiel de la tâche des hommes consiste à établir des clôtures autour des jardins pour empêcher les bêtes d'y pénétrer. Le cochon est porteur de valeur et de prestige, il vit avec les femmes dans les huttes, et reçoit même parfois le sein avant les bébés humains.

Le temps que les Fore ne passent pas à faire pousser leurs aliments ni à chasser, ils le consacrent à se battre. Tous les villages sont fortifiés, et la moindre offense faite à un individu, son épouse, ses cochons ou son potager dégénère facilement en bataille. Ce ne sont que de petites escarmouches, mais constantes et souvent mortelles : une douzaine d'hommes assiègent un hameau, projettent leurs lances, expédient leurs flèches, et rentrent aussitôt se cacher derrière leur propre palissade en attendant l'inévitable riposte. Les Fore visent bien, et la violence est la première cause de mortalité parmi les hommes, dont beaucoup sont borgnes. La guerre ne tranche rien de façon vraiment définitive ; tel n'est pas son propos. Les combattants sont souvent liés par le mariage ou par des obligations réciproques et l'escarmouche n'est qu'un article de l'inépuisable catalogue de faveurs et de griefs déterminant la hiérarchie sociale. Les alliances se font et se défont, et les assaillants d'un hameau peuvent tout aussi bien s'y trouver invités dès la prochaine fête du cochon.

Dans cet univers hobbesien, les Australiens s'attendent à se trouver mêlés à ces conflits. Si les précédents « premiers contacts » ont effectivement pris cette tournure, il n'en est rien avec cette tribu-là. Au contraire, chaque fois qu'un agent de patrouille entre dans un village, les Fore déposent les armes et s'alignent pour se soumettre au comptage. À Lufa, par exemple,

le 5 juillet 1951, un jeune agent nommé A. T. Carey, surnommé
« Tiny » – « Minus » – écrit : « Les natifs nous ont accueillis
avec grand enthousiasme. C'est à ma connaissance la première
fois qu'une patrouille demeure sur place plus de quelques
heures, et cela s'est manifesté de façon très claire dès la récep-
tion qu'ils nous ont faite. Qu'il me suffise de dire qu'ils étaient
très heureux[3]. »

Carey, la vingtaine à peine passée, est un agent de patrouille
exceptionnel, tout comme John McArthur, dont les collègues
raillent la sympathie qu'il éprouve pour les natifs en le surnom-
mant John Kukukuku. McArthur n'en soupçonne pas moins que
la bonne volonté de la tribu n'est qu'apparente et se demande ce
qu'elle cache en vérité. Les manifestations chaleureuses se poursuivent. Bientôt, les Fore bâtissent des abris et des postes de
patrouille pour les Australiens. Tout ce qu'ils paraissent vouloir
en échange, ce sont les livres de recensement.

Peu après l'arrivée des Australiens, les Fore cessent de se
faire la guerre, renoncent aux rites masculins qu'ils ont toujours
pratiqués dans une hutte spécialement affectée, et abandonnent
leurs flûtes sacrées. Dans une partie de leurs champs, ils substi-
tuent le café, plus lucratif, à la patate douce et au taro. Ils ouvrent
des comptoirs d'échange. Ils se portent volontaires pour travailler
sur les chantiers australiens du littoral. Ils tournent le dos à leur
culture immensément sophistiquée. Ils renoncent même aux coutumes nécrophages qu'ils prétendent avoir pratiquées.

En fait, tout semble aller si vite que les Australiens cherchent à ralentir le processus. Une assimilation trop rapide risquerait de bousculer la hiérarchie entre les indigènes et eux. Ils ne
comprennent pas qu'au fond ce peuple dont ils cherchent à préserver l'état primitif est semblable au leur. L'Australie est un
pays autoconstitué de colons. Les Fore, eux aussi, sont un peuple
dynamique qui se fiche bien de ses ancêtres ou de sa position
sociale. Ce sont des innovateurs, faiseurs et modeleurs d'eux-
mêmes.

Du point de vue australien, le premier contact avec les Fore
est avant tout une bonne surprise. Mais certains agents de
patrouille plus perceptifs continuent de trouver qu'il manque

certaines pièces au puzzle. Ils se demandent si les Fore ne mènent pas une double vie, et se mettent à guetter les signes confirmant ce soupçon[4]. Il doit bien y avoir un secret quelque part ; pourquoi un peuple primitif renoncerait-il si volontiers à sa culture ? Au fil du temps, les agents remarquent qu'ils ne voient pas beaucoup de malades, ni de femmes en fait. Il n'est pas rare que les tribus primitives séquestrent leurs femmes à l'abri des regards européens ; peut-être les Fore en font-ils autant. Mais cela n'explique pas, comme le note John McArthur, le grand nombre de jeunes hommes non mariés qu'on trouve dans les hameaux fore.

C'est alors que survient le mystère des latrines. Dès le premier contact, les agents de patrouille ont régulièrement expliqué aux Fore la nécessité de creuser des toilettes, mais c'est une coutume occidentale que les indigènes ont globalement dédaignée. Leur peuple n'est que très peu formel, aussi bien en matière d'alimentation que de sexe ou d'éducation des enfants. Pour déféquer, ils se contentent du plus proche buisson, au grand dégoût des agents embarrassés. Pourtant, les Fore se mettent quand même à bâtir des latrines. Leur comportement n'a aucun sens. Ça commence chez les gens du Nord, culturellement plus sophistiqués, tandis qu'au Sud les toilettes restent « essentiellement rudimentaires et à l'état brut, parfois constituées d'un simple trou dans le sol[5] », selon les notes de McArthur en 1955. Mais très vite, les gens du Sud se mettent à leur tour à bâtir de fort convenables latrines. À chaque visite des patrouilles, les Fore montrent davantage de cœur à l'ouvrage.

À la mi-août 1950, « Tiny » Carey relève un détail qui épaissit encore un peu le mystère. Il remarque qu'un nombre inhabituel de décès s'est produit près du village de Henganofi. « Il apparaît, écrit-il à ses supérieurs, que les natifs souffrent de troubles de l'estomac, de violents frissons, comme pris de fièvre, et meurent assez rapidement[6]. » Il constitue des dossiers, qu'il envoie à Goroka, la capitale régionale, en précisant que les autochtones « ont invoqué pour explication "l'empoisonnement" ». McArthur approfondit un peu plus. Il dirige un nouveau poste de patrouille dans le chef-lieu d'Okapa, dont la fonction première est de tailler une route menant à Goroka à coups de dynamite, afin d'ouvrir la région au transport ordinaire et aux travaux de construction – et, également important, de rappeler aux Fore toute la puissance de l'homme blanc. Un jour d'août 1953, il observe à son tour les frissonnements évoqués quelques années plus tôt par Tiny Carey : « À l'abord d'un village, j'ai vu une fillette assise près d'un feu. Elle tremblait violemment et sa tête balançait de façon spasmodique d'un côté et de l'autre[7]. »

Les gens des environs expliquent qu'elle est « victime de sorcellerie, et qu'elle continuera ainsi, à trembler sans pouvoir manger, jusqu'à ce que la mort l'emporte, au bout de quelques semaines », écrit-il. La sorcellerie tient une place importante dans la vie des Fore, qui sont particulièrement redoutés par leurs voisins pour leur art de la magie noire. Elle leur permet d'expliquer à peu près tout ce qui ne procède pas de la relation manifeste de cause à effet. Elle rend compte de quasiment toute mort qui n'est pas due à la guerre – mais aussi par exemple du fonctionnement du fusil de l'homme blanc ou des matériaux à partir desquels il construit des avions ou prépare la pénicilline.

Le sort qui touche les femmes tremblantes est appelé *kuru*, « tremblement ». Il est particulièrement facile à infliger. Il suffit d'une petite boulette de feuilles et d'un bout d'effet personnel de la victime : vêtement, cheveux ou excréments. On enfouit le tout, et lorsque le jeteur de sort veut que sa victime se mette à trembler, il n'a qu'à le déterrer et le secouer. S'en défaire est tout aussi simple : il suffit à la victime de trouver le petit paquet et de le détruire. Mais contre le kuru, la prévention reste encore le meilleur remède : il faut veiller à ranger ses effets personnels à l'abri des autres. Ce qui explique que les Fore se soient mis à creuser de si profondes latrines (un agent de patrouille les dit « sans fond »[8]) : pour que personne ne puisse en extraire d'excréments.

Les agents de patrouille décident de mettre un terme à l'hystérie qu'ils croient à l'origine de l'étrange mal. John McArthur commande aux Fore de jeter leurs amulettes protectrices dans un grand feu. La tribu s'exécute. Puis il menace d'enfermer quiconque se prétendra doté de talents de sorcier[9]. Peu après, le remplaçant de McArthur, John Colman, fièrement campé devant les Fore, met l'un des petits tas maléfiques dans sa bouche pour en démontrer l'innocuité (avant de discrètement le recracher)[10].

Mais les décès précédés de tremblements se multiplient. Les Australiens décident d'envoyer un médecin pour comprendre ce qui se passe. Et, en 1955, les autorités sanitaires de Moresby dépêchent Vincent Zigas dans les Highlands orientaux. Pour la plupart des médecins, la mission aurait pu ressembler à une punition, mais pas pour le Lituanien Zigas. Profondément marqué par la Seconde Guerre mondiale, où il prétend avoir exercé pour le compte du camp allemand, l'homme est sous le charme de cette Nouvelle-Guinée immaculée. Comme Carleton Gajdusek, qui fera plus tard équipe avec lui, Zigas éprouve « pour l'homme noir et ses terres le romantisme des natifs d'Europe centrale[11] ». Son « humeur légèrement mélancolique », confie Zigas dans l'un des deux volumes de souvenirs qu'il publiera, connaît un certain « allègement » au contact des Fore, ce « peuple martial » dont la dignité est aux antipodes de sa propre condition en Australie, où, à cause de ses origines étrangères, il ne demeurera toujours qu'un « sale métèque ».

Les Highlands sont pour Zigas l'occasion d'un défi sans avoir à s'avilir, mais ne lui offrent guère plus. Il n'y a sur place aucune installation chirurgicale ; la simple stérilisation d'une blessure est chose compliquée. Et les Fore demeurent sceptiques vis-à-vis de la médecine occidentale. Un jour, l'un des infirmiers de Zigas tente de contraindre un patient âgé à coopérer. Comme partout ailleurs, les anciens sont habitués à ce qu'on leur montre davantage de respect. « Prends garde, jeune homme ! menace le vieillard, j'ai mangé ton grand-père. »

Les deux livres de Mémoires de Zigas versent volontiers dans l'embellissement, et débordent de poignants clairs de lune et de fêtes indigènes qui se prolongent jusqu'au bout de la nuit[12]. Il y raconte la première fois qu'il entend le mot kuru, pêché dans un bar de Kainantu parmi les propos de John McArthur évoquant sa région et les problèmes qu'il y rencontre. Zigas se présente. McArthur lui demande s'il a lu son rapport de 1953 sur la jeune fille ensorcelée tremblant près du feu. Devant la réponse négative de Zigas, McArthur, qui en est à son cinquième verre de rhum, déverse un flot d'injures à l'attention des bureaucrates du port de Moresby, accusés de s'être assis sur l'information. Deux mois plus tard, McArthur envoie un Fore nommé Apekono porter un mot à Zigas : cet homme doit le conduire là où il pourra observer l'étrange maladie. Enveloppé dans une feuille d'arbre à pain nouée d'une liane de vigne sauvage, le mot dit : « Suivez Apekono. Stop. Soyez mon Coucheur, pas besoin de graille. Stop. Grog et pénicilline appréciés. » C'est signé « John Blotto ». « Mon Coucheur » signifie « mon invité ». « Graille » désigne les vivres, et le « grog », bien entendu, l'alcool. Quant à Blotto, c'est McArthur.

Dans la portion des Highlands qu'habitent les Fore les déplacements ne sont pas simples. Il faut suivre de minuscules sentiers sinueux et toujours s'accompagner de guides autochtones. Apekono mettra quatre jours pour parcourir avec Zigas les soixante-dix kilomètres qui les séparent du village de Moke, où est affecté McArthur. Sur le chemin, Apekono s'arrête dans une hutte, et montre à Zigas sa première victime du kuru. « Dans un coin, par terre, était assise une femme d'une trentaine d'années, écrit le médecin. Elle avait une apparence étrange, pas vraiment malade, plutôt émaciée, les yeux révulsés, avec l'expression d'un masque. La tête et le tronc étaient occasionnellement pris d'un léger tremblement, comme si elle grelottait alors que la journée était pourtant très chaude. » C'est presque exactement ce qu'a observé McArthur en 1953. Mais Zigas est médecin. Il peut faire mieux qu'observer – du moins le pense-t-il : « Je me suis dit que je pouvais aussi bien essayer ma propre magie », se souvient-il. Après avoir badigeonné sa patiente de liniment de Sloan, un baume pour les douleurs musculaires, il déclare à la famille et au guide : « Le sorcier a introduit un mauvais esprit dans cette femme. Je vais brûler cet esprit pour qu'il sorte et l'abandonne. Vous ne verrez pas le feu, mais elle le sentira. Le mauvais esprit s'en ira et elle ne mourra pas. »

Lorsque le baume pénètre la peau, la jeune femme se tord de douleur. « Lève-toi ! Marche ! » lui commande théâtralement Zigas. « La femme a faiblement tenté de se lever, puis, épuisée, s'est mise à trembler de plus belle, en émettant un genre de rire dément, comme un gloussement. » Plus tard, Apekono demande à Zigas de ne plus chercher à soigner les victimes du kuru.

« N'emploie plus ton remède magique. Il ne vaincra pas notre puissante sorcellerie. »

Car c'est bien cela qui se joue. Si la magie fore passe pour supérieure à celle des Blancs, toute l'aventure coloniale australienne risque de tourner court. Dans les Highlands, où une centaine d'Européens dominent un million d'autochtones, le prestige est un enjeu considérable, et l'incapacité des Australiens à enrayer la progression du kuru commence à nuire à leur image parmi les natifs. À mesure que s'accumulent les morts, les Fore montrent de moins en moins d'entrain à s'aligner pour le recensement ou à se plier aux procédures administratives à travers lesquelles les Australiens imposent leur loi. Ils se mettent à afficher ce qu'un agent de patrouille appelle « une attitude de profond mépris et de résistance passive à l'Administration[13] ».

C'est alors qu'un « culte du cargo » voit le jour. C'est l'un des premiers dans la région fore. Le culte du cargo est un mouvement de nature mystique qui promet aux indigènes que d'infinis bienfaits vont accompagner l'arrivée des Blancs. On édifie une case dont on scelle la porte, et l'on prie chaque jour qu'apparaisse dans la maison une cargaison de denrées européennes – conserves, munitions, vêtements. Inévitablement, à l'ouverture de la porte, les adeptes aussi déçus qu'irrités se demandent pourquoi la magie du colon ne fonctionne pas avec eux. Les cultes du cargo trahissent généralement une certaine tension sociale, un épuisement de la foi dans les promesses européennes.

Jack Baker, agent de patrouille qui a succédé à McArthur et Colman, confisque les amulettes des chefs du culte en espérant que la colère se dissipera d'elle-même[14]. Mais le kuru est maintenant responsable de la moitié des décès survenant dans le district, soit, selon le compte de Baker, six cents cas au cours des cinq dernières années[15]. Tant que cela ne changera pas, l'agitation couvera dans les villages frappés par la maladie.

Vincent Zigas observe les symptômes. Les victimes grelottent même s'il fait chaud. Leurs yeux deviennent vitreux et atteints de strabisme. Elles perdent le sens de l'équilibre. Certaines marchent avec difficulté, jusqu'à ne plus pouvoir s'empêcher de tomber. D'autres paraissent parfaitement indemnes, si ce n'est pour le tremblement des mains, premier symptôme manifeste du mal. Lorsque Zigas interroge les malades sur leur état, beaucoup lui répondent par des gloussements irrépressibles ou un rire nerveux. Il apprend vite à repérer les prochaines victimes à leur étrange port de tête.

Zigas entreprend de chercher la cause de ces états. Il envoie des échantillons de sang à l'officier supérieur du service médical de Port Moresby. Ce dernier se déclarant incompétent, c'est au Hall Institute de Melbourne, le meilleur laboratoire d'Australie, qu'il expédie du sérum, mais aussi la moitié d'un cerveau âprement négociée auprès de la famille d'une victime. Là, le Dr Gray Anderson, virologue accompli, cherche des traces de la présence de virus ou de bactéries, sans succès. Il établit toutefois que le kuru ne déclenche pas chez ses victimes la production d'anticorps.

Quelque chose paraît plus troublant encore. Zigas ne cesse de rencontrer des victimes du kuru qui se prétendent guéries. Y aurait-il deux formes de kuru, l'une vraie et l'autre pas ? Pour Zigas, ce mal susceptible d'apparaître et disparaître plusieurs fois et pour lequel tous les résultats en laboratoire se révèlent négatifs suggère avec insistance que les Fore souffrent sans doute d'hystérie collective.

Les Fore, pour leur part, n'ont aucun mal à s'expliquer leur situation. Ils savent que le kuru est à la fois une maladie bien tangible et le fruit de la sorcellerie, et cette double réalité leur convient parfaitement. Non qu'ils soient fermés au concept d'infection. Ils y croient – ils savent qu'elle peut survenir rapidement et frapper les personnes qui se côtoient et partagent boisson et nourriture. Qu'il suffit d'un jour ou d'une semaine pour que l'infection gagne tout un hameau parfaitement sain. Mais ce n'est pas ainsi que se propage le kuru. Il s'en prend aux femmes et aux enfants bien plus souvent qu'aux hommes, décimant parfois une famille entière à l'exception du mari. Il semble aussi particulièrement affecter les femmes qui, quelques années plus tôt, ont quitté le village pour épouser un étranger, ce qui renforce la conviction que c'est bien de la sorcellerie : dans l'univers des Fore, les femmes sont extrêmement précieuses, et les hommes versent pour elles des dots particulièrement élevées. Si quelqu'un tue votre épouse, il commet un genre de vol.

En revanche, ce qui ne fait aucun sens à leurs yeux, c'est l'immense quantité des décès. Ils ont certes passé leur existence à se faire la guerre, mais n'iraient jamais jusqu'à dépeupler un village ou une région. La présence de tant d'hommes borgnes est un signe évident d'interdit : privez un homme de ses deux yeux et il ne peut plus rien ; privez-le d'un seul et le voilà averti.

Il n'empêche, les Fore ont pour l'origine de l'épidémie de kuru une explication qui les satisfait. Des années auparavant, un soupirant frustré a fait tuer une femme pour se venger des frères de celle-ci, qui lui avaient refusé leur accord pour le mariage. C'est cet affront qui a déclenché la guerre du kuru. Dans un premier temps, les Fore ont tenté de contenir les hostilités par une technique ancestrale nommée *tukabu*, qui consiste pour les parents d'une victime du kuru à attraper le sorcier, lui défoncer le crâne et lui broyer les organes génitaux à coups de pierres. Mais cela n'a pas suffi à enrayer la vague de décès dus au kuru. Les femmes ont commencé à se plaindre : pourquoi les hommes n'arrêtaient-ils pas ce mal qui décimait leurs rangs ? Elles ont expliqué qu'à force de jeter des sorts sur les femmes, les hommes creusaient leur propre tombe : « Trouvez donc aujourd'hui un homme enceint et montrez-le-nous », disaient-elles[16]. Un jeune homme a dit : « Regardez la brousse qui pousse autour de nous, là où autrefois les gens travaillaient en file à leur potager. Il n'y aura bientôt plus personne pour la contenir[17]. » Le montant des dots atteint à présent des niveaux astronomiques, les hommes ne trouvent plus d'épouses et les cochons sont laissés à l'abandon, car les hommes remplacent les défuntes (et les filles non nées) à l'entretien du potager.

Les chefs fore, nommés « grands hommes », se sont rassemblés plusieurs fois pour trouver une solution. Lors d'une de ces réunions, ils ont demandé aux sorciers parmi eux de se faire connaître. L'un après l'autre, tous ont reconnu leur transgression. Puis, plongeant la main coupable dans l'eau, ils ont juré de ne plus pratiquer la sorcellerie. Il se trouve que tous les présents sans exception étaient impliqués. Leur repentir a fait naître l'espoir d'une interruption du cycle de l'envoûtement et des représailles. L'équilibre allait revenir, la main invisible reprendre le dessus.

Les Australiens observent tout cela avec préoccupation. Ils ont espéré pouvoir donner des leçons aux pays européens sur la façon d'apporter l'ère moderne à un peuple resté à l'âge de pierre. Et voilà que leurs protégés meurent d'un mal mystérieux qui ressemblerait à une réaction hystérique aux changements de société pour lesquels les Australiens s'attendent précisément à être acclamés. Le Dr Zigas et ses supérieurs sont désemparés.

5

Doc America
Papouasie-Nouvelle-Guinée, 1957

> *Ce drôle de type tout blanc apparaissait comme ça,*
> *sortant des fourrés, vous baragouinait quelque chose dans*
> *une langue incompréhensible, plantait une aiguille dans*
> *votre bras, griffonnait dans son cahier, et s'en allait.*

Description d'une visite de Carleton Gajdusek par
un agent de patrouille de Nouvelle-Guinée

Au matin du 8 mars 1957, Carleton Gajdusek, trente-trois ans, se présente au bureau du chef suppléant du département de la santé publique à Port Moresby, Nouvelle-Guinée[1]. Gajdusek est un homme complexe et controversé, un brillant chercheur et pédiatre qui porte un vif intérêt sexuel aux enfants qu'il soigne. Né dans le Yonkers, près de New York, dans une famille de la classe moyenne, il n'a jamais douté de ce qu'il ferait plus tard. Enfant, il a pour livre favori *Chasseurs de microbes*, de Paul de Kruif, une chronique romancée des chercheurs qui, à l'image de Pasteur et Koch, ont résolu certains des principaux mystères de la médecine. Avec son frère, il inscrit au mur de l'escalier menant à leur atelier les noms des plus illustres descendants d'Hippocrate.

Gajdusek étudie la biophysique à l'université de Rochester, puis à la Harvard Medical School. Il obtient ensuite un postdoctorat de biophysique au California Institute of Technology sous la supervision de Linus Pauling (à son ami Gunther Stent, il dit n'avoir pour seule intention que de remettre en place les idées de Pauling au sujet des protéines), puis étudie auprès de Max

Delbrück, le fondateur de la biologie moléculaire. Il effectue par ailleurs quelques travaux périphériques en microbiologie à Harvard avec le célèbre John Enders, généralement considéré comme le père de la virologie américaine. Ces trois professeurs recevront tous le prix Nobel.

Au début des années 1950, alors qu'il est médecin militaire, Gajdusek participe à l'étude d'une fièvre hémorragique tuant les soldats américains en Corée, qu'il attribue à des oiseaux migrateurs. En 1954, les autorités sanitaires l'envoient en mission secrète en Bolivie pour enquêter sur une épidémie touchant apparemment un groupe d'Okinawais déplacés en Amérique du Sud par l'US Navy après la Seconde Guerre mondiale. La rumeur prétend que les États-Unis y tiennent des camps de concentration. Gajdusek parvient à trouver à ces décès des causes naturelles – si l'on veut bien admettre qu'une blessure par flèche soit une « cause naturelle », ce qui impressionne suffisamment les autorités sanitaires pour qu'on lui propose un emploi : « Vous êtes un tordu, lui dit son chef, mais le genre de tordu qui me plaît[2]. » Gajdusek décline l'offre. Il préfère trouver le moyen d'étudier auprès de Sir Macfarlane Burnet (connu sous le nom de « Sir Mac »), du Hall Institute de Melbourne, lui-même alors sur la voie du prix Nobel que lui vaudront ses travaux sur la tolérance immunologique acquise.

Gajdusek a acquis la théorie auprès des meilleurs. Mais cela ne réduit en rien l'intérêt qu'il voue à la pratique et au soin des malades, notamment les enfants. Il rejette diverses propositions d'aller plus loin dans la recherche théorique, et écrit dans son volumineux journal : « Dans la lente routine de la préparation des tampons, de l'observation au microscope, de l'inoculation des œufs et la récolte du foie d'embryons de poussins, où réside donc le défi de l'épreuve intellectuelle ? [...] J'en viens souvent à me demander s'il n'y a pas davantage de pensée abstraite, de curiosité intellectuelle et de raisonnement déductif autant qu'inductif au chevet d'un enfant malade[3]. » Ce ne sont pas de vains mots : la santé des enfants compte vraiment beaucoup pour Gajdusek.

Gajdusek choisit Port Moresby pour point de départ d'une vaste étude multinationale sur « les schémas de la croissance, du développement, du comportement et de la maladie chez l'enfant dans les cultures primitives et isolées », qu'il a conçue à la suite de ses études auprès de Sir Mac. Comme cela se fait alors, il a organisé sa tournée lui-même ; il se souciera des questions de soutien académique plus tard. De Port Moresby, il compte se rendre à Lufa, un village des Highlands où Ian Burnet, le fils de Sir Mac, officie en tant qu'agent de patrouille, puis gagner d'autres îles de la région. Certains de ces territoires n'étant pas encore sous contrôle, il lui faut pour les pénétrer l'autorisation des autorités : d'où cette escale à Port Moresby.

Port Moresby n'est pas le genre de ville qu'apprécie Gajdusek. Bien trop civilisée, elle grouille de mondanités et de commérages, tout ce qu'il déteste, mais il soupçonne qu'il y existe quelque part une face dégénérée que la ville se refuse à reconnaître. Il quitte son hôtel de luxe pour un autre, moins onéreux et plus authentique, à « deux guinées par jour[4] ». Mais là encore, les serveurs, les bagagistes et tous les jeunes hommes ignorent cet individu à l'air bizarre, avec sa crinière blanche et ses épaisses lunettes noires. « Le décor tout entier joue contre la moindre velléité d'amitié sincère ou d'association proche[5] », se plaint-il dans son journal.

Pour Gajdusek, Port Moresby incarne à merveille ce qui est à ses yeux le défaut majeur de l'Occident : l'écrasement de l'individu. Un dimanche, à Melbourne, il a parcouru la ville à l'heure où les habitants se recueillaient à l'église. Il a inscrit dans son journal : « Je prie – et j'implorerais le Christ, si je pouvais croire, si j'étais sûr d'être entendu et compris – que ces jeunes gens profitent encore de la chair et s'adonnent à ce flagrant "péché" avant qu'il ne soit trop tard [...] car c'est seulement alors qu'ils auront vécu[6]. » À Sydney, la contemplation de la mer l'a porté à conclure que les vagues étaient plus vivantes que « ses habitants, qui s'y trempent passivement. Rares sont ceux qui maîtriseraient ces flots[7] ! ». Il a, lui, de l'ambition, et sa tournée en Océanie doit, entre autres, servir équitablement ses deux propos – accomplir de grandes choses en médecine tout en satisfaisant ses pulsions sexuelles peu avouables. Il pressent que sa destination sera un lieu sauvage, encore vierge, et espère y trouver la présence d'enfants, en partie parce qu'il est spécialisé en pédiatrie. La pédophilie, racontera-t-il plus tard, l'accompagne lui-même depuis l'enfance.

Mais les premiers écrits de Gajdusek montrent davantage de tergiversation que de courage à mettre en pratique ses penchants sexuels. Son journal d'alors contient divers récits pitoyables d'attirance à demi articulée[8]. Malgré toute sa détermination à maîtriser les flots, il hésite. « Pas grand-chose à écrire – rien d'important. Je vis dans l'attente d'un soudain mouvement [...] mais n'ose pas l'accomplir[9] », écrit-il en février 1956, ce qui l'apparenterait plus au poète sentimental qu'au vaillant explorateur.

Mais ces tournées, qu'il a lui-même voulues, ne satisfont pas Gajdusek, toujours en quête d'un grand problème à vaincre. « Joe, écrit-il à Joseph Smadel, son premier soutien au National Institute of Health, à peine six mois avant de découvrir le kuru, sincèrement, je commence à chercher un endroit où travailler... Si tu entends parler d'un poste pour lequel je conviendrais... et tu sais quel subordonné récalcitrant et imprévisible je fais... cela m'intéresserait au plus haut point et je t'en serais extrêmement reconnaissant[10]. » Smadel, qui a justement eu Gajdusek pour subordonné à l'institut de recherche militaire Walter Reed de Washington, se garde bien de lui proposer une nouvelle affectation dans les bureaux. Il sait l'homme particulièrement attaché au terrain, où il pourra à la fois faire des découvertes intéressantes et assouvir sa passion. Il sait aussi que Gajdusek est scientifique autant qu'ethnographe ; il s'emploie d'ailleurs constamment à refréner cette tendance. « En te relisant, écrit Smadel en 1956 dans une note de commentaires sur l'un des six articles auxquels travaille alors Gajdusek, ne cherche pas à ajouter les innombrables détails tout juste bons à alimenter les conversations [...] ne nous demande pas non plus d'inclure des croquis de voyage. Qui se soucie de savoir que ces gens habitent des maisons de boue ou des trous dans le sol ? Rappelle-toi le vieux truc du journaliste – chaque fois que tu t'interroges sur la pertinence d'un paragraphe, supprime-le[11]. »

Mais Gajdusek est absolument incapable de se plier à cette demande. Sa vie secrète, son imagination adolescente et son infinie curiosité sont en soi une révolte constante contre toute limite.

Seul l'intéresse le marginal, le fortuit, le pittoresque. Au cours de ses voyages, il lui est arrivé de s'inventer un passé de fils d'un riche mondain élevé aux quatre coins de l'Europe. Outre la bougeotte perpétuelle de Gajdusek, son rejet des limites se manifeste aussi dans sa logorrhée – à cette époque-là, il a déjà rempli dix volumes d'un journal se voulant inspiré d'André Gide[12].

Ce qu'apprend Gajdusek lors de son entretien à Port Moresby avec le Dr R. F. R. Scragg, chef adjoint du département de la santé publique de Papouasie-Nouvelle-Guinée, va changer sa vie. Médecin au crâne dégarni récemment promu, ayant fait toute sa carrière dans la santé publique, Scragg a l'esprit de corps bien ancré. Considérant Gajdusek comme « l'homme de Sir Mac » à Port Moresby (tel est en tout cas le souvenir de Gajdusek), il lui remet un dossier contenant le détail des activités de l'institut en Papouasie-Nouvelle-Guinée.

C'est dans ces pages que Gajdusek prend connaissance du troublant mystère médical observé chez les Fore des Highlands orientaux.

Sir Mac, qui ne supporte plus de voir la médecine australienne dans l'ombre de la concurrence anglaise et américaine, voit dans le kuru une occasion de remédier à cet état de fait[13]. Homme séduisant et débordant de charisme, Sir Mac est dans son pays d'origine une personnalité reconnue et, à la différence du « métèque » Vincent Zigas, assez influente pour persuader son gouvernement d'allouer des moyens à l'épidémie de kuru. Début 1957, son premier geste a été d'envoyer Gray Anderson, le virologue du Hall Institute qui a examiné les échantillons de Zigas, faire un tour d'observation à Okapa.

À présent, à la lecture des documents prouvant la sournoiserie de Sir Mac, Gajdusek est en colère. Sir Mac a eu vent de l'existence de la maladie ; il a même déjà reçu un cerveau atteint pour l'examiner ! Gajdusek est supposément son protégé. N'est-il pas précisément en chemin pour rendre visite à son fils ? Or, Sir Mac ne lui a rien dit du kuru. Gajdusek écrit dans son journal : « Amer ? Non. Seulement déçu par mon idole déchue... et, mon dieu, quelle dégringolade[14] !!! »

Gajdusek comprend que son arrivée en Nouvelle-Guinée

tombe à point nommé. Anderson, le virologue de Sir Mac, doit déjà se trouver dans les Highlands, en train d'observer le kuru – mais c'est compter sans son épouse : elle a exigé de prendre connaissance des dispositions prévues contre « les risques éventuels d'hostilité indigène » envers son mari[15]. De quel type d'assurance bénéficieront les Anderson ? Elle a posé la question à son époux, qui l'a relayée à Sir Mac, qui a envoyé un câble à Scragg, qui a transmis la requête jusqu'à son chef, qui attend une réponse susceptible de « dissiper toute crainte que puisse nourrir Mme Anderson ».

Ainsi, tandis qu'Anderson attend de connaître les détails de son assurance-vie[16], Gajdusek, qui n'a pas plus de femme que de craintes – il crie à tous les vents qu'il espère bien mourir avant l'âge de quarante ans –, n'a qu'à acheter un billet d'avion pour Goroka via Wau du côté papou de la frontière. Cinq jours plus tard, il est à Kainantu, le chef-lieu le plus proche de la zone du kuru. Le coup de foudre pour les Highlands est immédiat. Il rencontre Zigas et l'apprécie aussitôt. Zigas est un personnage haut en couleur – un agent de patrouille a conservé le souvenir d'une espèce de « Danny Kaye dans le rôle d'un médecin d'Europe centrale ». D'ailleurs, nombre de ceux qui ont travaillé avec lui, Gajdusek compris, seront même amenés à se demander si Zigas est vraiment diplômé de médecine. Les deux hommes s'entendent tout de suite : Zigas est disposé à travailler dur et à laisser les honneurs à Gajdusek, et ce dernier sait comment raviver le « taciturne » Zigas. Il le convainc de faire ce qu'il aurait dû faire depuis le début : se jeter à corps perdu dans le problème du kuru[17].

Les dépêches se mettent à circuler de Sir Mac à Scragg, puis à Port Moresby, de là à ses supérieurs de Canberra, jusqu'à Anderson, encore en attente à Melbourne, pour revenir à Sir Mac. Gajdusek, qui a pris ses hôtes de court, séjourne en terre fore de façon irrégulière, alors il est prié de partir sans délai. Sir Mac redoute qu'il s'agisse de ce que Scragg appelle « une nouvelle invasion américaine »[18], et sent échapper à la médecine australienne la possibilité d'une découverte majeure. Mais Gajdusek n'a pas l'intention de bouger : il a rencontré une tribu isolée, les Fore ; un subordonné dévoué, Zigas ; et des préadolescents jamais exposés à la morale contraignante de l'Occident. La rumeur selon laquelle les Fore n'auraient que récemment rompu avec la pratique du cannibalisme rituel consistant à manger leurs morts à titre d'hommage (et dont certains prétendent qu'elle perdure à l'abri des regards blancs) n'est pas non plus pour lui déplaire. « Femmes et enfants, notamment, partagent la chair humaine[19] », note-t-il avec délectation. Une heure après avoir rencontré Zigas, il écrit aux Australiens : « [Zigas] me dit que la totalité (oui, aussi incroyable que cela paraisse, 100 %) des 28 cas recensés voici deux mois sont aujourd'hui morts[20] ! » Il est tombé sur l'énigme médicale de la décennie.

Gajdusek fait une proposition aux Australiens : ils seront consultés tout au long de l'enquête. Il se chargera du sale travail de se colleter avec les bandes de sauvages, et promet de tenir Sir Mac « informé de chacun de nos mouvements[21] ». Il leur promet même un cerveau frais atteint de kuru pour dissection. En attendant, pour se défaire de Scragg, qui lui a parlé le premier du kuru et cherche à présent à l'évincer, il se trouve une bonne excuse pour rester : il a rencontré parmi les Fore des enfants souffrant de troubles du système respiratoire supérieur. « Enquête intensive – impossible d'interrompre, dit la dépêche. Resterai auprès de mes patients, dont nous sommes responsables. Suis en correspondance directe avec Sir Mac[22]. » En effet, Sir Mac, qui n'est pas totalement insensible au charme et à la vitalité de Gajdusek (et qui par ailleurs est bon perdant), a suivi le mouvement et tranché : Anderson étudiera l'encéphalite de Murray Valley ; Gajdusek s'occupera du kuru.

Face au kuru, la stratégie de Gajdusek consiste à tout tenter le plus rapidement possible, quelles que soient les difficultés – auscultation, prise de sang, conservation, expédition des échantillons, interprétation des résultats du laboratoire – avant de passer au village suivant et de recommencer. Il écrit à Scragg, tout en lui demandant des fournitures, « nous n'avons rien d'autre à l'esprit que le laboratoire[23] ». Et les statistiques aussi. Début avril 1957, il y a treize nouveaux cas et autant de décès enregistrés. Soit au total quarante et un, dont près de la moitié d'enfants. À la mi-mai, il dénombre près de soixante-dix cas en cours. Trente nouveaux cas soupçonnés apparaissent avant la fin du mois, et tous meurent. Fin juin, Gajdusek et Zigas ont enregistré deux cents morts. Le rapport entre les taux de mortalité féminine et masculine dépasse à présent quatorze contre un, et les symptômes des victimes sont on ne peut plus étranges : elles trébuchent, souffrent de strabisme, deviennent « querelleuses ou agressives ». Gajdusek observe leur « instabilité émotionnelle » ainsi que leur « tendance à l'hilarité excessive », leurs « grimaces et leurs sourires euphoriques, parfois même ponctués de cris[24] ». Il écrit à Smadel : « Peut-on trouver image plus frappante et remarquable[25] ? » Smadel lui obtient une bourse, et expédie caméra et pellicule pour qu'il filme ce qu'il voit, ainsi que les articles scientifiques et les instructions réclamés.

Comme promis, Gajdusek envoie un cerveau à ses hôtes australiens agacés. Dans le même temps, il en fait parvenir plusieurs à Smadel au NIH. Le jeu consistant à contenter et courtiser les deux parties à la fois réclame du doigté, ce qui apporte une petite touche de folie qui n'est pas pour déplaire à Gajdusek. Il envoie un jour le cerveau et les viscères du même malade à Sir Mac et à Smadel, respectivement. Gajdusek, qui a obtenu dix nouveaux cerveaux de victimes du kuru, sait qu'il y aura assez d'échantillons pour tout le monde. Il pratique la plupart des extractions sur la table même où il prend ses repas, parfois au couteau (son père était boucher), et conserve les échantillons au réfrigérateur du camp. Certaines familles renâclent. Pour obtenir leur consentement, Gajdusek leur distribue des conserves, du sel ou des lap-lap, sorte de jupe locale.

Le premier objectif de Gajdusek est de déterminer le type de maladie auquel il a affaire – est-elle génétique, infectieuse, environnementale ou psychosomatique ? En attendant les résultats de laboratoires des États-Unis et de Melbourne, il entreprend son enquête épidémiologique. Il passe au crible tout ce que mangent, boivent ou touchent les Fore. Il soupçonne la fumée dans leurs cases et le cuivre dans leur eau. Il constate que le manioc, s'il n'est pas correctement traité, peut se révéler toxique. Il sillonne la brousse avec Zigas, l'agent Jack Baker et le chien de ce dernier, baptisé Kuru. Gajdusek, se souvient Baker, s'est muni de boîtes de crayons de couleur avec lesquels il fait faire des dessins aux enfants des villages avant de les ausculter, un vrai joueur de flûte d'Hamelin.

L'intérêt que porte Gajdusek à leurs enfants fait l'affaire des Fore. « Sur le plan médical, ils l'ont beaucoup sollicité, se souvient Baker. Je l'ai vu ramener des enfants malades à la vie, presque par adjuration. » En échange, les Fore lui parlent du kuru. L'« épidémiologie détaillée » comporte à présent un millier de fiches, profusion inouïe – en neurologie, un médecin peut s'estimer heureux de rencontrer une douzaine de cas dans toute son existence.

Le kuru est un jeu de piste, pareil au dédale de sentiers que sillonne Gajdusek à travers la brousse. Se transmet-il au sein des familles ou forme-t-il ses grappes dans les villages ? Certains l'ont-ils attrapé au même endroit et au même moment ? Ou alors au même endroit à des moments différents ? Y a-t-il réellement eu des cas de rémission ? Quelle est dans l'affliction la part de l'hystérie ? Avec le concours d'un millier d'indigènes, Gajdusek bâtit un poste de recherche sur le kuru à Okapa. De là, il envoie des patients vivants à Moresby puis en Australie, où ils subissent un électroencéphalogramme, à la recherche de « traces de triade du type petit mal », d'épilepsie, ou de « tout ce qui ressemble au schéma d'ondes lentes focales de l'encéphalite[26] ». Rien n'échappe à l'examen : chorée de Sydenham, maladie de Wilson, maladie africaine du sommeil, « anorexie nerveuse fatale plus hystérie », « désordre du ganglion basal (toxique, allergique, hérédofamilial, post-infectieux, infectieux ?? – ou psychiatrique ?) » et sclérose latérale amyotrophique (maladie de Lou Gehrig). Il observe bien certaines ressemblances entre le kuru et le delirium tremens, mais les Fore ne boivent pas d'alcool. Est-ce la forte teneur en cuivre de leurs cours d'eau ? Le kuru est-il un symptôme à retardement de quelque infection préalable, ou provient-il des insectes que mangent les Fore ? L'ensemble de ces questions reste sans réponse – il n'y a nulle trace d'infection, pas d'origine génétique claire, pas de cause environnementale plausible et aucun précédent connu. Le kuru apparaît comme « l'un des maux les plus impénétrables et déconcertants [...] jamais rencontrés[27] ».

Gajdusek, accompagné de sa troupe, poursuit sa tournée de

village en village. Sans attendre d'avoir établi un diagnostic, il entreprend des traitements au phénobarbital, à la cortisone et à la testostérone, aux vitamines et aux antihistaminiques, avec de faibles doses d'hormone adrénocorticotropique, aux sulfonamides, au chloramphénicol, au dimercaprol et aux suppléments en fer. Les Fore servent de cobayes à son intuition. Il arrive parfois que l'état d'un patient semble s'améliorer, mais ça ne dure jamais. Les tombes se remplissent, mais les Fore n'en veulent pas à Gajdusek, ils préfèrent s'en prendre aux Australiens. Le médecin s'est acquis la confiance des enfants, et c'est pour eux un gage suffisant. Il frôle même l'extase lorsque les hommes Fore – « au nez percé d'imposantes défenses de cochon sauvage[28] » – l'enduisent de graisse de porc tandis que les enfants s'ébattent alentour en chantant « Doc America ! ». D'une main il leur injecte massivement de la pénicilline, de l'autre il prélève leur sang. Il ne pouvait rêver mieux que cette vie parmi les peuples tribaux*.

Gajdusek recueille en un mois davantage d'informations que ne l'auraient fait les Australiens en un an. Mais ça ne l'empêche pas de rester au point mort. Melbourne lui envoie l'analyse du cerveau qu'il leur a fourni, indiquant qu'aucune altération significative n'a été constatée. Les Australiens commencent à croire que le mal est génétique, thèse porteuse d'implications politiques lourdes. Avec la mort de tant de femmes fore, les hommes commencent à se chercher une partenaire au sein des autres tribus. Qu'adviendra-t-il si les Fore contaminent leurs voisins par voie reproductive ? Et si ces voisins en viennent à s'unir avec des Européens, ou des Américains ? Ils proposent donc la mise en application d'une quarantaine.

Entre-temps, les laboratoires américains se sont montrés plus persévérants que leurs homologues australiens. Ce qu'ils

---

* Il semble que l'acte de la prise de sang constitue pour Gajdusek un mode de contact quasi sexuel avec autrui, notamment les enfants. Que l'on considère, à titre d'exemple, ce commentaire dans son journal à propos d'une visite médicale aux enfants nakansi et mumsi occidentaux de Nouvelle-Bretagne : « J'ai prélevé le sang de chacun sans difficulté, comme d'habitude, et nos rapports ont beaucoup progressé – surtout avec ces garnements que je connaissais moins bien – grâce à la prise de sang ! » (*JFN*, juillet 1956).

ont trouvé dans le cerveau fait l'effet d'une révélation – « neuro-nophagie très spectaculaire [...] gliose particulièrement intense [...] Surprenants changements affectant les cellules de Purkinje [...] et déformations étranges des dendrites des cellules de Pukinje[29] » – autant de signes indicateurs d'une grave maladie neurodégéné-rative. Le Dr Igor Klatzo, neuropathologiste originaire de Russie travaillant au NIH, écrit que la pathologie du mal lui en rappelle une autre, « décrite par Jakob et Creutzfeldt[30] » dans les années 1920, qui avait frappé une poignée de personnes âgées en lais-sant des perforations dans le cerveau. Le parallèle lui est apparu parce qu'il vient de recevoir un exemplaire d'un nouveau manuel de neuropathologie. C'est en le feuilletant au hasard qu'il est tombé sur l'article concernant cette maladie. (« Quel coup de chance ! » dit-il de cette coïncidence quelque quarante ans plus tard.)

Mais la maladie de Jakob-Creutzfeldt (comme on la nom-mait alors) n'est qu'une hypothèse en l'air : le kuru afflige une population très différente – des jeunes femmes et des enfants. Il n'est donc pas étonnant que pas plus Gajdusek, qui n'a jamais entendu parler de la maladie de Creutzfeldt-Jakob, qu'aucun de ses superviseurs n'ait fait le lien. « Deux cas [...] peuvent surve-nir en des villages éloignés, distants, note Gajdusek, chez deux individus qui n'entrent que rarement en contact. Lorsque le mal frappe à nouveau la même "famille" ou foyer, c'est sur un membre parti habiter ailleurs, là où les préposés à la préparation des aliments etc. sont différents, et cela survient souvent des années après le décès de la première victime de la famille[31]. ». Le problème est insoluble. Gajdusek s'entête à prélever du sang. « Les indigènes ont été déçus que nous soyons tombés à court d'éprouvettes[32] », écrit-il de Lufa.

Sir Mac comprend que le génie de Gajdusek réside essen-tiellement dans son énergie et ses intérêts seconds. C'est l'homme de tous les négoces, mais pas « un scientifique de premier plan[33] ». Et cette limite commence à se faire sentir. Ses travaux comportent une grande part de gesticulation, ce que cer-tains de ses supporteurs au NIH ne nient plus. L'un d'eux écrit qu'il faudrait désigner un groupe d'épidémiologistes « composé d'experts en anthropologie, en génétique, en diètes et coutumes et en provision d'eau travaillant en équipe[34] ». Gajdusek leur reproche de ne pas comprendre que cette équipe, c'est *lui*, une armée d'un seul homme (deux avec Zigas). Il souligne qu'il est en train de conduire l'analyse de cinq cents aliments que consomment les Fore. La tâche est lourde, mais il a les choses bien en main.

Entre-temps, la presse s'est emparée du kuru. La brève présence de Gajdusek parmi les Fore a fait d'eux un sujet choyé de la presse à sensation, qui se délecte de ce « peuple primitif resté à l'âge de pierre » frappé par « la mort rieuse ». Ainsi s'ouvre en 1957 un article du magazine *Time* : « Dans les Highlands orientaux de Nouvelle-Guinée, un éclat de rire dément traverse soudainement les murs des huttes de paille rondes et aveugles, et se perd dans la jungle environnante[35]... »

Ce ton consterne Gajdusek, qui ressent de nouveau un grand mépris pour l'Occident. Il décide de gagner la frontière nord du territoire fore pour y rencontrer les Kukukuku, la plus sauvage et rugueuse de toutes les tribus, réputée pour les longues plumes de casoar dont ses membres ornent leur tête (« Kukukuku » est une déformation du nom qu'ils donnent au casoar*) Gajdusek se dit prêt « à saigner des flopées de Kuks[36] », mais il a perdu beaucoup de son enthousiasme, et se demande même si tout ce temps consacré au kuru servira à quelque chose. Découvrant qu'il envoyait aussi des cerveaux aux Américains, Sir Mac a coupé tout contact. De leur côté, les Américains ne cessent de lui répéter que tous ces prélèvements sont inutiles. Mais au contact des Kukukuku, quelque chose se produit en lui. Il a déniché quelques livres cachés dans un poste de patrouille, « Joseph Conrad, de la poésie américaine, les discours de Macaulay et un peu de Scott Fitzgerald[37] », qu'il dévore. Mieux encore, à défaut de nouveaux indices sur le kuru, il trouve quelque chose qui l'intéresse tout autant, dans un village kukukuku : « En fin d'après-midi, note-t-il dans son journal, j'ai à nouveau flâné dans le village. On m'a reçu dans la maison des

---

* « Kukukuku » est aujourd'hui un terme péjoratif, auquel il convient de préférer Anga. J'ai choisi de le conserver (avec sa connotation dénigrante) lorsque cela m'a paru historiquement approprié.

hommes, où j'ai mangé des noix de pandanus que m'ont offertes les garçons et leurs aînés. Là, dans leur domaine, leur légère retenue s'est vite estompée et ils sont devenus grivois et directs. Ils ont insisté pour m'examiner de la tête aux pieds, pris tout le loisir de toucher et d'observer mes parties génitales, et m'ont proposé avec insistance une fellation, désignant une foule de jeunes volontaires pressés de s'en charger [...] À en juger du naturel avec lequel des garçons même impubères miment des actes obscènes pour offrir leurs services, et des sollicitations insistantes qu'ils ont adressées à bon nombre de nos agents, de nos porteurs, de mes mankis [jeunes garçons] ainsi qu'à moi-même, il est évident que la fellation est très familière à tous les hommes et les garçons, et qu'ils en maîtrisent bien la pratique. Je suis curieux de savoir la place que tient l'homosexualité dans leur culture[38]. » Le lendemain, ayant surpris certains de ses porteurs en compagnie de garçons kukukuku, il se demande s'il a interrompu « quelque vil négoce » ou une « luxuriante orgie fellatrice ». Gajdusek est entouré des « merveilleux Kukukuku[39] ». Il n'a pas rencontré de cas de kuru. Mais il a trouvé le sentiment de maîtriser les flots.

C'est en janvier 1958 que Carleton Gajdusek quitte la région des Kukukuku et des Fore, neuf mois après y être arrivé. Un poste l'attend au National Institute of Health, dans le service de Joseph Smadel, mais il ne rentre pas immédiatement aux États-Unis. Il parcourt l'Asie du Sud-Est, et se replonge dans l'observation des enfants des cultures primitives. En un rien de temps, il se trouve de captivantes nouvelles énigmes. « Je vis ici des jours fascinants [...] et j'ai déjà mis le doigt sur une demi-douzaine de nouveaux problèmes – certains excellents[40] !! » Derrière sa volonté de titiller la curiosité de Smadel, on sent que le kuru n'a pas quitté son esprit, à tel point qu'à son retour au NIH, fin 1958, il s'y consacre à nouveau.

À ce moment-là, deux grandes théories se disputent l'explication des causes de la maladie. La plus répandue est que les Fore souffrent d'un défaut génétique. Reste à expliquer l'existence d'une mutation aussi mortelle et aussi répandue. Selon la théorie de l'évolution, une telle altération doit nécessairement s'accompagner d'immenses avantages compensatoires pour la population qui la subit, or on conçoit difficilement quel avantage il peut y avoir à massivement mourir avant l'âge[41].

La seconde théorie est celle de l'infection – c'est la première à avoir vu le jour. C'est la piste que suivaient Gajdusek et Zigas au temps de leur première collaboration, quand ils transportaient dans leur camion deux femmes malades, de Kainantu à Okapa, en mars 1957 (raconté par Zigas : « mon très cher hôte d'outre-mer, les deux belles étaient vouées à rejoindre leurs ancêtres, comme moi-même[42] »). Mais les indices d'infection sont trop frêles : si le kuru en est une, pourquoi ne parvient-on pas à la retracer ? Toute infection déclenche de la fièvre et la production d'anticorps qui laissent des traces distinctes dans le sang et la moelle épinière. Or, le kuru ne fait rien de tout cela. La meilleure explication que trouve Gajdusek est celle d'un protozoaire, d'un champignon, ou d'une spore de type toxoplasme, qui, eux, sont susceptibles d'engendrer une maladie sans faire réagir le système immunitaire. Sauf que les données épidémiologiques ne révèlent aucun indice d'infection des Fore par de tels agents.

Gajdusek, si singulier soit-il, ne peut vaincre le kuru tout seul. L'argument de ses détracteurs au NIH tient debout : il faut une équipe d'anthropologues et d'épidémiologistes – des gens à la personnalité, aux aptitudes et préjugés aux divers.

Ce sont finalement deux anthropologues qui briseront le mystère. Les époux australiens Robert et Shirley Glasse arrivent auprès des Fore dans les années 1960, à la demande du gouvernement australien qui les a chargés de retracer la généalogie de toutes les victimes du kuru et de vérifier le lien entre elles. Les Fore ne partagent pas la conception occidentale de la famille ; ils ne font pas de distinction stricte entre rapports d'amitié et de famille, il faut donc toute la science d'un expert de la récolte de données pour extraire une généalogie plausible d'un terrain si complexe. C'est parfait pour les Australiens : l'anthropologue est moins coûteux que le médecin, et moins exigeant en termes de confort.

Les Glasse établissent leur camp dans un village fore et, à la différence de Gajdusek, ils y restent, passent leur temps à discuter avec les habitants, et consacrent des après-midi entiers au *talk-talk*, afin de scrupuleusement retracer l'historique de qui a vécu avec qui, dans quel village et à quel moment. Shirley Glasse sait obtenir les confidences des femmes, principales victimes du kuru. Les recherches de Gajdusek allaient dans toutes les directions : il ne parlait pas les dialectes locaux aussi bien qu'il le pensait et ne savait plus toujours très bien à quel endroit il se trouvait ni à qui il parlait. Son propre discours l'intéressait bien plus que celui des autres. Tel est le souvenir que conserve un agent de patrouille d'une visite de Gajdusek : « Ce drôle de type tout blanc apparaissait comme ça, sortant des fourrés, vous baragouinait quelque chose dans une langue incompréhensible, plantait une aiguille dans votre bras, griffonnait dans son cahier, et s'en allait. » Il récoltait un tel nombre d'échantillons de sang qu'il lui fallait des équipes entières de porteurs.

En outre, dans le cas du kuru, la science médicale de Gajdusek l'a fermé à certaines spéculations. Chez les Glasse, nul préjugé scientifique ne vient orienter leur pensée. Ils sont ouverts à des idées que Gajdusek refusait. Ils vont démêler une fascinante histoire de culture, d'évolution des mœurs – et de cannibalisme.

D'après ce qu'en disent les Fore, l'une des principales caractéristiques du kuru est son origine récente. Si l'on admet cette thèse, la cause de l'irruption doit être récente également, or les dernières décennies ont vu les Fore rencontrer beaucoup de nouveautés. Quand leurs voisins leur ont montré la patate douce, ils l'ont substituée dans leur alimentation au taro. Quand ils leur ont montré comment apprivoiser le cochon sauvage, ils ont aussitôt adopté l'usage. Et il a suffi que les agents de patrouille leur réclament du poulet pour qu'ils se mettent à élever du poulet.

Les Glasse découvrent que la coutume de consommation de chair humaine leur est aussi venue de l'extérieur, une cinquantaine d'années plus tôt. La réputation de cannibalisme des Fore est très répandue, aussi bien parmi les autochtones que les Occidentaux, et comme le soulignait dès 1947 un rapport de l'agent R. I. Skinner, les villageois « avouent joyeusement leurs pratiques cannibales[43] ». Ce qu'on avait ignoré jusqu'à présent, c'est qu'il s'agissait pour eux d'une nouveauté, que les Fore du Nord avaient empruntée aux Kamano, dont la sophistication supérieure est légendaire parmi les tribus. Les Fore du Sud éprouvant une grande admiration pour ceux du Nord, ils ont à leur tour adopté la coutume. Ainsi l'un d'eux a-t-il décrit le processus : « Il s'est trouvé qu'un ancêtre [...] nommé Tawazi a été tué par [...] sorcellerie. À sa mort, le corps a été amené à Krawanti, où on l'a cuit et distribué en morceaux dans tout le district. En le goûtant, les gens ont été contents. "Que c'est bon !" ont-ils dit, "Étions-nous donc fous ? Voilà de la bonne nourriture que nous n'avions jamais songé à manger[44]." » Avec l'accroissement de la population dans les villages, le gibier commençait à manquer dans la forêt et, bien que l'on n'ait pas souffert de famine, les Fore savaient reconnaître une bonne idée lorsqu'ils en tenaient une. « Ce qu'il faut comprendre du cannibalisme des Fore, c'est qu'ils ont trouvé la chair humaine délicieuse. Ils l'ont réellement appréciée », dit Shirley Glasse (aujourd'hui Lindenbaum).

On a dit de nombreuses tribus qu'elles dévoraient leurs ennemis à titre de vengeance, et cette notion a imprégné la mythologie européenne de toute son horreur, mais le cannibalisme vindicatif n'était pas dans les mœurs des Fore. Ils aimaient leurs défunts, qu'ils commençaient par pleurer, mais, après le deuil, ça devenait une affaire culinaire. Les parents et amis enterraient le corps jusqu'à ce que les vers commencent à s'y rassembler, puis ils le déterraient pour le démembrer. Bouchers accomplis, les Fore étaient capables de pratiquer avec des outils de pierre des incisions qui feraient l'admiration d'un pathologiste. Ils tranchaient les mains et les pieds, puis incisaient bras et jambes dans le sens de la longueur, désossaient les muscles goûteux, puis ouvraient la poitrine, veillant à ne pas trancher par inadvertance l'amère vésicule biliaire. Ils cuisaient ensuite le défunt sur un feu de bambous. Rien ne se perdait, pas même la cervelle et les organes internes. On fendait les os pour en extraire la moelle. Le corps était servi accompagné de légumes verts, et les vers se dégustaient à part.

Le repas était aussi bien symbolique que nutritif. Pour les Fore, l'enterrement est en soi une sorte de digestion : le sol mange le corps et cela l'enrichit. L'idée que l'homme puisse être un aliment concorde avec leur appréhension du monde, essentiellement orale[45]. « Je te mange » est un salut courant, ce qui n'a pas manqué de surprendre les premiers agents de patrouille et anthropologues[46]. Les enfants jouent à se mordre, et les Fore empruntent à l'anatomie pour désigner par métaphore leurs principales relations : le meilleur ami est un « cordon ombilical », l'épouse est la « main ». Manger les morts était aussi une façon de renouer avec eux. (Précisons toutefois que les Fore ne mangeaient jamais leurs propres enfants ou petits-enfants : c'était une forme d'inceste, qui était tabou.)

Dans les communautés fore, le cochon matérialise le lien d'individu à individu à travers l'obligation réciproque – je mange ton cochon, tu manges le mien, nous sommes amis. Dans une société où les guerres entre amis sont constantes, l'enjeu est stratégique. C'est dans ce type de contexte que s'inscrivait la consommation de chair humaine. Les différentes parties du corps étaient attribuées selon un code d'obligation et de paiement. S'il s'agissait d'une femme, par exemple, ses belles-filles recevaient bras et jambes, ses belles-sœurs les fesses, l'intestin et la vulve. S'il s'agissait d'un homme, les testicules revenaient aux épouses de ses oncles. Ces échanges cérémoniels servaient à unir différents groupes du village par un lien d'obligation mutuelle limitant les irruptions de violence en son sein. Toute personne invitée à s'asseoir qui recevait de la nourriture repartait à la fois repue et honorée, ce qui améliorait les perspectives d'alliance avec ses hôtes, du moins pour un temps.

Les Glasse ne détiennent pas de diplôme médical ; ils sont incapables d'identifier explicitement la cause du kuru. Mais ils établissent la carte que tout chercheur pourra suivre : les Fore ont commencé à manger de la chair humaine à peu près au moment où le kuru a fait son apparition parmi eux. Le travail des Glasse sera complété par un jeune médecin australien nommé John Matthews, qui tracera scrupuleusement une corrélation épidémiologique entre les fêtes funéraires des Fore et l'irruption de cas de kuru. Gajdusek, en grande partie parce qu'il déteste se faire doubler, n'admet pas immédiatement leur conclusion.

Mais au fil du temps, l'évolution de l'infection ne laisse plus aucun doute quant au fait que les Glasse et Matthews ont vu juste. Les missionnaires arrivés avec les Australiens dans les années 1950 se sont opposés au cannibalisme. Jamais contrariants, les Fore l'ont aussitôt abandonné. Du début jusqu'au milieu des années 1960, la pratique a sans doute totalement disparu. Au même moment, les enfants ont cessé de mourir du kuru. Puis les jeunes. Jusqu'au stade où les seules victimes étaient des femmes âgées. Pour les épidémiologistes, ce sont là de formidables indices. Les Fore ont mis un terme à une pratique qui les rendait malades, et forcément bien plus courante parmi les femmes et les enfants que parmi les hommes. Paradoxalement, Gajdusek n'a jamais été aussi proche du but qu'avant même d'entreprendre ses investigations. La première mention qu'il fait de la maladie dans son journal, alors qu'il vient de prendre de court Anderson et Sir Mac mais n'a pas encore croisé son premier cas, spécifie : « Jusqu'à récemment, les adultes et enfants fore du Sud mangeaient leurs parents décédés à l'occasion d'un cérémonial cannibale [...] Femmes et enfants, notamment, partagent la chair humaine[47]. » Une semaine plus tard, il informait Smadel que le corps d'une victime du kuru venait d'être donné à manger à des enfants[48]. Un peuple qui donne des cadavres à manger aux femmes et aux enfants ? Les indices étaient bien là, mais il ne s'était pas attardé dessus. En outre, il butait sur le fait que le kuru ne ressemblait pas à une infection, alors toute spéculation sur le mode d'apparition des infections paraissait superflue. Il a toutefois cherché à contourner le problème : peut-être que les Fore subissaient leur première exposition à la chair humaine dès l'enfance et qu'ils y développaient une allergie, de sorte qu'en en consommant à nouveau plus tard dans la vie, elle leur était fatale – sur le modèle, disons, du choc anaphylactique provoqué par les piqûres d'abeille.

Ce scénario soulevait deux objections. Au temps de Gajdusek, le cannibalisme n'était plus assez répandu pour rendre compte des morts par milliers du kuru ; nul ne songeait à ce qu'une maladie puisse rester à l'état dormant pendant des décennies, comme les maladies à prion. Plus grave, les réactions autoimmunitaires, comme les infections, laissent une trace dans le sang, or celui des victimes du kuru n'en présentait pas. C'est ce qui a mis les recherches de Gajdusek sur le kuru au point mort, et produit l'une des plus grandes occasions manquées de l'épidémiologie moderne.

Gajdusek s'attaquait en outre à deux mystères : non seulement la cause du kuru mais aussi le déclenchement de la maladie. C'est dans la réponse au second point qu'il trouvera le succès, en identifiant le mécanisme du mal et certains aspects de l'organisme d'un nouveau type qui se cache derrière. Grâce à son énergie, toute la communauté scientifique a entendu parler de « virus lents », nom qu'il a jugé bon de donner à l'agent du kuru et de certaines maladies voisines comme celle de Creutzfeldt-Jakob ou la tremblante du mouton. Elle s'est alors donné les moyens de les amener à livrer leur secret. Ses travaux ont profondément influencé notre connaissance de la maladie.

Évidemment, du point de vue des Fore, pas plus les Glasse que Gajdusek ni les dizaines de millions de dollars alloués au cours des quarante dernières années aux prélèvements sanguins et aux génotypes n'y sont pour quelque chose. Nul n'a jamais survécu au kuru, qui a fait à ce jour autour de trois mille victimes. Le cannibalisme a disparu de Nouvelle-Guinée depuis quarante ans, mais quelques femmes âgées fore en meurent encore chaque année. Ce ne sont donc finalement ni Gajdusek ni les Glasse qui avaient raison, mais bien Apekono qui, il y a cinquante ans – si l'on en croit le récit très fantaisiste de Zigas –, avait demandé au médecin de ranger son liniment de Sloan. La médecine occidentale n'était pas à la hauteur de la « puissante magie » des Fore.

6

Singeries scientifiques
Bethesda, Maryland, 1963

> On a même été jusqu'à dire du kuru que c'était la
> « maladie des théories ».
>
> John Matthews, thèse de doctorat de médecine,
> université de Melbourne, 1971

De retour au NIH, Carleton Gajdusek entend se concentrer sur la recherche des causes du kuru et John Smadel consent à lui en donner les moyens. Il s'arrange donc pour caser le projet de Gajdusek sur « les schémas de la croissance, du développement, du comportement et de la maladie chez l'enfant dans les cultures primitives et isolées » au sein de la Division de la recherche collaborative et de terrain de l'Institut national des maladies neurologiques et de la cécité. Malgré son manque d'intérêt pour les conventions (il ne possédera pas de costume avant qu'un ami ne lui en offre un pour la cérémonie de remise du prix Nobel près de vingt ans plus tard), Gajdusek trouve finalement sa place au sein de l'institution occidentale qu'il a toujours fuie.

En théorie, Gajdusek est censé rendre compte auprès de Smadel, mais, dans la pratique, il fait ce qu'il veut, comme il le veut. Au moment de son retour, il croit toujours le kuru héréditaire (les Glasse n'ont pas encore accompli leur travail sur le terrain), sans pour autant s'enfermer dans cette hypothèse. En 1959, des informations lui parviennent qui le conduisent au contraire à réévaluer celle de l'infection. En 1947 est apparu le premier cas américain moderne de tremblante du mouton, dans un troupeau du Michigan[1]. Le département de l'Agriculture a

119

dépêché des vétérinaires en Angleterre pour s'imprégner de la solide expérience locale en la matière. En 1959, l'un de ces chercheurs américains, un vétérinaire pathologiste nommé William Hadlow, tombe par hasard sur une exposition sur le kuru au Wellcome Medical Museum de Londres. Il y voit des microphotographies du tissu cérébral affecté par le kuru, réalisées par Igor Klatzo, et celles de malades prises par Gajdusek. Avant cette exposition, se souvient aujourd'hui Hadlow, il n'a jamais croisé d'autre maladie capable de produire ce genre de lésions cérébrales que la tremblante. Il lui semble voir les mêmes images que celles de son laboratoire. Cela le titille suffisamment pour qu'il envoie une lettre au journal médical britannique *Lancet*, où il souligne la « troublante ressemblance globale[2] » entre la tremblante et le kuru, et invite les chercheurs à se pencher dessus. Il envoie par ailleurs copie de sa lettre à « la seule personne que cela puisse intéresser[3] » : Gajdusek.

Au fond, Hadlow ne dit rien à Gajdusek qu'il n'ait entendu de Klatzo lorsqu'il a comparé le kuru à la maladie de Creutzfeldt-Jakob : « Votre maladie sans cause connue ressemble à ma maladie sans cause connue. » La différence, c'est que si l'on ne sait alors quasiment rien de la maladie de Creutzfeldt-Jakob – qui demeure « une catégorie fourre-tout bien commode pour classer des cas autrement inclassables de démence » – le siècle précédent a vu s'accumuler un volume considérable d'informations sur la tremblante. Cette dernière n'a jamais totalement disparu – elle s'est maintenue à des niveaux bas, avec quelques irruptions périodiques. Chaque nouvelle vague a relancé les recherches sur la maladie, qui ont cessé avec le reflux. Pourtant, à petits pas, on s'est mis à mieux cerner le mal mystérieux. Dans les années 1930, deux vétérinaires français ont injecté à des moutons sains des tissus prélevés sur des moutons atteints[4]. Comme bien d'autres avant eux, ils cherchaient à déterminer si la tremblante était infectieuse ou héréditaire. Sauf que cette fois, constatant que les moutons de la ferme n'attrapaient que rarement la tremblante avant l'âge de deux ans, ils ont laissé au mal le temps de se manifester. Après quatorze mois, l'un des moutons est tombé malade, puis un second, au bout de vingt-deux mois.

Au même moment, en Écosse, un accident survenu lors d'une expérience a abouti à la même conclusion. En 1935, des chercheurs anglais de l'équipe du vétérinaire W. S. Gordon ont testé un vaccin de leur fabrication contre le louping-ill, un virus véhiculé par les tiques qui fait bondir le mouton malgré lui. Le test de Gordon était de très grande ampleur, puisqu'il concernait quarante mille bêtes. Le tissu cérébral composant son vaccin avait été prélevé sur des animaux atteints, puis réduit en bouillie, et débarrassé de ses agents infectieux à l'aide d'un puissant désinfectant – de la formaline, une dilution de formaldéhyde. Rien ne survit au formaldéhyde, c'est l'idéal pour les vaccins, parce qu'il tue le virus, ce qui est précisément l'objectif du chercheur. L'animal ne développe donc pas la maladie, mais les virus morts déclenchent quand même une réaction immunitaire. Les anticorps ainsi produits resteront dans le sang et permettront à l'animal de résister lorsqu'il rencontrera un virus vivant.

L'expérience de Gordon a fonctionné, en ce sens que les moutons ont été immunisés contre le louping-ill. Sauf que, deux ans plus tard, ils se sont mis par centaines à présenter des signes de tremblante. D'après le compte-rendu de Gordon, quelque mille cinq cents bêtes sont alors tombées malades, évaluation probablement basse parce que beaucoup ont été vendues ou envoyées à l'abattoir avant l'apparition des symptômes. Gordon a compris que les tissus cérébraux employés ne contenaient pas seulement des virus morts de louping-ill, mais aussi l'agent responsable de la tremblante, quelle que soit sa nature. En les injectant, il avait répandu la tremblante dans le troupeau. Les vétérinaires ont reproduit l'expérience pour confirmer ses soupçons, et des milliers de moutons supplémentaires sont morts.

Il est donc désormais établi que le mouton peut attraper la tremblante – au moins par l'intermédiaire d'une aiguille – et que les symptômes n'apparaissent que très lentement. Cette information est aussi déterminante pour le mystère du kuru. Avant de quitter les Highlands, Gajdusek a vu une victime du kuru mourir sur la côte papoue, des années après avoir quitté la région des Fore. Il a alors demandé à Smadel comment les toxicologues du NIH expliquaient qu'une infection reste asymptomatique pendant des mois, voire des années. L'expérience malheureuse de Gordon sur le louping-ill a semblé apporter une réponse.

Dans sa réponse à Hadlow, Gajdusek, qui n'a alors jamais entendu parler de la tremblante, prend quelque liberté avec la réalité : il prétend déjà conduire des expériences sur la transmission du kuru aux animaux, alors qu'en vérité, trop occupé à essayer de trouver une explication génétique au mal, il n'a pas vraiment avancé en ce sens. Frappé par la suggestion de Hadlow, il décide de consacrer tous ses efforts à tenter de prouver que le kuru est infectieux. Il récolte autant de cobayes que possible, souris, hamsters, chimpanzés, et leur injecte un homogénat du kuru. En 1961, il presse Smadel d'offrir à Hadlow la position de superviseur de l'expérience. Hadlow refuse, il ne souhaite pas devenir un « manipulateur exalté de singes[5] ».

Les primates sont le cœur du programme de Gajdusek, qui prétend aujourd'hui en avoir traité près d'un millier (chiffre probablement exagéré). Pour quiconque étudie les maladies de l'homme, le chimpanzé constitue la meilleure référence, parce que c'est notre plus proche parent. Mais il présente toutefois certains inconvénients. « Dans la mesure du possible, on cherchait à éviter de prendre un chimpanzé, se souvient le chercheur Paul Brown, qui a travaillé au laboratoire de Gajdusek au NIH. Ils coûtaient extrêmement cher, étaient des plus résistants, et vivaient très longtemps. » Ils ont aussi leur façon bien à eux de tourmenter les chercheurs. « Nous nous y attachions tous beaucoup », dit Michael Alpers, directeur du programme de recherche à Okapa. La secrétaire les emporte chez elle chaque soir en voiture pour les ramener le lendemain matin. L'un des chercheurs adopte un bébé chimpanzé comme animal de compagnie.

La conduite des expériences d'infection des animaux est finalement confiée à C. J. Gibbs, un chercheur virologue que Gajdusek a rencontré naguère, lorsque, capitaine au centre médical militaire Walter Reed, il l'a vacciné. Gibbs est le parfait complément de Gajdusek : disponible, empathique, il ne manque pas de sens pratique et se soucie fort peu de sa réputation[6]. Il obtient les chimpanzés auprès de ce qu'Alpers qualifie de « douteux revendeurs de Floride », et l'autorisation officielle d'ouvrir une animalerie pour primates dans une réserve de deux mille hectares à Patuxent, dans le Maryland. Aucune disposition de sécurité biologique n'est prise : William Hadlow se souvient d'une visite au milieu des années 1960 où les primates ont pu directement lui cracher au visage. Gajdusek entame son expérimentation sur « 6 chimpanzés, 32 singes rhésus, 25 cynocéphales et 10 singes verts d'Afrique » en 1962 et 1963, et promet de ne pas renoncer « avant cinq ans »[7]. La technique par laquelle on teste l'infectiosité d'un agent – injection, attente, autopsie – n'a pas vraiment évolué depuis Pasteur. Aussitôt l'expérience lancée, Gajdusek repart à l'étranger ; si le kuru ressemble à la tremblante, rien ne se passera avant un moment.

L'arrangement est pour lui fort commode, d'autant qu'il estime que les terres primitives favorisent chez lui la réflexion. Et puis il a laissé tout un hôpital à Okapa, et les Fore comptent sur son retour. Sur place, il enrichit sa collection de cerveaux, le plus frais possible. Il fait même venir Paul Brown pour congeler les cerveaux au nitrogène liquide dès extraction, pour éviter tout risque de voir mourir l'agent infectieux avant que les chercheurs de Patuxent n'aient eu le temps de l'injecter aux singes. Entre-temps, Gajdusek se laisse porter par le vent – en Nouvelle-Guinée et ailleurs – et multiplie les contacts avec les Anga et d'autres tribus à tradition pédophile. Il adopte même un garçonnet de douze ans qui, en 1963, se présente à l'aéroport de Washington, nu-pieds et un os en travers du nez.

En juin 1965, Georgette, l'un des chimpanzés de Patuxent, tombe malade, vingt et un mois après avoir reçu le kuru. Comme d'habitude, Gajdusek est en voyage. Lorsque le laboratoire parvient à le joindre, il se trouve en Nouvelle-Guinée. « Il est rentré assez renfrogné », se souvient Alpers, s'attendant à « une fausse alerte : mais le chimpanzé faisait tout ce qu'il fallait, il se traînait, tremblait, ressemblait comme deux gouttes d'eau à une victime du kuru ». Le laboratoire reproduit les analyses sanguines effectuées en Nouvelle-Guinée sur les victimes du kuru, à la recherche d'éléments contaminants dans l'alimentation ou d'empoisonnement par le métal ; le plomb des barreaux des cages est une hypothèse plausible. Toutes sont négatives. Un autre chimpanzé, Daisy, tombe malade à son tour. Chaque fois qu'un singe atteint un stade avancé de la maladie, on lui donne un matelas et des soins permanents, et Gajdusek convoque ce que Gibbs qualifie de « pléthore de neurologues de renommée nationale et internationale[8] » à son chevet. Fort de sa trouvaille, Gajdusek reprend la route, pour échanger des idées avec divers chercheurs, et tenter de comprendre le kuru au sein de quelque notion élargie de la maladie. Alan Dickinson, chercheur sur la tremblante au Moredun Institute, en Écosse, se souvient que « Gajd s'est présenté avec une bobine de film sur le kuru et sa brosse à dents ». Les animaux faiblissent jour après jour, et ne parviennent plus qu'à ramper à travers leur cage pour se nourrir, la bouche collée au sol. Comme les victimes humaines du kuru – et comme Pietro qui reconnaissait le nom de Tosca – les chimpanzés conservent jusqu'au bout leurs fonctions corticales supérieures, la conscience de soi et de l'endroit où ils se trouvent. Un animal « en phase terminale continuait de tourner la tête en entendant murmurer son nom[9] », se souvient Alpers.

Gajdusek s'arrange pour qu'une pathologiste britannique spécialiste de la tremblante examine le cerveau des singes après leur mort. Elle relève suffisamment de ressemblances pour faire le parallèle avec ce qu'elle a déjà constaté auparavant chez les victimes du kuru dont elle a examiné le tissu cérébral. Les chimpanzés meurent de ce qui a tué les Fore. L'heure de gloire a sonné pour Gajdusek et son laboratoire. La preuve est faite que le kuru n'est pas une maladie génétique mais infectieuse.

Gajdusek demeure intrigué par la comparaison qu'a dressée Klatzo entre le kuru et la maladie de Creutzfeldt-Jakob (MCJ), qui porte désormais cette appellation de façon officielle. (C. J. Gibbs prétend avoir interverti les noms de façon à ce que les initiales correspondent aux siennes, mais Gajdusek affirme que c'est à lui qu'on doit le changement : « Il m'a semblé que Creutzfeldt avait mieux travaillé[10]. » Le laboratoire entreprend alors d'inoculer à des singes bien-portants du tissu cérébral prélevé sur des victimes du mystérieux mal neuromusculaire. Au bout d'un an, ces chimpanzés tombent malades à leur tour. À leur mort, les pathologistes examinent les cerveaux pour y retrouver la spongiosité et les trous que présentaient aussi bien les singes infectés du kuru que ceux infectés de la tremblante. La formule est connue : un cas, c'est une nouveauté ; deux, une coïncidence ; trois – kuru, Creutzfeldt-Jakob, tremblante –, une théorie. En 1968 et 1969, Gajdusek publie ses résultats. Toutes ces maladies longtemps ignorées, déclare-t-il, ont la même origine : une sorte de virus d'un nouveau genre, difficile à détruire et d'action lente. Il est conscient que son idée reste floue et ne sait trop ce qu'elle implique, comme tout le monde d'ailleurs.

Le point d'achoppement tient au terme « virus ». Un virus est avant tout composé de fragments d'acide nucléique recouverts de protéine ; il s'insère dans les cellules dont il trafique l'appareil reproducteur de façon à créer des répliques de lui-même. Un virus peut ainsi produire des milliers de copies dans la journée. Étant un corps étranger au sein de la cellule, il provoque en général une réaction immunitaire de son hôte involontaire, et ce sont ces anticorps qui révèlent le plus souvent à quelle souche il appartient. Si, en principe, le virus n'est pas vivant, il n'en contient pas moins des fragments d'ADN (ou d'ARN), ce qui signifie qu'il y a moyen de le neutraliser en employant les techniques qui tuent le vivant – du lavage à l'eau savonneuse au réchauffement ou à l'irradiation. Et le plus souvent, une fois extrait de la cellule qu'il parasite, le virus meurt de lui-même, ordinairement en quelques heures.

Or, les « étranges virus lents » de Gajdusek ne présentent aucune de ces caractéristiques, et il le sait bien. On peut par exemple cultiver des virus dans une boîte de Petri garnie de cellules, mais l'agent de la tremblante, quel qu'il soit, ne survit pas hors de son hôte. La seule façon de l'étudier est donc d'injecter du tissu infecté à des animaux vivants et d'attendre qu'ils tombent malades. L'analyse ordinaire d'un virus demande environ une semaine ; pour la tremblante, il a fallu deux ans.

On comprend donc que la recherche sur la tremblante ait été un travail particulièrement frustrant. (Une commission britannique avait d'ailleurs recommandé que les chercheurs dans le domaine soient choisis « avec autant de soin que des astronautes[11] ».) Le profil idéal réclamait une bonne dose de persévérance – et souvent une part d'excentricité. Tel était l'exact portrait de D. R. Wilson, du Moredun Institute en Écosse, qui, au milieu du siècle dernier, a passé plus d'une décennie à tenter de tuer l'agent de la tremblante. Il a établi que la chose survivait à la dessication, à l'administration de chloroforme, de phénol et de formaline, aux rayons ultraviolets et même à trente minutes de cuisson à 100 degrés centigrades. Le chercheur Alan Dickinson m'a confié qu'il conservait de Wilson à la fin de sa carrière le souvenir d'un homme « très, très, très silencieux. Évidemment, c'était après sa dépression nerveuse ». Wilson n'aura jamais publié qu'un seul article, celui où il énumère toutes ses tentatives contre l'étrange virus.

Peu à peu, les chercheurs, notamment britanniques, parviendront quand même à définir certains attributs du virus de la tremblante. Il y a d'abord la radiologue d'origine sud-africaine Tikvah Alper, chercheuse dévouée à l'esprit indépendant, qui occupe son temps libre à assister son époux, renommé chercheur sur l'anthrax, à la mise au point d'une technique améliorée d'analyse bactérienne[12]*. Au milieu des années 1960, l'incroyable résistance de l'agent de la tremblante l'intrigue, alors elle tente de l'irradier au moyen d'une lampe au mercure dans son laboratoire londonien. Elle constate que la radiation, qui tue pourtant tout ce qui vit, n'a pas tué la particule de tremblante. À peu près au même moment, Alan Dickinson et d'autres chercheurs du Moredun Institute découvrent qu'il existe différentes souches de tremblante, reconnaissables aux dégâts infligés au corps de l'animal. L'ensemble de ces faits compose un principe infectieux pour le moins étrange : on est en présence d'une particule possédant une souche comme un virus mais qui ne meurt pas dans les conditions qui tueraient le virus, et que le corps ne reconnaît pas comme étranger. Gajdusek, qui suit tout cela de près, affine sa réflexion. Il a désormais pour théorie que l'agent infectieux pourrait être un « virus bien connu [...] transformé *in*

---

* T. Alper a renvoyé les vœux de la reine pour son soixantième anniversaire de mariage au prétexte que la souveraine les avait adressés au couple sous leur nom d'époux. Le palais de Buckingham s'est repris et a réexpédié la carte au nom du Dr Max Sterne et du Dr Tikvah Alper. Cette dernière a alors fait ce commentaire : « Je suppose que ç'aurait été trop leur demander de formuler les choses dans l'autre sens. »

vivo en agent défectueux, incomplet ou hautement intégré ou réprimé[13] ». En d'autres termes, la tremblante pourrait être un petit bout d'ADN ou d'ARN étranger, si petit, si bizarrement formé ou si habilement déguisé en protéine originelle du corps qu'il échapperait aux radars du système immunitaire.

D'autres chercheurs vont plus loin, et suggèrent que le virus de la tremblante n'en est pas un. Tout virus est constitué d'un noyau d'acide nucléique malin recouvert de protéines. (Le généticien Peter Medawar a parlé de « mauvaises nouvelles dans un manteau de protéine ».) Mais ce qui intrigue, c'est que si chacun parvient à repérer le manteau – lorsqu'on soumet la particule de la tremblante à une forte rotation dans une centrifugeuse, de nombreux morceaux de protéines s'en détachent – personne ne trouve d'ADN. L'agent infectieux n'en contient-il donc pas ? Un agent infectieux peut-il n'être composé que de protéines ?

Pour le sens commun, non. Les protéines sont un aggloméré de molécules ordinaires. Elles sont les briques, les moteurs et les messagers du corps – près de 50 % du poids d'une cellule, hormis l'eau, est dû à ses protéines – mais, en elles-mêmes, elles ne sont pas vivantes. C'est ce qui leur permet de rester actives dans beaucoup d'environnements destructeurs de vie. Exposées à des détergents ou des radiations, par exemple, certaines continuent de fonctionner. La formaline elle-même ne les détruit pas à coup sûr. Mais suggérer, comme certains chercheurs commencent à le faire à la fin des années 1960, qu'une protéine est capable de fabriquer des copies d'elle-même dans le corps de la victime – qu'un agent non vivant se réplique ou soit répliqué dans le corps de la victime sans le moindre ADN et en déclenchant une maladie –, c'est aller vraiment très loin. Une protéine n'est qu'une structure physique inactive. Elle n'est ni plus vivante, ni plus infectieuse, que de l'os.

La plupart des chercheurs penchés sur la tremblante continuent donc de croire qu'un minuscule virus se tapit à côté ou à l'intérieur de la protéine impliquée. Les rares dissidents ne sont pas pris au sérieux. Tikvah Alper est de ceux-là. Et aussi le chercheur britannique I. H. Pattison, qui a montré dès les années 1960 que le mode d'action de l'agent de la tremblante ressemblait beaucoup à celui de l'agent de l'encéphalite allergique, protéine responsable d'un désordre auto-immunitaire. « Mon idée non virale d'une petite protéine a été reçue comme une plaisanterie[14] », écrira-t-il dans une évocation en 1992. Un professeur de médecine vétérinaire nommé Tony Palmer, qui entretient sur le toit du Queen's Hospital de Londres un troupeau de moutons atteints de tremblante, émet l'hypothèse d'une « fraction non protéique, peut-être de l'hydrate de carbone, qui en s'introduisant dans le corps constitue un patron pour les duplications subséquentes de l'agent ». Palmer trébuche en fait sur la clé de la réplication des protéines infectieuses. Mais sa suggestion figure dans la dernière phrase de son essai paru en 1960 au sein d'un ouvrage intitulé *Progress in the Biological Sciences in Relation to Dermatology*, où personne ne l'a vue.

C'est toutefois à J. S. Griffith, un mathématicien du Bedford College de Londres, qu'il convient d'attribuer la plus belle tentative d'établir la notion de protéine se répliquant elle-même. Griffith a déjà fait parler de lui lors de la découverte de la structure de l'ADN par James Watson et Francis Crick, auprès de qui il martelait sa conviction que la clé de la réplication des gènes reposait dans la gamme des réactions chimiques conventionnelles. Watson avait jugé son insistance un peu dépassée : c'était désormais l'ADN qu'il fallait observer. À présent, quatorze ans plus tard, Griffith veut encore prouver que la chimie peut rendre compte des processus biologiques, et le temps lui donne raison. Il va devenir le théoricien fondateur de la recherche sur le prion.

En 1967, il énonce trois modes possibles de réplication d'une protéine[15]. Deux de ses hypothèses frôlent le jeu d'esprit. L'une interroge : « Et s'il existait un gène fabriquant une protéine dont la fonction serait d'activer le gène qui l'a créée ? » L'infecter de cette protéine équivaudrait alors à reproduire la protéine. La seconde se demande ce qu'il adviendrait si dans un hôte un corps étranger se trouvait être identique à l'anticorps que produit cet hôte en réaction à l'invasion. L'antigène envahisseur inciterait le corps à produire d'autres exemplaires de lui-même. L'hypothèse est certes séduisante, mais la nature n'offre aucun exemple d'un tel mécanisme ; Griffith la rejette de toute façon lui-même, parce qu'il sait que nul n'a jamais trouvé d'antigène et d'anticorps autour de la tremblante.

La troisième idée de Griffith – celle qui produira un déclic dans l'esprit des chercheurs – ce sont des protéines capables de modifier la forme d'autres protéines par un mécanisme de rétro-action positive, un genre de catalyseur, comme on en trouve dans les réactions chimiques. Si l'on dissout du sel dans de l'eau bouillante, par exemple, et qu'on verse le tout dans une carafe munie d'un couvercle auquel est suspendu un fil et qu'on la mette au réfrigérateur, le sel se cristallise à mesure du refroidis-sement, en commençant par les molécules qui longent le fil. À l'échelle moléculaire, certaines forces subatomiques contrai-gnent chaque molécule à s'aligner avec celles qui le sont déjà. Le fil agit comme une graine, l'équivalent de la première pro-téine déformée. « Par ce mécanisme, écrit Griffith, on compren-drait mieux l'apparition spontanée de la maladie chez des bêtes préalablement saines. » Il suffit pour tout déclencher d'une seule molécule déformée. La notion de nucléation – tel est le nom de ce phénomène – présente l'attrait d'accepter l'idée d'un mode de réplication sans ADN et de naturellement s'inspirer de la façon dont les cristaux réagissent au contact mutuel.

C'est un surprenant retour à l'idée émise au dix-neuvième siècle par le baron Justus von Liebig et son ami Friedrich Wöhler, le premier homme à avoir réussi la synthèse de l'urée. En contes-tation des thèses de Louis Pasteur, ils avaient affirmé qu'il n'y avait rien d'unique à la maladie, de même qu'il n'y avait rien d'unique à la vie en général. L'une et l'autre n'étaient que molé-cules obéissant aux lois de la chimie. L'idée de Griffith permet-trait d'expliquer pourquoi l'on ne peut arrêter la tremblante qu'en dénaturant sa protéine. Elle expliquerait aussi l'absence d'anticorps chez les victimes d'IFF, comme Pietro et sa famille, ou de la maladie de Creutzfeldt-Jakob ; les protéines assassines proviennent d'elles-mêmes.

Griffith n'est pas en position de remettre en cause un dogme fondamental de la biologie – ce n'est qu'un mathémati-cien qui tâte vaguement des neurosciences. Sa troisième hypo-thèse a jailli d'une extrapolation pas très académique. Pourtant, au fil du temps, il sera de plus en plus souvent cité par les chercheurs confrontés aux mystères de la tremblante du mouton et de la MCJ.

Gajdusek observe ces va-et-vient entre protéine et ADN. Bien qu'on puisse difficilement l'accuser de conservatisme, il n'est pas disposé à engager sa réputation sur la seule thèse de la protéine. Tout en évoquant du bout des lèvres la possibilité que l'agent du kuru ou de la tremblante ne contienne pas d'ADN, il se garde bien de couper les liens avec ceux qui pensent le contraire. En attendant, il occupe la scène publique comme personne, grâce notamment à son fichier d'adresses, riche de plus d'un millier de scientifiques que cela intéresse.

En 1976, l'institut Karolinska lui décerne le prix Nobel de physiologie (ou médecine) pour avoir découvert « un type nouveau d'agent infectieux ». En apprenant la nouvelle, certains de ses amis se demandent s'il n'aurait pas plutôt reçu le prix de littérature. À l'évidence, on le récompense d'avoir conduit les expériences déterminantes dans le domaine (celles qui montrent que l'agent est transmissible) et d'avoir su formuler la question essentielle (l'infection est-elle possible sans agent vivant ?) plutôt que pour les réponses qu'il apporte. Personne ne sait encore si le kuru, la MCJ ou la tremblante du mouton sont le fruit d'un virus ou d'une chose plus étrange, mais il s'agit incontestablement de maladies qui ne ressemblent à rien de ce qu'on a connu jusque-là. Gajdusek fabrique une théorie reliant les trois : l'agent de la tremblante serait apparu sous forme de maladie ovine et se serait transmis à l'homme par « des accidents de cuisine et de boucherie ayant impliqué la contamination de la peau et des yeux[16] », pour s'y manifester sous forme de MCJ. Un individu accidentellement infecté de cette dernière serait mort en Nouvelle-Guinée et les Fore l'auraient mangé ; le mal consécutif à ces malheureuses agapes aurait pris la forme du kuru. En recevant son prix Nobel, Gajdusek affirme que si la tremblante et le kuru sont « des particules infectieuses uniques par leur mode biologique de réplication [...] ces virus affichent un comportement suffisamment proche de celui des autres agents infectieux microbiens pour que nous retenions, peut-être avec certaines réserves, l'appellation de "virus" ». Il poursuit : « Mon laboratoire a fourni, et continuera de le faire, de considérables efforts pour l'élucidation sur le plan moléculaire et biologique de la nature et de la structure de ce groupe de virus atypiques. » Ces efforts établiront, promet-il, que toutes les encéphalopathies spongiformes virales – tremblante du mouton, kuru et maladie de Creutzfeldt-Jakob – n'en sont finalement qu'une seule.

7

« Boh ! »
Vénétie, 1973

Mais de quoi cette femme est-elle donc morte ?

Nous sommes en 1973. La Vénétie connaît l'un de ces étés caractéristiques de la région. Lorsque la chaleur arrive, elle ne remonte pas seulement de la lagune, mais gargouille dans les rigoles d'irrigation et paraît exsuder des champs humides. Voilà longtemps que les *patrizi* ont abandonné les lieux, et leurs villas abritent désormais de jeunes gens de profession libérale. On a eu beau éliminer les moustiques et la malaria dans les années 1960 en pulvérisant du DDT par hélicoptère, les gens du cru continuent de considérer cette chaleur insalubre, alors quiconque trouve moyen de fuir ne s'en prive pas.

Après la Seconde Guerre mondiale, on a transféré le centre administratif de la Vénétie de Venise à Mestre, hideuse jumelle trapue de l'autre bord de la lagune. Venise est ancienne, Mestre neuve. Venise est parcourue de canaux, Mestre de rues. Venise possède des musées, Mestre des commerces. Tout l'apparat de la nouvelle Italie débarque dans les rues de Mestre : voitures, robinets de cuisine, carrelages étincelants. Les Italiens tournent avec joie le dos au passé.

Près de trente ans après la mort de son père, Pietro, de la maladie familiale, Assunta occupe avec son frère Silvano un appartement dans un immeuble neuf de quatre étages, dans Mestre. Elle a quarante-huit ans, ne s'est jamais mariée et exerce depuis longtemps le métier de tisseuse de laine. Après avoir travaillé des années à la maison, elle a fini par prendre un emploi dans un atelier de tricot opérant pour le compte d'autres enseignes.

Ses mains ont l'art de façonner des choses que le monde réclame et qui, vendues par Stefanel ou Benetton, offrent finalement à la Vénétie un autre débouché que l'agriculture tout en laissant aux employées comme elle le temps d'accomplir le soir, une fois les hommes sortis, les travaux jamais comptabilisés auxquels nulle femme n'échappe – cuisine, lessive, repassage et couture. Assunta n'est pas l'une de celles qui, vêtues de noir et portant foulard sur la tête, grognent à chaque étranger qui passe. Elle soigne ses tenues, été comme hiver – jupes, chemisiers et parfois un tricot – et porte le cheveu court, qu'elle ravive parfois au henné. Mais sous ces atours modernes se cache une femme pieuse, restée l'adolescente humble et craintive qui priait pour le salut de son père.

Un jour qu'elle se rend à Chioggia, un ancien port de pêche au sud de la lagune, Assunta ressent un choc en descendant du bus. Ça part du sommet du crâne et descend jusqu'aux pieds – un grésillement balaie son système nerveux. C'est si fort qu'elle doit se raccrocher au véhicule, prise d'un intense étourdissement. Enfin le vertige passe.

Est-ce la chaleur ? Le fait qu'elle n'a pas mangé ? Est-ce plus grave que cela ? Les journaux parlent de cas de choléra constatés autour de l'Adriatique, l'ancienne Venise revient chatouiller la nouvelle.

Quelques jours plus tard, elle éprouve un nouveau choc, moins intense cette fois. Ça la ramollit. Elle a chaud. Mais on est en août, et il serait ridicule de s'attendre à autre chose dans la chaleur estivale, où chacun sait qu'il est insensé de rester en ville. Pendant les mois d'été, elle accompagne parfois Silvano et sa mère à Jesolo, où son père Pietro, avant sa maladie, avait prévu d'ouvrir un hôtel. D'autres y ont édifié une station balnéaire destinée à la classe moyenne émergente de Venise – village sur front de mer avec restaurants, orchestres en terrasse et appartements de stuc à tons corail ou chartreuse, sans le moindre mètre carré de nature à perte de vue, dans le pur style de ce qu'apprécient les Italiens. Dans sa BMW, Silvano emmène mère et sœur y passer le week-end, et, le soir venu, il les fait danser.

L'appartement est à lui – il se conduit en frère affectueux et généreux qui soutient sa famille de bon cœur.

Cet été-là, Jesolo grouille de dizaines de milliers de Vénitiens, qui dansent et circulent dans les allées commerçantes, discutent des restrictions dues au récent embargo de l'OPEP sur le pétrole. Aux États-Unis, cela n'a qu'imperceptiblement affecté le consommateur, mais, en Italie, l'impact est énorme. Il y a donc des coupures de gaz et d'électricité, et le gouvernement annonce une période de *semi-austerità*.

Les Italiens n'apprécient que modérément de voir ainsi leurs désirs frustrés. L'ancienne amertume de classe qui a si souvent divisé le pays ne tarde pas à ressurgir. Les syndicats menacent d'appeler à la grève générale. Les conducteurs de bus mènent une opération escargot. Les denrées se raréfient sur les étals et le gouvernement ouvre une ligne téléphonique pour recueillir tout abus constaté sur les prix, mais c'est toujours occupé.

Pendant deux semaines, l'état d'Assunta ne progresse guère. Elle confie à sa famille son extrême fatigue. Ses yeux sont vitreux et son port de tête rigide. Bien qu'elle ait toujours été d'un naturel anxieux, c'est à présent pire que jamais. Elle se sent comme un pantin dont le marionnettiste aurait lâché les fils. Son épuisement est constant. Et dormir ne l'empêche pas de se réveiller fatiguée. Quelque chose la contrarie-t-elle ? Elle a récemment mis un terme à sa relation avec un homme marié et s'apprête à entrer dans la ménopause. Elle n'a pas eu d'enfant à ce jour, et là, soudain, la voilà assurée de ne jamais en avoir. Elle a bien participé à l'éducation de Silvano et de sa nièce, Cati. Elle a même travaillé un an dans une garderie, à emmener les enfants au musée ou à la plage. L'Italie grouille d'enfants. Comme elle les aime !

Silvano et sa mère savent pertinemment à quoi s'en tenir, mais après avoir vu une demi-douzaine de parents mourir de ce mal, l'un et l'autre ont appris à ne plus relever. Assunta n'est manifestement plus elle-même, mais ils disent : c'est comme ça, elle est fatiguée, peut-être déprimée. Ses pupilles sont très noires et rétrécies. Cati demande à Assunta ce qui ne va pas, et celle-ci lui répond qu'elle ne supporte plus la lumière. « Je suis tellement fatiguée », dit-elle. La famille décide de solliciter de l'aide, mais on peut difficilement faire admettre Assunta à l'hôpital. Pour quels symptômes ? La ménopause ? Les nerfs ? L'insomnie ? La famille opte donc pour une maison de repos, une *casa di cura*, un genre de petit hôpital, mais privé. Dans une *casa di cura*, le médecin a tout loisir de faire les examens nécessaires. La famille est libre d'aller et venir à sa guise. Assunta y sera soulagée d'une part du stress qui l'accable manifestement, et sa dignité sera préservée. Femme pudique, il n'est pas dans ses habitudes qu'on la palpe ou la bouscule.

La famille signe sa feuille d'admission le 20 août. Ce sont les plus jeunes médecins, ceux qui n'ont pas droit à des vacances, qui prélèvent son sang et entendent son récit. Assunta leur parle de la ménopause, de ses difficultés à dormir et du choc ressenti à la descente du car. Après deux semaines d'observation, ils ont trouvé : c'est la maladie de Ménière. Cela peut paraître logique. Il s'agit d'une affection de l'oreille interne qui provoque vertiges et sudation, particulièrement perturbante pour le patient. La cause de la maladie de Ménière est inconnue, elle pourrait être aussi bien auto-immune que virale. Certains médecins l'associent à la ménopause. D'ordinaire, ça disparaît comme c'est venu. Pour un mois d'août dans une maison de repos au cœur d'un pays soumis à de multiples restrictions, c'est le diagnostic idéal.

Lorsqu'ils viennent voir Assunta à la *casa di cura*, Cati et son petit ami Ignazio, jeune étudiant en médecine, constatent que son état se dégrade très vite. À observer sa démarche irrégulière dans le couloir, ils se disent bien qu'il ne peut s'agir de la maladie de Ménière, mais de quoi s'agit-il alors ? Assunta se déclare à présent hypersensible au bruit. Elle leur raconte ses nuits, la quête du sommeil. D'une certaine façon, elle le trouve : ses yeux se ferment. Elle ne bouge pas. Le temps passe. Pourtant, au réveil, elle ne se sent jamais reposée. La sueur perle sur son front.

Après deux semaines, le diagnostic étant établi, on renvoie Assunta chez elle. On est en septembre. Les Italiens sont tout à leur *rientrata*, la rentrée. Dans les rues, on n'allume plus les lampadaires. *Il Gazzettino* fait sa une de photos d'étals vides. Mais les gens se débrouillent au mieux, ainsi qu'ils l'ont toujours fait, troquant ou empruntant ce qui fait défaut auprès de cousins ou d'amis de cousins. Au printemps, Assunta avait étrenné son nouvel emploi de gardienne d'école, un poste garanti par l'État et convenant à une femme de santé fragile. C'est à Chioggia, et elle tente bien d'y retourner, mais les premiers trajets en bus se révèlent exténuants. Elle n'a d'ailleurs pas bonne mine du tout. Ses yeux sont très cernés et le coin de sa bouche s'est figé, comme si le marionnettiste ne tenait plus qu'un seul fil.

Assunta envisage de se rendre à la montagne, au pied des Alpes, à Recoaro, distant d'une soixantaine de kilomètres, où l'air est plus frais. Recoaro est une station thermale. À la fin de la république de Venise, ses eaux et ses cures s'avéraient si bénéfiques aux reins, au foie et aux intestins de la population que la Serenissima les a déclarées d'intérêt public. Les Italiens croient encore aux vertus de la cure, un peu en tout cas – pas autant qu'aux antibiotiques, mais davantage qu'au *massariòl*. À Recoaro, Assunta trouvera le bon air et le panorama. Elle n'a jamais apprécié la chaleur, or, ces temps-ci, il n'y a pas moyen d'y échapper. À Recoaro, elle achèvera de se rétablir, puis elle reprendra le travail.

Sauf qu'elle n'arrivera jamais à Recoaro. Chaque soir, à Mestre, elle est prise d'une légère fièvre, la *febbricola*. Elle éprouve un nouveau choc, comme si elle avait les doigts dans une prise de courant. Ses insomnies empirent. Assunta a beau s'allonger, plus rien ne vient. Elle contemple le plafond, parfaitement consciente d'où elle se trouve et de l'infinie distance qui la sépare du sommeil. Ses pensées sont surpeuplées de bébés.

Quelques semaines plus tard, Assunta se rend dans la maison où est mort Pietro et qu'habitent désormais sa mère et Isolina. Dans l'élan qu'a connu la Vénétie, la ville où réside depuis toujours la famille s'est enrichie, elle est moins provinciale. En 1966, à la messe, le prêtre de la ville s'est retourné, de façon à faire face aux fidèles ; trois ans plus tard, il s'est mis à réciter les mots sacrés en italien plutôt qu'en latin. *Dio, non sono degno.* Seigneur, je ne suis pas digne. Et, une nuit de 1971, lorsque des vandales se sont introduits dans l'église pour faire longuement sonner les cloches tout juste électrifiées – qui annoncent habituellement une inondation ou des décès – la plupart des habitants sont restés au lit ou devant leur téléviseur.

Dès son arrivée, Assunta monte faire une sieste. Cati est là, elle aussi. Isolina lui fait signe de la suivre au deuxième étage où elle lui montre sa tante, étendue dans la chambre où s'est éteint Pietro, qui grommelle, bat violemment des jambes, s'agrippe aux draps. La mère dit à sa fille : « Tu vois, c'est exactement comme ça que faisait ton grand-père. »

Cati est choquée. « Mais n'avais-tu pas dit que grand-père était mort d'encéphalite ? »

Isolina secoue lentement la tête. Elles redescendent, et devant leurs mines abattues, la grand-mère explique à Cati qu'il n'y a rien à faire, qu'Assunta mourra de la même façon que son mari, mais n'ajoute pas un mot de plus. Cati remonte voir sa tante Assunta. Elle lui sourit : « Tiens ! Je rêvais de toi bébé. J'étais en train de te langer. Pourquoi suis-je encore si fatiguée ? »

Tout le monde sait bien désormais que le diagnostic de la maladie de Ménière ne tient pas. Il expliquerait peut-être la transpiration et les vertiges, mais certainement pas la rapide dégénérescence d'Assunta ni son insomnie. Voilà plusieurs semaines qu'elle n'a pas passé une bonne nuit. Elle est constamment en pleurs. La famille l'emmène à l'hôpital de Dolo, à trente kilomètres de Mestre par la nouvelle autoroute, où il y a un bon service de neurologie. Les médecins commencent par traiter l'insomnie au Valium. Mais au lieu de la faire dormir, ça provoque un déclic dans son cerveau. Elle tombe dans une transe agitée. Elle fait d'atroces cauchemars – d'interminables labyrinthes qui la laissent tremblant et sanglotant dans son lit. Ses jambes sont prises de secousses, ses mains sont en activité constante. Une fois les effets du Valium dissipés, son état s'aggrave ; elle continue de maigrir, quelles que soient les quantités ingurgitées ; elle transpire et tremble de plus en plus. Les neurologues diagnostiquent de l'arthrose cervicale et l'exposent aux lampes chauffantes pour faire désenfler, mais sans succès. Trois mois après son admission, Assunta est renvoyée chez elle avec un diagnostic de dépression et d'anxiété psycho-névrotique. Elle passe alors des semaines de dépression, inconsolable, à pleurer nuit et jour. Le soir, elle rêve de bébés. Ou alors, elle se lève d'un coup, sans vraiment s'éveiller, et affirme devoir s'en aller, ce qui ne manque jamais d'affoler celui ou celle qui veille à son chevet.

En Italie, on n'abandonne pas un parent malade. On le ramène à la maison, c'est encore là qu'il recevra les meilleurs soins. En décembre, la famille est à bout. Désespérant de trouver une solution, elle envoie Assunta à l'hôpital de Padoue, qui est deux fois plus éloigné de Mestre que Dolo. Pour Assunta, c'est partir à l'étranger.

Dans l'Italie renaissante, après un siècle et demi d'éclipse, Padoue a retrouvé une bonne part de son lustre – et abrite en tout cas la meilleure école de médecine du pays. Les Padouans n'ont pas oublié les hommes illustres qui ont fait leur splendeur : Galilée, Vésale, Harvey, Morgagni. Sur le trajet de Mestre à Padoue, Silvano et Assunta n'échappent pas aux embouteillages de Noël.

Le médecin qui reçoit Assunta aux admissions est une femme attentive. Elle lui laisse le temps de raconter l'histoire de sa famille. Assunta est manifestement trop diminuée pour qu'il s'agisse de la maladie de Ménière, mais on ne comprend pas trop ce qu'elle a. On en vient rapidement à soupçonner l'alcoolisme. Il faut dire qu'Assunta en présente tous les symptômes : l'anxiété, l'insomnie, les tremblements. Si l'alcoolisme ne prête pas à conversation en Italie, il n'en est pas moins très répandu. Au moment de l'examen initial, la honte constitue toujours un sérieux obstacle à la vérité, mais il ne faut pas que cela l'empêche de jaillir. Les médecins se montrent donc pressants, et interrogent cent fois Assunta sur son penchant pour la boisson. Elle affirme ne pas boire du tout. Les médecins s'entêtent, mais la famille persiste à la dire *astemia*, abstinente. Cela tourne presque à l'affrontement.

L'après-guerre n'a pas insufflé à l'Italie une grande culture de la confiance – beaucoup dissimulent leur passé fasciste, et se sont arrangés pour récupérer leur propre dossier du parti. La société vit avec le soupçon que toute information peut à tout moment être utilisée contre soi de façon absolument imprévisible. Dans le questionnaire d'admission, à la rubrique des antécédents, la famille d'Assunta inscrit pour cause du décès de son père « complications à la suite d'hypertension ». Pietro avait en effet souffert d'hypertension, mais c'était un symptôme parmi beaucoup d'autres.

À Padoue, la nuit venue, Assunta se déchaîne. Les infirmières sont parfois obligées de l'attacher à son lit pour l'empêcher de tomber. Elle ne souffre pourtant d'aucune douleur ordinaire – pas un gémissement ne s'échappe de sa bouche. En phase de lucidité, elle peut discuter normalement. Déconcertés, les médecins lui font passer des examens, tomographie axiale, tomographie par émission de positrons, et des dizaines d'encéphalogrammes, parfois trois ou quatre dans la semaine – ils cherchent à voir dans sa tête. Son corps est pris de secousses ; dans sa somnolence, elle ronfle fort. Les médecins reviennent sans cesse au soupçon d'alcoolisme. Les symptômes leur évoquent décidément le delirium tremens. Or, à en croire ses proches, Assunta ne boit pas. Mais si, elle boit forcément, insistent les médecins. La famille ne sait plus quoi dire. Tout ce qu'Assunta a jamais bu, c'est une gorgée de vin au dîner et une autre à la messe. « Emmenez-moi d'ici », supplie-t-elle.

Le 30 décembre 1973, soupçonnant une tumeur cachée, les médecins lui injectent de la teinture dans les artères. La tension et le pouls grimpent aussitôt en flèche. C'est une réaction allergique. Elle entre en état de choc. On lui fait une trachéotomie et on l'emmène aux soins intensifs, un tuyau dans la gorge. On s'attend à la voir mourir, mais elle prend à nouveau tout le monde à contre-pied et s'accroche à la vie.

« Mardi, il a eu l'air d'aller mieux et n'avait plus de fièvre, mais son état s'est vite dégradé ensuite », avait écrit Assunta à Tosca aux derniers jours de leur père. Quarante ans plus tard, elle subit le même curieux assortiment de symptômes. Elle est incapable de marcher, mais son esprit reste le plus souvent parfaitement clair. Elle n'éprouve aucune douleur. Comme son père, elle pourra s'exprimer jusqu'au bout. « Chaque fois qu'on lui demande comment il se sent, il répond "mieux qu'hier", écrivait-elle à Tosca. C'est lui qui prend soin de nous consoler. » Assunta n'agit pas autrement. Elle cajole sa nièce Cati, la complimente pour sa tenue ou lui conseille de ne pas laisser ses cheveux cacher son charmant visage. Elle prend des nouvelles des études de médecine d'Ignazio. Les derniers jours, malgré son immense épuisement, elle garde conscience du lieu où elle se trouve, de son identité, et de ce qui lui arrive. La veille de sa mort, elle dit à Cati qu'elle est très jolie et lui offre un chocolat. Le lendemain, elle s'éteint, pesant à peine trente-sept kilos. Incapable de déglutir, elle se noie dans sa propre salive.

Assunta s'est fait une réputation dans le monde de la neurologie – c'est la petite bonne femme au mal étrange qui refuse de mourir. Ses médecins demandent à pratiquer une autopsie et la famille y consent. On ne le fait plus à l'Acquapendente, le bel amphithéâtre du quinzième siècle, où les plus grands ont tout appris. Au début du vingtième siècle, l'Église a admis la nécessité de pratiquer des examens post mortem, et les écoles n'ont plus eu à cacher leur salle d'autopsie. On a donc depuis longtemps déplacé celle de Padoue, qui se trouve désormais au premier étage d'une aile moderne de l'hôpital. Les nouvelles installations sont très loin de la sophistication des anciennes ; ce n'est qu'un périmètre clair, pourvu d'une longue table métallique et d'une fenêtre pour les odeurs.

À présent, Assunta, dont le corps a enfin trouvé la quiétude, est allongée sur le métal. La mort a donné à son visage une couleur cireuse. Il y a foule, le service neurologique tout entier et quelques étudiants curieux, et Ignazio, au premier rang, soit une vingtaine de personnes qui attendent que le pathologiste prouve une fois de plus que, comme l'a écrit le grand médecin anglais du dix-septième siècle Thomas Sydenham, c'est « dans le livre du mort qu'on trouve le secret de la maladie ».

L'homme commence par inciser du sommet du sternum à la base du nombril : *il taglio cravatta*, la coupe en cravate. Il ouvre la poitrine d'Assunta et extrait les poumons, puis le cœur, qu'il pèse et dépose sur une table voisine. Au fil de sa progression, il verse de la sciure dans le corps pour en maintenir la forme. Les poumons sont lourds, et il en sort du pus lorsqu'on les presse, signe de la pneumonie dont la défunte a souffert sur la fin. Puis il ouvre l'abdomen et retire le foie et les reins. Le premier est en parfait état, elle n'était donc finalement pas alcoolique. Mais au-dessus du rein, la glande surrénale est atrophiée. La fonction de cette glande consiste à libérer de l'adrénaline et du cortisol en réaction au stress. Celle d'Assunta est exsangue – elle a carrément fondu sous les colossales demandes du cerveau, comme si Assunta n'avait pas passé des mois au lit ou à se reposer à la mer et à la montagne, mais à se faire pourchasser nuit et jour par une meute de lions. Elle a subi un niveau de stress biologique sans équivalent. Nul ne sait trop que faire de cette découverte. Le professeur remet les organes en place, avec le précieux concours de la sciure, pour en arriver à la tête.

Le crâne est un os étonnamment résistant. C'est la citadelle du corps humain. Le pathologiste s'attend à y trouver une tumeur cachée quelque part. C'était la deuxième théorie à avoir fait surface sur la maladie d'Assunta. Le pathologiste retire le cuir chevelu, scie le sommet du crâne et prélève les méninges, la substance grasse qui recouvre le cerveau ; il extrait le cerveau proprement dit, d'abord un hémisphère, puis l'autre, et découpe au passage les nerfs qui le relient aux yeux, à la carotide et à la moelle épinière. L'organe est intact, le tissu paraît normal. Il le pose sur la balance. Le poids aussi est normal, ce qui écarte toute hypothèse d'infection cérébrale ou de maladie d'Alzheimer.

« Mais de quoi cette femme est-elle donc morte ? » demande le pathologiste à ses collègues.

« *Boh !* » lui répond-t-on. En Italie, « boh ! » signifie « je ne sais pas et ne suis pas près de le savoir » ; c'est un haussement d'épaules verbal. Le pathologiste entreprend de sectionner. L'évolution du cerveau humain s'est accomplie de bas en haut, ce qui fait qu'en tranchant dans l'autre sens, on remonte en quelque sorte le temps. Le professeur découpe des morceaux, observe le cortex, le mésencéphale et le cervelet, à la recherche d'un défaut qui lui aurait échappé. Il incise, incise et incise encore, produisant des tranches de plus en plus fines, sans rien trouver. L'usage, lorsque les causes du décès refusent d'apparaître, veut que l'on conserve l'essentiel de l'organe en vue d'études ultérieures. Mais, par frustration, le pathologiste continue de trancher au point d'endommager une bonne partie du cerveau d'Assunta.

À leur sortie, les mains encore sanguinolentes, les médecins adressent à la famille d'Assunta un nouveau « boh ! » et partent se laver. Sur le certificat de décès, la cause de la mort d'Assunta évoque celle de son père : « encéphalite familiale d'origine indéterminable ». Une autre façon de dire « boh ! »...

Parmi la génération d'Assunta on prend sa mort comme on peut. C'est encore un membre de la famille qui a succombé à l'épuisement nerveux. On se persuade que la maladie est venue du choc conjugué de l'échec de sa relation amoureuse et de l'arrivée de la ménopause ; pour l'heure, c'est encore ainsi qu'on voit les choses. Ignazio et Cati commencent quand même à s'interroger. Intrigués par le commentaire de la grand-mère sur le fait qu'Assunta souffrait du même mal que son père, ils entreprennent de récolter les pièces du puzzle de l'histoire de leur mystérieuse maladie familiale. Après Pietro, ça ne s'était pas calmé : en 1948, sa sœur Angela avait succombé à l'IFF ; en 1952, sa nièce, Luigia ; en 1957, une autre nièce, Graziella, à peine quatorze ans, d'une supposée tumeur au cerveau. En 1964, une troisième nièce de Pietro, Maria, qui habitait à Friuli, avait été internée pour schizophrénie dans une clinique où elle mourrait peu après. L'année suivante, Emma, la mère de Maria, mourait à son tour. Un nouveau décès était survenu en 1965, parmi les parents proches de Cati : sa cousine Rita, à peine âgée de vingt ans, suivie, un peu plus tard, par une autre sœur de Pietro, Irma, la mère de Rita. Cati, née en 1949, avait alors eu vent de plusieurs de ces morts, et des bribes d'informations lui reviennent à présent. Sa mère lui a par exemple dit un jour avoir trouvé Graziella endormie sur la table de la maison familiale ; et puis, à quinze ans, sur le chemin du retour des funérailles d'Irma, Cati, qui faisait semblant de dormir à l'arrière de la voiture, a entendu Assunta et son oncle attribuer la mort d'Irma au chagrin causé par la disparition de sa fille. Elle avait pensé, déjà alors, qu'on ne meurt pas de simple chagrin.

Il lui revient aussi qu'un jour de 1971, à Venise, quand sa mère se faisait opérer à l'hôpital où était mort son grand-père, elle avait jeté un coup d'œil à la dérobée sur le dossier de ce dernier, que les médecins avaient ressorti. Elle l'avait trouvé aussi suspect que sa mère vingt-cinq ans plus tôt, qui avait exigé qu'on lui explique pourquoi, si son père souffrait d'encéphalite, il n'avait pas mal à la tête. Cette fois, sous l'intitulé « moelle épi-nière », Cati avait lu le commentaire « claire comme de l'eau de roche ». (La médecine italienne se délecte de ce genre de formu-lations élégantes.) Infirmière diplômée, Cati avait l'habitude des prélèvements de moelle épinière, et ce commentaire lui semblait peu vraisemblable. La moelle épinière des sujets atteints d'encé-phalite est presque toujours d'apparence laiteuse, à cause des cellules du système immunitaire qui sont mortes en combattant l'infection. Elle avait confié sa trouvaille à sa mère et à sa grand-mère. « C'est la maladie de notre famille, avait dit la grand-mère, d'une voix neutre. C'est l'épuisement. » Avant d'ajouter que mieux valait ne pas ressasser le passé. Cati savait qu'il ne fallait pas trop insister. Lorsqu'un médecin local s'était hasardé à mentionner l'hypothèse d'une maladie familiale, la grand-mère avait aussitôt décidé de ne plus lui adresser la parole.

Quatre ans après la mort d'Assunta, au printemps 1978, Pie-rina, la sœur cadette d'Isolina, cinquante-cinq ans environ, com-mence à afficher un curieux port de tête. Ses pupilles rétrécissent et elle transpire beaucoup. Ses nuits deviennent agitées. Pierina est l'archétype de la femme au foyer italienne, dans sa belle maison de Mestre. Elle s'est mariée après la guerre et, comme Assunta, n'a jamais porté d'enfant, parce qu'elle a préféré en adopter un – peut-être le souvenir de la mort de son père l'a-t-il incitée à attendre de voir venir la maturité. Pierina est d'un naturel opti-miste, à la fois plus douce qu'Isolina et plus extravertie qu'As-sunta. Ignazio et Cati ont le loisir de mieux l'observer qu'ils n'ont pu le faire avec sa défunte sœur parce qu'ils se sont mariés en 1974 et qu'ils habitent près de l'ancienne maison de Pietro, où vit la grand-mère de Cati. Aux premiers temps de sa maladie, Pierina rend visite à sa vieille mère, elle-même souffrante (mais pas d'IFF). Avec le concours de la mère de Cati et d'un cousin notaire, Cati et Ignazio établissent un graphique retraçant les ravages du mal familial à travers les générations, puis ils le découpent, sous forme d'arbre. Ignazio, à présent devenu médecin, réclame le dos-sier de Pietro à l'hôpital de Venise et confirme les soupçons de Cati : Pietro n'est probablement pas mort d'encéphalite. Les voilà en passe de s'attaquer au mystère familial.

L'état de Pierina s'aggravant, Ignazio prend les choses en

main et l'accompagne chez un neurologue de Mestre qu'il respecte. À ce dernier, il explique qu'un étrange mal héréditaire frappe sa belle-famille, que Pierina n'est pas alcoolique ni atteinte de la maladie d'Alzheimer, et que ce sont là les seuls éléments d'information disponibles. Après avoir examiné Pierina, le neurologue avoue ne pas avoir la moindre idée de ce qu'elle a – quand même un début de maladie d'Alzheimer ? On emmène donc Pierina à l'hôpital de Padoue, celui où Assunta s'est éteinte cinq ans plus tôt. Pierina est terrifiée, mais la famille mise sur le fait que le neurologue exploitera les informations recueillies par Cati et Ignazio depuis la mort d'Assunta pour les aider à résoudre le mystère. Il n'en sera rien. À peine est-elle admise avec un diagnostic de démence présénile que Pierina dévale la pente. Boit-elle ? s'acharnent les médecins. Est-ce une tumeur ? Fatigués du casse-tête que leur pose cette famille, ils la donnent pour globalement perdue. Pierina meurt en mars 1979, pesant à peine plus de trente kilos. Sur le certificat de décès, l'hôpital inscrit : « encéphalite familiale ».

Une fois encore, l'une des tantes de Cati est au cœur de toutes les attentions de la salle d'autopsie. Une fois encore, le pathologiste lève les mains au ciel. Cette fois, le cerveau est conservé dans la paraffine pour étude ultérieure. Peu après, Ignazio l'emporte en train pour le montrer à un fameux neurologue genevois, le Dr. Johannes Wildi, qui exerce en tant que consultant en neurologie auprès des hôpitaux européens. Lorsqu'il reçoit Ignazio, Wildi a déjà préparé son microscope et, ensemble, ils y déposent un peu du tissu cérébral de Pierina. Tout paraît normal. Ignazio laisse le cerveau sur place et rentre chez lui. Wildi lui promet une analyse plus détaillée du tissu et, deux semaines plus tard, Ignazio reçoit un courrier de cinq pages expliquant que les principaux dommages constatés dans la tête de Pierina concernent le thalamus – dont une partie est pratiquement détruite – mais, précise Wildi, le lien entre ce fait et les symptômes décrits par Ignazio demeure obscur. La seule maladie que l'on puisse y associer serait éventuellement celle d'Alzheimer. Ignazio lui répond qu'il ne pense pas que Pierina ait souffert de cela, mais qu'au vu des troubles de la coordination et des signes de démence, il pense que la maladie familiale a peut-être quelque rapport avec celle de Creutzfeldt-Jakob. Pour Ignazio, c'est déjà faire montre de qualités de grand clinicien – lorsque la réponse n'est pas évidente, il pose à nouveau le problème et reprend la réflexion. Wildi lui répond que les petites perforations observées dans le cerveau ressemblent en effet à celles de la maladie de Creutzfeldt-Jakob, mais que, cette dernière ne s'attaquant pas au thalamus, il ne pouvait s'agir de cela.

Wildi demande à examiner d'autres cerveaux de la famille, alors Ignazio écrit à l'hôpital de Padoue pour obtenir le numéro de registre des morceaux conservés du cerveau d'Assunta. Il transmet ce numéro à Wildi, qui consulte son propre catalogue de tissus pathologiques italiens (les archives de Wildi contiennent certains des échantillons les plus extraordinaires d'Italie). Assunta n'y figure pas. Wildi raconte à Ignazio que l'un des médecins présents à l'autopsie a jadis travaillé pour lui, et qu'il a la réputation d'emporter chez lui certains organes intéressants. Peut-être détient-il les morceaux du cerveau d'Assunta ? L'homme exerce désormais à l'étranger, et devant les sollicitations d'Ignazio, il fait celui qui ne sait pas de quoi on lui parle.

Pas plus Wildi qu'Ignazio ne sont vraiment choqués. Les cas intéressants sont précieux. On ne compte plus les tissus cérébraux « égarés » ces temps-ci. Peut-être est-ce le même homme qui a dérobé l'arbre familial façonné par Ignazio et Cati, puisque celui-ci a aussi disparu de Padoue à la même époque. Il y aura trouvé quelque chose d'intéressant et décidé de ne pas laisser filer l'occasion d'y regarder de plus près. Il aura opéré en secret, à l'arraché, au risque de finir en prison, pour ne pas avoir à rendre la chose légale – et donc probablement impossible. Il s'est tout simplement fourré les morceaux du cerveau d'Assunta dans la poche.

On l'imagine bien, ce jeune homme qui, soucieux des défaillances du réseau électrique en période de restrictions, dérobe de temps à autre un morceau du cerveau d'Assunta, et, de plus en plus frustré, le découpe en fines tranches qu'il dépose sur les lamelles de son microscope, plein d'espoir d'établir le lien entre les trous minuscules qui couvrent le thalamus et la panoplie des afflictions neurologiques humaines, exploit qui porterait son nom dans les annales de la médecine.

8

Casse-tête pour un chimiste
San Francisco, fin des années 1970, début des années 1980

En 1974, lorsque Stanley Prusiner s'attaque à ce que Carleton Gajdusek appelle le « virus lent », le problème en est au stade où ce dernier l'a laissé : nul n'a pu établir ce qu'était l'agent mystérieux responsable de la tremblante du mouton, du kuru et de la maladie de Creutzfeldt-Jakob. S'agit-il d'un virus, d'une protéine, des deux à la fois, ou encore de tout autre chose ? Pour l'identifier pour de bon, il faudra d'abord qu'on le sépare de la matière qui l'enrobe dans le tissu cérébral et qu'on l'observe au microscope électronique ou par cristallographie aux rayons X. Or, les spécialistes en maladies infectieuses estiment que l'extraction d'une chose de si petite taille requiert un niveau de purification trop complexe et trop onéreux. Prusiner, lui, n'est pas de cet avis.

D'un naturel déterminé et extraordinairement dynamique, c'est dès sa sortie de l'école de médecine, en 1972, que Prusiner décide de s'intéresser aux virus lents, le jour où il voit à l'hôpital un patient atteint de la MCJ. Il étudie l'historique des tentatives d'identification des causes de la tremblante, notamment les remarquables expériences de Tikvah Alpert montrant la résistance de l'agent aux radiations, et acquiert la conviction qu'une protéine dépourvue d'ADN se cache derrière la maladie. Ses arguments ne manquent pas de susciter le scepticisme de la plupart des scientifiques ; ce rejet attise sa colère, qui deviendra dès lors une source de motivation supplémentaire.

Prusiner est à bien des égards à l'opposé de Gajdusek : la cage de l'escalier menant à sa chambre d'enfant n'a jamais été tapissée de photos de grands noms de la médecine. Au lycée, il n'a pas été reçu au cours de chimie avancée. « C'était essentiellement un tire-au-flanc », se souvient un ami d'alors. Si Gajdusek a fréquenté Rochester, Cal Tech et la Harvard Medical School, trois institutions renommées, Prusiner a essuyé les bancs de l'université de Pennsylvanie et de l'U. Penn Medical School, des établissements un cran au-dessous. Contrairement à Gajdusek, il n'aura pas eu pour mentors un quatuor de prix Nobel, car il n'a pas l'art et la manière de les attirer à lui.

C'est donc au milieu des années 1970 que Prusiner se met à travailler sur les virus lents, en collaboration avec William Hadlow, le pathologiste vétérinaire qui a fait part à Gajdusek des similitudes entre la tremblante et le kuru. Le programme de Hadlow est ambitieux. Les quinze membres de son équipe inoculeront, selon son estimation, dix mille souris, mille visons et cent à cent cinquante moutons et brebis, dans l'espoir de cerner l'agent. Dans son bureau de l'université de Californie, à San Francisco, alors qu'il est le fournisseur d'une partie des vaccins qu'emploie Hadlow, Prusiner ronge son frein. À la fin des années 1970, le NIH cesse de croire au projet et lui retire ses fonds. Tous les animaux sont abattus. Prusiner se sent victime à son tour du mystère de la tremblante.

Concernant la nature précise de la particule du virus lent, Gajdusek n'a pas clairement pris position. Ça n'est pas vraiment un scientifique de laboratoire, plutôt un clinicien – le monde moléculaire n'exerce sur lui aucune fascination. Prusiner, par contre, est à son aise entre réactifs et centrifugeuses. Il aborde le projet avec un certain nombre d'aptitudes qui faisaient défaut à Gajdusek et laissent entrevoir qu'il pourrait aller plus loin que son prédécesseur. Prusiner le soulignera dans un article qui paraît en 1986, l'agent du virus lent « avait essuyé les assauts de pathologistes, de médecins, de vétérinaires, [mais] il devenait manifeste qu'on se trouvait face à un splendide casse-tête pour un chimiste[1] », ce qu'il est lui-même. Le chimiste excelle à séparer d'infimes quantités de matière d'autres infimes quantités de matière ; il est méticuleux. Prusiner est par ailleurs très inventif en matière technique ; il sait débusquer sur le terrain d'ingénieux raccourcis. Dans son laboratoire, il remplace par exemple les souris par des hamsters, qui développent la maladie beaucoup plus vite. En 1984, il se vantera d'avoir multiplié par cent la cadence des travaux de purification de la protéine de la tremblante[2]. Pas du tout le genre d'efficacité qui préoccupe Gajdusek.

Prusiner sait que pour déterminer la nature de la particule de la tremblante il faudra se débarrasser de tout ce que contient le magma qui l'entoure, prendre le temps d'en extraire chaque molécule jusqu'à ce que ne demeurent plus que les responsables de l'infection. Pour ce faire, on remplit des seringues de tissu infectieux qu'on injecte à des animaux, puis on abat ces animaux lorsqu'ils sont malades, on dépose leur tissu cérébral dans la centrifugeuse que l'on fait tourner à vitesse suffisante pour que les molécules se dissocient. On injecte ensuite ces molécules dissociées à des souris ou des hamsters. Si certains développent le mal plus vite que d'autres, on peut en déduire qu'ils ont reçu un agent plus concentré : on répète alors le processus jusqu'à atteindre la plus grande pureté possible. Reste ensuite à définir l'agent par ses propriétés. Se dissout-il dans l'eau ? À quelle teinture réagit-il ? Et ainsi de suite.

Paradoxalement, la purification d'un élément aussi minuscule qu'une protéine réclame des moyens colossaux. Entre 1975 et 1997, le NIH a octroyé 56 millions de dollars à Prusiner, dont une partie a permis de peupler son laboratoire de dizaines de postdoctorants et de chercheurs désireux d'en découdre avec les virus lents. Le projet est gourmand en temps, en argent et en souris. Et Prusiner se met à progresser. Au milieu des années 1980, il écrit qu'il a isolé un agent cinq mille fois plus concentré qu'à l'état naturel. Ce degré de pureté est suffisant pour qu'on prenne ses mesures, et Prusiner et ses collègues constatent qu'il est particulièrement petit, même pour une protéine, beaucoup plus petit en tout cas que les plus petits virus connus. Ils entreprennent ensuite l'inventaire des propriétés biochimiques de l'agent. Ils le mélangent à des enzymes dissolvant les protéines et à d'autres dissolvant l'acide nucléique, et constatent que les premières neutralisent l'infectiosité de la particule alors que les secondes au contraire l'accroissent ; cela semble nettement indiquer que l'infection réside dans une protéine et non un virus. À présent doté d'un agent hautement purifié, le laboratoire de Prusiner parvient aussi à désigner un anticorps susceptible d'y réagir. Ce qui permet de tester la présence de l'agent infectieux par simple prélèvement de tissu et exposition à l'anticorps. Si l'anticorps réagit, on peut être sûr que l'animal est atteint de la tremblante. L'ère des inoculations sans fin et des années d'attente s'achève : on dispose désormais d'un moyen moins onéreux et plus rapide de déterminer si quelqu'un souffre de la maladie de Creutzfeldt-Jakob ou si un mouton souffre de la tremblante qu'en leur prélevant un peu de cervelle pour l'injecter à des animaux.

Prusiner tient la chronique de ses travaux dans une série d'articles paraissant dans les revues scientifiques[3]. Ça n'est pas une lecture très affriolante ; on dirait les cartes postales d'un voyageur qui écrit à chaque gare et livre au compte-gouttes la description archiprudente de ce qu'il est absolument certain d'avoir observé par la fenêtre.

Mais si Prusiner est précautionneux en matière de science, il se montre souvent intraitable dans ses rapports avec les autres chercheurs. La colère qui l'a propulsé dans la recherche sur le prion n'en fait pas vraiment un collaborateur agréable ni un patron très solidaire. Son arrogance offense notamment ses confrères spécialistes de la tremblante, qui, depuis un certain temps, ont tendance à considérer leur secteur comme un genre de club d'éternels martyrs. Et, comme souvent lorsqu'on fait partie d'un club, ils sont devenus plus conscients de leurs propres efforts que des grands mouvements au-dehors. À bien des égards, Prusiner foule les règles de ce club. Il rechigne à citer les sources de ses idées : il désirerait que l'aventure se soit ouverte et se referme avec lui. Il paraît persuadé d'être à l'origine de la notion d'agent infectieux dépourvu d'ADN. Il oublie qu'elle émane du mathématicien anglais J. S. Griffith ; que les chercheurs britanniques l'ont élaborée jusqu'à un certain point, et que Gajdusek l'a poussée plus loin encore. « À force d'être repris et développé, l'original finit par ne plus jamais être cité.

C'est ça, le truc de Stan », dit Paul Brown, l'ancien collègue de Gajdusek au NIH.

On rencontre dans les laboratoires de virologie et d'étude des protéines pléthore d'anciens étudiants de Prusiner qui, de façon mystérieuse, ont abandonné le domaine du prion en quittant son laboratoire. « Des gens m'ont avoué qu'il leur avait fermement conseillé de ne pas lui faire concurrence sans quoi il provoquerait leur ruine », dit Richard Johnson, microbiologiste à la Johns Hopkins University et ami de longue date de Prusiner.

Prusiner se fait également remarquer en matière de *peer review*, ou jugement par les pairs. Lorsqu'un chercheur propose un article à une revue scientifique, le rédacteur en chef de cette dernière le soumet à d'autres scientifiques du domaine qui en évaluent l'exactitude et l'importance. De fait, le chercheur a donc ses concurrents pour juges. Le système exige des scientifiques qu'ils placent la quête de la vérité au-dessus de leurs ambitions personnelles, ce que la plupart ne manquent pas de faire, mais au milieu des années 1980, lorsque le *New England Journal of Medicine* demande à Prusiner d'évaluer un article de Paul Brown, il leur conseille de le rejeter, puis en soumet un à son tour, très similaire au premier et reposant sur ses propres travaux en laboratoire (le journal finira par publier celui de Brown et refuser celui de Prusiner)[4]. Des années de rapports à couteaux tirés ont laissé leur empreinte sur le domaine. Aux conférences sur le prion, tous les yeux sont rivés sur Prusiner et son impeccable coiffure blanche : la moitié de la salle espère attirer son attention, l'autre le maudit en silence.

À bien des égards, Prusiner est davantage un meneur d'hommes qu'un investigateur : il a le talent pour rassembler des équipiers talentueux et les faire travailler dur. L'un de ses anciens chercheurs – qui, comme la plupart, préfère garder l'anonymat – le qualifie de « grand entrepreneur de la recherche sur le prion ». Mais est-ce vraiment là une tare ? Parmi tout ce qu'apporte Prusiner à la recherche sur le prion, il y a notamment son don pour décrocher les subventions ; l'argent de la recherche est aujourd'hui le sang qui coule dans les veines de la science et, en 2001, le laboratoire de Prusiner a été le premier bénéficiaire dans le pays des fonds du NIH. Il consacre à cette activité plus d'énergie que tous les autres dans le domaine, qu'il surpasse aussi en matière de vision, puisqu'il flaire comme personne la direction que va prendre la recherche sur le prion. C'est un scientifique merveilleusement adapté au monde actuel, où le chercheur académique vivant d'accolades collégiales et de largesses de l'université a fait place à l'entrepreneur dépendant d'alliances politiques et commerciales pour pouvoir faire son travail et, parfois, son négoce.

Il arrive que Prusiner paraisse confondre les deux. En 2000, il a créé une entreprise nommée InPro Biotechnology commercialisant un test des maladies à prion. Peu après, il pressait le Congrès d'exiger qu'y soit soumise toute vache abattue aux États-Unis[5]. Tant d'alarmisme au sujet de la viande de bœuf était particulièrement malvenu parce qu'en 1977, au sortir de la cérémonie du prix Nobel, bien avant d'avoir mis un test sur le marché, il s'était targué devant la presse d'aller célébrer ça avec une bonne côte de bœuf, c'est-à-dire le morceau le plus dangereux parce qu'il comporte un fragment de la colonne vertébrale, où se concentrent les prions[6].

Prusiner aime gagner de l'argent et le dépenser, bien profiter du demi-million de dollars que lui verse chaque année pour salaire l'école de médecine de l'université de Californie, à San Francisco. En voyage, il lui faut toujours la meilleure bouteille, la plus belle maison dotée de la plus grande piscine. La demande de divorce déposée par sa femme en 2000 évoque leur goût « des meilleurs restaurants », l'achat « de coûteux objets d'art » et « d'articles de mode »[7]. (Lui a déclaré ne s'être jamais laissé aller au luxe qu'à la remise du prix Nobel, et encore, c'était aux frais d'autrui.) Prusiner se sent chez lui dans l'univers des conférences, des hôtels de luxe, des classes affaires, mais pas du tout dans celui qu'affectionne Gajdusek. À la fin des années 1970, de passage en Nouvelle-Guinée pour y voir le kuru de ses yeux, Prusiner n'a pas mis bien longtemps à s'épuiser dans la brousse. « Il était tellement mal qu'on n'aurait su dire s'il s'était fait une entorse ou s'il était juste trop fatigué pour marcher », se souvient Michael Alpers, qui dirige le programme de recherche sur le kuru à Okapa.

Invité à une fête donnée chez Prusiner, Gajdusek se désole

de constater qu'on n'y parle que grandes écoles et résidences secondaires, tout ce qui l'avait fait fuir en Nouvelle-Guinée. Offense suprême, la maison de Prusiner est ornée de statues rapportées de là-bas, dont il a retiré les attributs génitaux par souci de décence – tel est en tout cas le souvenir de Gajdusek. Les deux hommes ne se dénigrent jamais en public, mais, en privé, Gajdusek confie volontiers son sentiment que la pensée de Prusiner pèche par banalité. Prusiner, de son côté, trouve que Gajdusek manque de discipline. « Je crois que pour Stan, si l'on s'en tient au plan strictement scientifique, l'apport réel de Gajdusek a été, au mieux, très infime », dit un scientifique qui connaît bien les deux. Selon ce témoin, Prusiner considère que Gajdusek a emprunté l'idée de son expérience majeure à William Hadlow, le chercheur sur la tremblante ; que c'est Michael Alpers qui a accompli le travail de terrain en Papouasie-Nouvelle-Guinée ; et que la transmission a été l'œuvre de C. J. Gibbs, le directeur de laboratoire de Gajdusek, ce dernier se contentant de se montrer pour en revendiquer le crédit. Gajdusek, pour sa part, affirme – à tort – que Prusiner s'est inspiré de lui. L'un et l'autre sont ambitieux, mais cela s'exprime à travers un tempérament différent. « Carleton est un égoïste, Stan est un égoïste », conclut Paul Brown, du NIH.

Au début des années 1980, Prusiner réalise que l'expression « virus lent » due à Gajdusek dessert cruellement la recherche en termes de conscience collective. Avant le début du vingtième siècle, « virus » était le terme générique désignant tout agent infectieux, mais la science moderne a fini par ne plus y voir spécifiquement qu'un noyau d'ADN ou d'ARN enrobé de protéine. Aux yeux de Prusiner, l'expression « encéphalopathie spongiforme virale transmissible » – qu'emploient Gajdusek et d'autres pour décrire l'ensemble que constituent la tremblante, le kuru et la maladie de Creutzfeldt-Jakob – ne vaut guère mieux. D'abord, toutes les infections ne sont pas transmissibles ; ensuite, il se peut encore qu'aucune ne soit virale ; enfin, on ne constate pas toujours de spongiosité dans le cerveau des victimes (ce sont parfois des plaques). Mais le plus gros inconvénient de cette appellation, c'est que personne ne la retient.

Prusiner sait qu'il faut un autre nom à l'objet qu'il cherche à cerner. Selon l'anecdote qu'il se plaît à raconter, un ami astro-physicien lui aurait recommandé de trouver un terme aussi accrocheur que « quark », simple et marquant. Prusiner consacre ses ennuyeuses réunions à réfléchir en composant des acros-tiches à propos des participants, et finit par trouver « prion ». *Nature* y voit « l'acronyme quelque peu tiré par les cheveux de *small proteinaceous infectious particle* – petite particule infec-tieuse protéique[8]. Tiré par les cheveux, peut-être bien, mais effi-cace. Le terme « prion » apporte du lustre à la biochimie parce qu'il fait science de pointe, comme s'il s'agissait d'une décou-verte de physicien : électron, neutron, photon... prion. Des amis de Prusiner ont aussi été effleurés par l'idée que son enthou-siasme pour « prion » se devait peut-être aux vagues conso-nances qu'il présente avec son propre nom.

À ses amis, Prusiner ne cache pas combien sa trouvaille le réjouit. Le mot existe déjà : un prion est un oiseau des mers du Sud, « un animal voletant gris, bleu pâle et blanc [...] un fantôme », selon la description d'une revue[9]. Elio Lugaresi, cher-cheur italien du sommeil qui a participé à la découverte de l'in-somnie fatale familiale, se souvient d'avoir vu Prusiner fouiller un dictionnaire récent quelques années après avoir lancé le terme, pour voir si « son » prion y précédait désormais le vola-tile. Cette dernière acception avait tout simplement disparu. « Je crois que l'espèce s'est éteinte », s'est alors réjoui le chercheur américain.

Pour les opposants de Prusiner, l'abus tient surtout au fait que l'expression « particule infectieuse protéique », dont est censé dériver « prion », élude la question cruciale qui hante les chercheurs du domaine : l'agent infectieux est-il une protéine ou un virus ? Prusiner lui-même n'a pas la réponse. Il donne l'im-pression de vouloir résoudre une querelle scientifique par une astuce verbale. *Lancet*, l'éminente publication médicale britan-nique, écrit qu'il met « la charrue devant les bœufs ». Et nombre de chercheurs refusent de s'y atteler. Certains, par l'usage de la redondance « protéine prion », transforment le nom en adjectif, comme pour nier à Prusiner la découverte d'un nouveau principe de maladie. Ils préfèrent un vocabulaire impliquant que la mala-die peut être due à quelque acide nucléique infectieux associé, plus proche du virus. En Grande-Bretagne, les chercheurs prononcent volontiers « praï-on » ce que Prusiner prononce « pri-on », peut-être pour affirmer leur indépendance face à une nouvelle menace d'invasion américaine.

Le culot de Prusiner fait l'objet d'innombrables plaisanteries de laboratoire. L'une d'elles, que l'on doit à un chercheur anonyme, est un *limerick*, un poème humoristique :

Un jeune Turc nommé Stan
Avait un jour un projet retors
« Il me suffit de baptiser pour revendiquer »,
Disait Stan préparant son forfait.

« Eurêka ! s'écria Stan, j'ai trouvé.
Enfin, pas vraiment trouvé
Mais livré à la presse
L'histoire du virus lent
Que j'ai baptisé pour l'embobiner ! »

Conformément aux vœux de Prusiner, le terme « prion » emballe la presse. Le quotidien de sa ville, le *San Francisco Chronicle*, étale à la une le scoop de la « découverte » du prion, avec le surtitre : « Découverte d'une forme de vie minuscule »[10]. Les journaux insistent sur la robustesse du prion, que ne détruisent ni la chaleur ni les radiations, et sur le fait qu'une fois contaminé un terrain le demeure à jamais. Le *Chronicle* signale que le venin du serpent à sonnette et celui du cobra n'en viennent pas à bout. La presse avait aimé le kuru, elle adore à présent son agent infectieux, qui n'est pas moins étonnant !

Prusiner sait ce qui fera taire les sceptiques : il faut synthétiser un prion dans une éprouvette et l'amener à provoquer une maladie à prion. Plus personne ne prétendra alors qu'un virus caché derrière la protéine se charge de la basse besogne de l'infection. Mais une surprise l'attend. Une fois que son équipe et lui ont obtenu le degré de purification suffisant pour déterminer en partie la séquence d'acide aminé, ils sont choqués de découvrir que le prion est une protéine ordinaire fabriquée par un gène sain dans le corps même du porteur. En d'autres termes, le prion n'est pas seulement quelque chose qui infecte la victime de l'extérieur ; la victime elle-même le fabrique.

Cette révélation ne concorde pas avec ce qu'on tenait pour acquis : que le prion cause l'infection. Comment un gène induirait-il une infection chez son propre porteur ? D'un coup, un gros doute plane sur l'immense somme de temps, d'argent et de travail intellectuel que Prusiner et tous les autres ont investie jusqu'ici dans le prion.

Peu après, en association avec deux autres laboratoires de recherche, Prusiner annonce qu'il a identifié le gène fabriquant la protéine prion, sur le chromosome 20, parmi, on l'apprendra plus tard, quelque sept cents autres, dont certains déterminant la production d'insuline, la prise de poids ou l'eczéma infantile. Le processus par lequel le gène du prion sécrète sa protéine est ordinaire : il crée une base d'acides aminés qu'une autre partie de la cellule, le ribosome, met ensuite en fabrication. Comment le processus ordinaire de fabrication peut-il avoir cours si les prions sont infectieux ? Les chercheurs espèrent trouver une réponse en tentant de comprendre le rôle que jouent les prions normaux dans le corps, mais ce qu'ils découvrent n'est pas franchement éclairant. Lorsqu'on supprime le gène de la protéine prion chez la souris, celle-ci ne s'en porte pas plus mal. Il faut bien cependant que ce gène serve à quelque chose, car tous les mammifères en sont pourvus. Un gène ne perdure que s'il possède une fonction. Or, en voilà un qui fabrique une protéine sans autre utilité apparente que de rendre ses porteurs malades. L'idée même ne tient pas debout : elle défie toutes les lois de l'adaptation et de l'évolution.

Il faut une nouvelle théorie, cohérente avec la notion de protéine assassine produite par le propre corps de la victime. Prusiner a autrefois suggéré que la protéine prion, en pénétrant le corps, était capable de se déconstruire, en rendant à ses acides aminés leur forme d'ADN qui en avait à l'origine déterminé la sécrétion. Puis, toujours en théorie, l'ADN inversait la vapeur et se mettait à produire des copies de l'agent infectieux. Le scénario était beau, sauf qu'on n'en trouve aucun exemple dans la nature. Et, de toute façon, la découverte du gène du prion, sans pour autant y fournir un substitut, l'a rendu caduc. Personne ne sait comment il se peut qu'une protéine normale produise des copies malades d'elle-même. Prusiner finit par émettre une hypothèse tout droit inspirée de la chimie plutôt que de la biologie : l'infection par l'intermédiaire d'un modèle de protéine. Il part du postulat qu'il existe deux formes de prions, l'une infectieuse et l'autre pas. Lorsqu'une protéine infectieuse entre en contact avec une protéine normale, elle s'y raccroche et la contraint à changer de forme pour en faire une réplique infectieuse d'elle-même. L'idée lui vient du mathématicien anglais J. S. Griffith, et quinze ans après que ce dernier l'a formulée pour la première fois, elle appelle toujours la même objection, ce que Prusiner sait pertinemment : nul n'a jamais vu de protéines se comporter de la sorte. Ça n'entre tout simplement pas dans leur mode de fonctionnement.

Pourtant, si les données de Prusiner – et de nombreux chercheurs – sont exactes, il semblerait bien que si. Au milieu des années 1980, Prusiner tente de confirmer l'hypothèse de la protéine en créant en éprouvette, à partir du gène récemment identifié, des prions qu'il injecte à des souris. Si l'expérience fonctionne, cela démontrera que le prion, et lui seul, provoque la maladie, mais l'équipe se heurte au fait que le gène normal ne fabrique pas beaucoup de protéines et que celles qu'il fabrique sont saines et normalement constituées. Les souris ne développent pas la maladie. Il semble donc que les chercheurs qui s'entêtent à dire que, privé d'acide nucléique, le prion est inoffensif, sont dans le vrai. Puis, Prusiner et ses hommes s'aperçoivent qu'ils n'auront pas à concevoir la moindre expérience pour démontrer que le prion provoque la maladie, puisque la nature s'en est déjà chargée.

Beaucoup d'éléments indiquent déjà alors que les maladies à prion sont héréditaires. La maladie de Creutzfeldt-Jakob n'est plus « la catégorie fourre-tout bien commode » qu'elle a été. Depuis qu'au début des années 1980 Prusiner et d'autres ont élaboré un anticorps à la protéine prion, la neurologie dispose d'une méthode rapide et fiable pour distinguer les maladies à prion d'autres pathologies cérébrales aux symptômes similaires, comme celles de Pick ou d'Alzheimer. Et après l'identification du gène du prion, les chercheurs n'ont eu aucun mal à y repérer les mutations responsables des diverses maladies héréditaires. Le diagnostic de la forme héréditaire de MCJ et celui du syndrome de Gerstmann-Straussler-Scheinker (GSS), héréditaire lui aussi, sont désormais établis. À la fin des années 1980, Prusiner comprend que ces maladies génétiques à prion sont susceptibles de fournir la preuve à rebours que le prion provoque l'infection. Il inocule donc à quelques souris le gène porteur de la mutation pathogène, et une fois malades, il les tue, leur prélève des prions infectieux qu'il injecte à d'autres souris vierges de toute mutation. Certaines de ces souris tombent malades à leur tour. Prusiner parle d'« expérience concluante[11] ».

Il n'est pas loin d'avoir établi que le prion provoque les maladies qui portent son nom, parce que les souris n'ont pas été exposées à l'infection mais à la seule protéine difforme d'un gène défectueux. La possibilité demeure toutefois que le prion ne provoque pas la maladie mais se contente d'altérer le corps d'une façon qui rende mortels des virus déjà présents. Gajdusek s'était particulièrement intéressé à des virus demeurant inertes pendant des dizaines d'années avant de s'activer sous l'influence d'altérations chimiques du corps, un peu comme les virus des verrues. Il se pourrait qu'un virus de ce type provoque le GSS ou la MCJ, et que le prion se borne en fait à préparer le terrain.

Les opposants à la théorie de la seule protéine se déchaînent. Prusiner leur demande en retour où ils comptent trouver ce virus doué d'ubiquité. Nulle purification n'a permis de le déceler, et le prion purifié est à présent si petit que, s'il recelait quelque acide nucléique, cela ne suffirait pas à encoder un virus. Le débat protéine/virus se ramène à la confrontation d'un mécanisme établi – l'infection virale – et du constat en laboratoire qu'il n'y a là qu'une protéine.

En fait, pas plus la théorie de la seule protéine que celle du virus ne rendent vraiment compte des diverses façons dont le prion déclenche le mal. Il est incontestable que les maladies à prion peuvent être génétiques. L'idée ne pose aucune difficulté intellectuelle. De nombreuses maladies génétiques sont dues à une protéine. Gajdusek a aussi déjà démontré que les maladies à prion peuvent être infectieuses, au moins pour des animaux auxquels on injecte des prions. Mais un troisième scénario existe, bien plus insolite celui-là. Dans certains cas, la MCJ frappe un individu isolé, dont aucun parent antérieur ou postérieur n'a présenté ou ne présentera jamais de symptômes. À l'examen, son gène du prion s'avère normal, mais si l'on injecte un peu de son tissu cérébral à des souris, elles développent la maladie. Hormis l'âge généralement avancé de ces victimes, la maladie semble frapper totalement au hasard. Le terme médical consacré pour ce genre d'affliction est « sporadique », et le cancer en est le meilleur exemple. Seulement voilà : l'histoire de la médecine ne recense pas le moindre cas de maladie à la fois sporadique, infectieuse et génétique, comme semble l'être celle de Creutzfeldt-Jakob[12].

Pour Prusiner, la réponse à cette énigme réside dans la nature même des protéines. Le corps les fabrique sous forme de long ruban, qui, presque immédiatement, se recroqueville en adoptant une pliure sophistiquée correspondant aux fonctions que la protéine est appelée à remplir dans la cellule. Si une protéine donnée peut au départ adopter de multiples formes elle conserve ensuite généralement toujours la même. Lorsqu'on tente de déformer une protéine, elle reprend automatiquement la forme dans laquelle ses liens moléculaires lui offrent la meilleure stabilité.

La protéine prion a ceci d'inhabituel qu'elle semble posséder deux formes naturelles : deux façons de se replier. On trouve parfois le prion dans l'une, parfois dans l'autre. Dans la première, le prion remplit sa fonction normale (et inconnue) au sein de la cellule. Dans la seconde, il provoque une maladie. Lorsqu'on rassemble dans une éprouvette un prion nocif et un autre normal, il arrive que le premier convertisse l'autre à sa propre forme[13].

La théorie de Prusiner est donc assez ample pour expliquer toutes les infections au prion. Les prions nocifs se répandent en contraignant les protéines qu'ils rencontrent à changer de forme pour adopter la leur, selon un processus nommé « influence sur la conformation », qui permet de rendre compte des diverses formes de maladie à prion. Dans les cas de transmission héréditaire, une mutation génétique crée un défaut dans la synthèse de la protéine qui lui fait prendre un mauvais pli, avant de déformer les protéines adjacentes. Dans les cas sporadiques, une première protéine se déforme de façon accidentelle et déclenche une réaction en chaîne. Dans les cas infectieux, comme le kuru, une protéine provenant de l'extérieur entre en contact avec celles de l'hôte et les force à mal se plier à leur tour. L'explication vaut aussi pour la tremblante du mouton. Si bergers et vétérinaires ont passé des siècles à buter sur le schéma épidémiologique de la tremblante, c'est qu'elle frappe de trois façons différentes : par hérédité (la bête hérite au moins d'une très forte prédisposition), par l'intermédiaire d'autres moutons ou d'un terrain contaminé, et enfin par hasard.

L'influence sur la conformation, en tant que mode de transmission d'informations habituellement transportées par l'ADN, paraît révolutionnaire, mais il s'agit en fait d'un retour en arrière. L'idée qu'une molécule serve de modèle à d'autres était communément admise au temps où l'on croyait que les protéines contrôlaient la reproduction, c'est-à-dire avant les révélations de James Watson et Francis Crick sur la structure de l'ADN démontrant que ce dernier convoie les informations génétiques. On trouvait notamment parmi les adeptes convaincus de l'existence de protéines types les prix Nobel Max Delbrück et Linus Pauling, les maîtres de Carleton Gajdusek. Malgré l'accumulation des preuves du fait que l'ADN était l'élément déterminant de la réplication, l'un comme l'autre avaient continué de s'y opposer. L'idée que l'information génétique se transmette à travers un ensemble de composés chimiques – les acides nucléiques – dont ce serait l'unique fonction leur semblait, pour reprendre l'expression réprobatrice de Robert Bakewell, « peu économique ». Ils attribuaient l'hypothèse à des fautes techniques des laboratoires. De façon assez similaire, les chercheurs qui pensent encore aujourd'hui qu'un virus se tapit derrière la protéine prion insistent sur le fait que les techniques de purification en laboratoire n'ont tout simplement pas atteint le seuil de sensibilité nécessaire à la recherche du coupable. Qualifiant la science du prion d'équivalent de la « fusion à froid » pour la biologie, ils sont persuadés que le temps leur donnera raison. Ils soulignent en outre que la purification est un procédé coûteux ; et qu'en récoltant une telle part de l'argent disponible, Prusiner les prive des moyens de mettre leurs théories à l'épreuve. Les partisans du prion répondent qu'un fragment d'acide nucléique infectieux tellement petit qu'ils ne l'ont pas encore trouvé exigerait l'élaboration d'une doctrine plus radicale encore que la leur. (James Watson n'est pas de cet avis. Aujourd'hui âgé de quatre-vingts ans et à la tête du Cold Spring Harbor Laboratory, il m'a déclaré que le mécanisme moléculaire par lequel le prion est censé se répliquer reste à établir. À ses yeux, le prion demeure « un mystère[14] ».)

Au sujet du prion et de sa théorie, de nombreux chercheurs demeurent, selon l'expression de Paul Brown, de l'Institut national de la Santé (NIH), « agnostiques ». Leurs expérimentations ne dépendent de toute façon pas de la nature de la molécule infectieuse ; il leur suffit de savoir qu'une protéine tient un premier rôle dans le processus de la maladie à prion. En empêchant cette protéine d'en transformer d'autres, on a de bonnes chances d'empêcher sa survenue. Au fil des années, Prusiner a bâti une théorie du prion plus complexe. Il croit désormais à l'existence d'une autre protéine de taille et de forme inconnues – qu'avec son éternel sens du spectacle, il nomme protéine X – qui faciliterait l'adoption par la protéine prion normale de la forme de la protéine défectueuse. Chaque cellule humaine comporte des dizaines de milliers de protéines, dont un grand nombre en aident d'autres à conserver leur forme ou à en changer ; l'une d'elles pourrait bien remplir cette fonction-là.

Pour démontrer que le prion cause l'infection, le meilleur test consiste encore à fabriquer un prion dans une éprouvette et à l'injecter à un animal de laboratoire qui développe la maladie. Le laboratoire de Prusiner, entre autres, a passé vingt ans à s'y essayer. Soudain, en juillet 2004, il annonce y être parvenu. Prusiner croit un instant détenir le Saint-Graal. « Nous avons la preuve irréfutable, dit-il au *New York Times*, nous avons abouti[15]. » Pas si vite, répondent sceptiques et détracteurs (désormais pratiquement confondus). Les souris de Prusiner sont littéralement bourrées de gènes du prion, il leur faut donc nettement moins de protéines prion qu'il ne leur en faudrait dans les conditions naturelles pour tomber malades. Elles présentent en fait une telle prédisposition à la maladie que certaines l'ont développée *sans avoir reçu d'injection*. Le laboratoire de Prusiner dit qu'il travaille actuellement à établir cette preuve sur des souris ordinaires. Alan Dickinson, le spécialiste de la tremblante du Moredun Institute écossais, qui se range parmi les sceptiques, prétend qu'un de ses amis détiendrait un manuscrit imparable contre l'hypothèse du prion, et attendrait pour le faire paraître qu'on ait trouvé l'acide nucléique caché derrière les maladies à prion. En attendant, l'ouvrage prend la poussière sur une étagère.

9

Convergence
Vénétie, 1983

Si j'atteins cinquante-cinq ans, je suis à l'abri.

Silvano, victime de l'IFF, cinquante-trois ans

La famille italienne ignore tout de la controverse sur la nature de l'agent du prion. Elle n'a jamais rien su des découvertes accomplies au NIH, en Grande-Bretagne et à San Francisco entre les années 1960 et le début des années 1980, de même que Carleton Gajdusek, Stanley Prusiner et leurs collègues n'ont jamais entendu parler d'elle. Malgré sa validation par Johannes Wildi, le grand neurologue suisse, la mise en lumière par Ignazio en 1979, après la mort de Pierina, d'une ressemblance entre la maladie familiale et celle de Creutzfeldt-Jakob demeure lettre morte. Personne n'a le profil, le savoir-faire ou les connaissances pour creuser plus loin.

La mort de Pierina a été suivie par une phase d'accalmie. Cati et Ignazio cessent un temps de s'entendre dire de tel ou tel parent qu'il a soudainement perdu le sommeil. Mais, de toute évidence, les trois enfants restants de Piero – Isolina et Tosca, qui atteignent la soixantaine, et Silvano, qui approche de la cinquantaine – sont en situation de risque. Pour Cati, qui avoisine la trentaine, la question de savoir si elle sera atteinte à son tour devient obsédante. Consciente qu'elle a des chances d'en apprendre sur son propre sort à travers celui de sa mère, elle passe ses jours et ses nuits à l'observer de près, et dès qu'Isolina éprouve la moindre difficulté à s'endormir, Cati est prise de

163

panique. « Je me suis faite espionne sous mon propre toit, se souvient-elle. Je m'introduisais dans sa chambre pour vérifier qu'elle dormait vraiment. » Pendant ces « années d'enfer », Cati souffre elle-même d'insomnie et craint que ce ne soit l'IFF. Ignazio et elle ont renoncé à faire des enfants, parce que tant que sa mère ne sera pas hors de danger, ils ne prendront pas le risque d'ajouter un nouveau chapitre à la tragédie familiale.

À l'été 1983, Silvano, l'oncle de Cati, vit avec Isolina dans la maison de leur enfance. Il a récemment été tenu en joue à l'occasion du hold-up d'une banque à Venise. Peu après, il a emmené sa mère en croisière où, pour la première fois, alors qu'il dansait, la honte l'a saisi parce que sa chemise était trempée de sueur. Il se dévisage à présent dans le miroir et constate que ses pupilles sont en tête d'épingle et que son port de tête est bizarre. Les protéines qui le tueront ont entamé leur processus fatal de déformation. Évidemment, il l'ignore – personne ne le sait encore. Il sait juste qu'il aura bientôt du mal à trouver le sommeil et tout ce qui s'ensuivra. « Si j'atteins cinquante-cinq ans, je suis à l'abri », répétait-il depuis des années à un ami d'enfance. Il en a cinquante-trois.

Silvano est un bel homme, il arbore la rousseur de sa grand-mère Marianna, d'épais sourcils et une charpente bien taillée. À la grâce de ses gestes et de son allure soignée, à la pochette de sa veste toujours ornée d'un mouchoir, on le prendrait pour une vedette du cinéma, un univers qu'il adore, notamment pour l'inconditionnelle élégance des stars. Il attire indéniablement les femmes, mais ne leur confie jamais sa crainte de mourir jeune. Pour Silvano, l'intimité est réservée à la famille. Il y est d'ailleurs très dévoué ; à Cati, dont le père était impotent, il a souvent servi de père de substitution. Il garde aussi le contact avec certaines branches plus huppées de la famille, celles que la maladie n'a pas atteintes. Son grand entregent lui a ouvert l'accès à un univers plus vaste que celui de son père. Il a gagné de l'argent, et l'a dépensé, comme intimement persuadé qu'il n'y avait pas lieu d'en mettre de côté pour plus tard.

Silvano est bien décidé à ne pas suivre le chemin de ses sœurs aînées. Il ne se laissera pas importuner par les médecins. Aussi longtemps qu'il le pourra, il se soustraira à leur curiosité.

Quand sa sieste de l'après-midi commence à se faire attendre et que son sommeil nocturne diminue, il cherche d'abord à tirer parti de l'insomnie, travaillant plus dur et sortant tard le soir. Finalement, en février 1984, Ignazio le persuade quand même de consulter un neurologue de Castelfranco, petite ville du nord-ouest de la Vénétie. Diagnostiquant de l'anxiété et une dépression, l'homme prescrit à Silvano de l'Halcion, un sédatif. La nuit suivante, Isolina appelle Ignazio pour qu'il vienne immédiatement constater le résultat. Silvano se tient au bas de l'escalier, il fait une valise imaginaire. En pleine crise de somnambulisme, il voudrait passer la porte, mais ne parvient pas à ouvrir le verrou. Ignazio interrompt aussitôt le traitement.

Fait remarquable, neuf mois après les premiers symptômes, Silvano n'a pas cessé de travailler. Il a certes réduit ses activités sociales, mais mène par ailleurs la même vie qu'avant. Le fait d'être souvent en déplacement – l'entreprise qui l'emploie opère sur des chantiers de travaux publics – joue en sa faveur, car ses collègues n'ont pas le loisir de l'observer de trop près. Seul son sommeil, de plus en plus léger, semble ne plus vouloir coopérer, et Silvano transpire abondamment. N'empêche, il ne se rendra sous aucun prétexte à Padoue, où il a perdu deux sœurs.

En mars, Ignazio convainc Silvano de venir le retrouver à l'hôpital de Trévise où il officie à présent en tant qu'interne. Il a obtenu un lit de son supérieur au prétexte qu'il tenait un cas intéressant d'encéphalite familiale. Un jour, le neurologue de Castelfranco, qui est de passage pour rencontrer le directeur du service neurologique de Trévise, tombe sur Silvano. Il ne peut croire que ce soit vraiment l'homme qu'il a examiné un mois auparavant, tant il paraît affaibli. « De quoi souffre-t-il ? » demande-t-il à Ignazio. « D'insomnie totale », répond Ignazio. Les deux spécialistes éclatent de rire : l'insomnie totale ne relève pas du possible. Le sommeil est une fonction homéostatique ; le corps finit toujours par en corriger tout déficit. C'est obligatoire, faute de quoi le patient mourrait et, comme chacun le sait, nul n'est jamais mort de manque de sommeil. À partir de ce jour, Ignazio dira à tous que son mystérieux patient est atteint de démence, et on le laissera tranquille.

N'étant pas neurologue, Ignazio n'a pas d'idée préconçue

quant à ce qui provoque la maladie de sa belle-famille. Il soumet donc l'oncle de son épouse à tous les examens imaginables, mais hormis le niveau extraordinairement élevé de certaines hormones, rien ne paraît anormal. Un dimanche, dans l'établissement déserté, il demande à un ami technicien de soumettre Silvano à un électroencéphalogramme prolongé. Un EEG comporte en général quelques clichés ; ça ne dure qu'une minute. Là, Ignazio en réclame un d'une demi-heure, une véritable séquence filmée de l'activité cérébrale de Silvano. « Rends-moi service, je t'en prie, dit-il, sors-m'en dix mètres de papier, de celui-là. »

Ce qu'il découvre est inédit : les ondes cérébrales de Silvano montent et descendent très brutalement, dessinant une courbe en dents de scie qui ne correspond ni au sommeil ni à l'éveil et ne figure nulle part dans les textes. Cet homme vit dans une sorte de monde intermédiaire. Ignazio se dit que s'il parvenait à casser ce schéma, ne serait-ce qu'une heure, le système de Silvano aurait des chances de retrouver l'équilibre. Il caresse même l'idée de le mettre sous anesthésie générale, mais le souvenir des effets secondaires induits par l'Halcion le fait renoncer. Il désespère. Un jour, il évoque le cas auprès d'un ami ophtalmologue, qui l'informe que la sommité en matière de sommeil est Elio Lugaresi, le directeur de la clinique du sommeil de l'université de Bologne. Le problème de Silvano paraissant concerner un trouble du sommeil, Ignazio ferait bien de le contacter.

Elio Lugaresi s'est consacré à l'étude du sommeil dès le début des années 1960, lorsque c'était encore une quasi-nouveauté. Le choix était audacieux, parce que jusqu'à la moitié du vingtième siècle, le sommeil n'avait pour ainsi dire pas fait l'objet d'étude. Les médecins supposaient que rien ne s'y produisait, de même que rien n'était censé se produire pendant le coma : le cerveau s'éteignait et se mettait au repos. Il suffit pourtant d'observer de près une personne endormie – la respiration irrégulière, la nictation, les mouvements périodiques du corps – pour se persuader du contraire, mais il faut croire que la perspective de consacrer toute une nuit à veiller un dormeur exigeait du corps médical une implication excessive. En outre, le sommeil trouvait son siège dans le cerveau, or, le cerveau était une boîte noire.

À la fin des années 1930, on avait un peu progressé. On

s'était mis à enregistrer les ondes cérébrales grâce à l'EEG. En 1953, un chercheur de Chicago nommé Nathaniel Kleitman avait ainsi découvert le sommeil paradoxal et ses mouvements oculaires rapides[1]. Le fait marquant de cette découverte était qu'elle montrait un cerveau aussi actif lors du sommeil paradoxal que pendant l'éveil. Soudain, l'idée d'un sommeil équivalant à une petite mort s'évaporait, et les huit heures de la nuit laissaient apparaître un paysage nouveau et varié.

Les choses en sont plus ou moins restées là. Dans les années 1980, les chercheurs continuent de ne gratter du sommeil que la surface : ils savent désormais qu'il commence par de fortes ondes alpha, s'approfondit sous forme d'ondes thêta, plus longues, elles-mêmes suivies d'ondes en fuseau, qui transportent le dormeur dans les sinueuses profondeurs de l'onde delta, périodiquement interrompue par l'irruption agitée du sommeil paradoxal. Mais dans le voyage nocturne du corps, les chercheurs sont encore des touristes plutôt que des guides, plus prolixes en descriptifs qu'en explicatifs. Toujours est-il que Lugaresi aime son métier, et qu'il y excelle, puisqu'il se fait une notoriété internationale pour sa subtile lecture des relevés d'EEG, et nationale pour sa capacité à obtenir de la bureaucratie qu'elle lâche des fonds.

Cette dernière qualité est particulièrement impressionnante, parce que si les nations du nord de l'Europe consacrent naturellement une place à l'étude du sommeil, l'Italie ne se sent pas franchement concernée par l'insomnie. Lorsqu'on ne parvient pas à dormir, on dit qu'on a passé *una notte in bianco*, « une nuit blanche », expression qui ne date que du début du vingtième siècle. Mais depuis quelques années, l'Italie ayant intégré le monde moderne industriel, elle en a découvert les problèmes psychologiques. Dans les années 1970, le pays comptait des millions de victimes de troubles du sommeil. Lugaresi, personnage charmeur et persuasif, très engagé à gauche dans sa ville, « Bologne la Rouge », a su tirer parti de la prolifération de *lo stress* : son université acquiert à sa demande des électroencéphalographes de pointe qui font même l'admiration des Américains. Lorsqu'il reçoit l'appel d'Ignazio sollicitant un rendez-vous pour l'oncle de sa femme, Lugaresi le convoque pour le lendemain.

Il rencontre Silvano, Ignazio et Cati dans son bureau de l'Institut de neurologie à l'extrême nord de la ville aux arcades, dans un bâtiment gris fin dix-neuvième, de style vénitien pour la partie supérieure, florentin pour l'inférieure. Dans les années 1920, il a servi de clinique aux victimes de la maladie de von Economo. Lugaresi est impressionné par le bel homme robuste qui se tient devant lui. Il est sensible à sa culture et décèle qu'un certain art de vivre les rapproche. (La seule fois qu'il m'ait été donné de voir Lugaresi en colère c'est quand, m'ayant entraîné dans un restaurant réputé pour sa cave, il s'est aperçu que je n'avais pas bu ; et je ne l'ai jamais vu aussi joyeux qu'un jour d'hiver quelques années plus tard, lorsqu'un restaurateur lui a offert un superbe morceau de truffe à emporter chez lui.)

Un jeune neurologue nommé Pietro Cortelli recueille les éléments d'admission de Silvano. Comme il lui demande ce qui ne va pas, Silvano lui répond simplement : « Je vais mourir. J'ai vu mon père et mes deux sœurs périr de la même chose, c'est un mal qui afflige notre famille depuis des générations. Je peux exactement vous décrire comment cela va se passer. »

Il demande qu'on lui consacre la journée pour raconter son histoire. Il parle à Cortelli de sa famille, qui depuis un siècle et demi bat de sinistres records en matière de décès prématurés, des paroisses aux registres garnis d'étranges disparitions ayant frappé sa famille. La dernière en date est celle de sa sœur Pierina. C'est maintenant son tour à lui. Cortelli cherche à le rassurer. Le jeune médecin est d'un naturel optimiste, et tous ceux qui pénètrent le morne domaine de la neurologie apprennent vite à manier l'euphémisme. « Nous pouvons vous proposer des thérapies et des soins », dit-il.

« Ne perdons pas notre temps à ce genre d'incongruités, répond Silvano. Je suppose que, le moment venu, vous voudrez mon cerveau ? »

On attribue à Silvano une chambre avec un lit confortable. À un ami d'enfance qui vient le voir, il dit : « Eh bien, nous y voilà donc cette fois. » Un caméscope est installé pour le filmer, et l'on parsème sa tête de capteurs reliés à un électroencéphalographe. À côté, Lugaresi, Cortelli et leur équipe observent.

La perversité pathologique de l'insomnie fatale familiale

excite l'imagination de tout le monde, même des scientifiques. Pierluigi Gambetti, l'un des découvreurs de l'IFF, dit que notre famille italienne lui rappelle les habitants insomniaques de Macondo dans *Cent Ans de solitude*, de Gabriel García Márquez, pétrifiés dans un état de « lucidité hallucinée ». Mais en visionnant les images dans le laboratoire de Lugaresi, plus de quinze ans après la mort de Silvano, je ne puis m'empêcher de songer aux contes d'Edgar Allan Poe, dans lesquels les frontières entre conscience, sommeil et mort se brouillent dangereusement. Notamment dans *La Vérité sur le cas de M. Valdemar*, où un médecin raconte l'histoire d'un patient qui, bien que ne présentant aucun signe de vie, répond encore aux questions qu'on lui pose sous hypnose.

Comme Silvano s'y attendait, son état ne fait qu'empirer. Sur un film de mars 1984, on voit ses paupières papillonner. Déjà, comme dans *M. Valdemar*, « le roulement vitreux de l'œil a laissé place à cette expression d'introspection malaisée qu'on ne rencontre jamais que chez les somnambules ». À ses meilleures heures, Silvano parvient encore à lire, les lunettes sur le bout du nez. Pour ne pas laisser lui échapper la notion du temps, il coche chaque jour un calendrier. Il porte un pyjama de soie noire orné d'une pochette et reçoit encore des visites.

Les nuits ne sont pas aussi paisibles. Silvano rêve, revit d'anciens souvenirs, comme ses sœurs avant lui. L'IFF ne décharne pas seulement ses victimes sur le plan physique, elle les ronge aussi psychologiquement. Silvano a toujours accordé beaucoup d'importance aux usages de la société. Au point de retrouver les armoiries de son ancêtre, le médecin vénitien – noir et rouge avec une étoile d'or – et d'en orner la porte de sa chambre. Dans ses rêves, il se coiffe avec soin, comme s'il s'apprêtait pour une fête. Ou alors il salue à la façon des gardes du palais de Buckingham. Il cueille une orchidée et l'offre à la reine d'Angleterre.

Dans ses moments de lucidité, Silvano parvient même à rire de sa situation avec Ignazio et Cati – il dit que le bonnet de capteurs qu'il porte sur la tête lui donne des airs de Célestin V et qu'à l'instar de ce pape du treizième siècle, il renonce à sa couronne – mais cela dissimule mal la terreur qui au fond l'étreint.

Deux mois après son arrivée à Bologne, il hurle aux étoiles, bras et jambes recroquevillés, mais la pochette toujours impeccable. Aux derniers jours, il gît dans une sorte de néant d'épuisement fébrile. « Êtes-vous mort ? » demande le médecin à Valdemar à la fin du conte de Poe. La réponse de Valdemar fait froid dans le dos : « Pour l'amour de Dieu, faites vite ! – vite ! – faites-moi dormir – ou alors, vite ! – réveillez-moi ! – vite ! – puisque je vous dis que je suis mort ! » On croirait entendre Silvano.

Trois mois après son admission, une nouvelle complication l'attend : le règlement de l'établissement n'autorise de séjour indéfini qu'aux patients en phase terminale. Ignazio assure la direction que l'oncle de son épouse ne tardera plus à s'éteindre, mais il n'a pas de preuve tangible de son pronostic. Silvano se voit donc contraint de retourner à Trévise, où exerce Ignazio, jusqu'à ce que Cortelli, le jeune neurologue qui l'a interrogé, le fasse revenir. Deux semaines après, conformément à la prédiction d'Ignazio, Silvano meurt.

Quelque temps avant la fin, Lugaresi a pris conscience qu'un risque se posait – si son patient mourait pendant les vacances d'été, où trouverait-on quelqu'un pour extraire le cerveau ? Il s'est donc arrangé, à ses frais, pour qu'un pathologiste soit disponible, nuit et jour. « Ça n'était pas par charité chrétienne, dit-il. Nous étions sûrs de tenir quelque chose. Il était hors de question qu'on perde le cerveau. » Ainsi, bien que Silvano décède à la veille du 15 août, le pathologiste se présente après quelques heures pour extraire le cerveau, l'immerger dans la formaline et l'envoyer à Pierluigi Gambetti, un ancien élève de Lugaresi parti diriger un laboratoire de neuropathologie à la Case Western Reserve University de Cleveland. (« Pourquoi Gambetti est-il allé à Cleveland ? » m'a un jour demandé Lugaresi, contemplant depuis son bureau les superbes contreforts des Apennins. « Boh ! ») La dépouille de Silvano est renvoyée chez lui, où on l'enterre dans le cimetière où sont déjà tous les siens.

Lugaresi n'avait jamais vu d'ondes cérébrales du type de celles de Silvano : d'abord le sommeil profond en est totalement absent. Ensuite, de temps à autre, Silvano passe directement de l'éveil à un sommeil de type paradoxal sans franchir les étapes intermédiaires – ondes alpha, puis thêta, fuseaux et delta. Plus étrange encore, le sommeil paradoxal ne l'empêche pas de bouger – que ce soit pour nouer sa cravate ou saluer la reine – alors qu'il se caractérise chez le commun des mortels par une paralysie complète.

Avant l'apparition de l'EEG, la neurologie connaissait quand même certaines choses du sommeil. Walter Rudolf Hess, qui obtiendrait le prix Nobel en 1949, avait montré qu'en insérant une électrode dans l'hippocampe d'un chat, on l'endormait. Puis, au sortir de la Première Guerre mondiale, il y avait eu la grande vague d'encéphalite léthargique. Par millions, les victimes s'étaient vu réduire soit à une somnolente inertie, soit à l'hyperactivité sans fin. L'épidémie avait pourvu le grand neurologue autrichien von Economo d'innombrables cerveaux à examiner. Ce qu'il y avait découvert confirmait et prolongeait l'expérience de Hess : les patients qui avaient perdu le sommeil présentaient des lésions dans une certaine région de l'hypothalamus ; chez ceux qui somnolaient, c'était dans une autre. Une étude ultérieure conduite à Pise avait ensuite ajouté à la liste des éléments du cerveau contrôlant le sommeil une partie du tronc cérébral.

À Cleveland, conformément aux instructions d'Elio Lugaresi, Gambetti examine soigneusement l'hypothalamus et le tronc cérébral de Silvano. Il les sectionne avec d'infinies précautions. Curieusement, l'un comme l'autre – à l'image du reste du cerveau – paraissent sains, si ce n'est la présence dans le thalamus de perforations et de grappes étoilées (astrocytes). En fait, la maladie a presque totalement ravagé certaines régions de l'organe.

Ce constat intrigue Gambetti et Lugaresi. Le rôle du thalamus n'est pas très connu des scientifiques, mais il semble intervenir dans les émotions ainsi que dans la surveillance et la transmission de signaux allant et venant entre le cerveau postérieur – qui en est la partie plus ancienne – et le reste du cerveau, puis du corps. Il sert entre autres de feu de signalisation pour certaines fonctions autonomes, comme le contrôle de la température, la libération d'hormones ou la sudation. Diverses substances neurochimiques indiquent quand il faut passer du vert – l'éveil – au rouge – le sommeil. Mais le thalamus de Silvano était tellement rongé qu'il n'y avait plus moyen de passer du vert au rouge. Son extrême transpiration s'expliquait. Le corps n'avait plus jamais cessé de s'activer.

Mais pourquoi l'insomnie ? Outre la maladie de von Economo, d'autres états – notamment le delirium tremens – sont susceptibles d'induire une insomnie aussi sévère que celle de Silvano, mais on ne sait pas vraiment quelles parties du cerveau ils endommagent. Il semble toutefois établi que le thalamus intervient dans le sommeil, mais son rôle n'est pas encore tout à fait clair. En fait, certaines expériences du prix Nobel Hess l'avaient aussi conduit à associer le thalamus du chat au cycle éveil/sommeil, mais, ses successeurs n'ayant jamais pu reproduire ses découvertes, elles ont fini par disparaître au profit de ses travaux bien plus persuasifs sur l'hippocampe. (On découvrira plus tard que l'insomnie associée au delirium tremens est due à l'endommagement du thalamus ; les médecins qui s'étaient acharnés à prendre Assunta pour une alcoolique n'étaient finalement pas si loin de la vérité.)

Ignazio, Gambetti et Lugaresi sont surexcités par leur découverte. Ils baptisent le syndrome du nom provisoire d'« hypersomnolence familiale ». Puis envisagent celui d'« insomnie létale familiale », mais Gambetti trouve que « fatale » serait mieux, et chacun d'approuver. « Insomnie fatale familiale » se retient facilement, ce qui vaudra à cette maladie une publicité largement disproportionnée par rapport au nombre de ses victimes. « Le nom a rencontré un beau succès, se souvient Gambetti. Insomnie fatale familiale était bien plus facile à retenir qu'insomnie familiale fatale, qui aurait pourtant sans doute été plus correct. » L'équipe publie ses résultats en 1986. Mais bien que la maladie porte désormais un nom, les raisons du feu bloqué au vert continuent d'échapper aux chercheurs. Qu'est-ce qui ronge ainsi le thalamus ? Pourquoi ne constate-t-on pas d'inflammation ? Pourquoi la maladie frappe-t-elle généralement passé la quarantaine ?

Pour répondre à ces questions, Lugaresi et Gambetti doivent récolter davantage d'informations, et donc de cerveaux. Cati et Ignazio s'emploient à retracer dans le détail l'historique de la famille. Ils recréent l'arbre généalogique mystérieusement disparu à l'hôpital de Padoue. Cati appelle des parents qu'elle connaît à peine pour leur demander si personne dans leur entourage n'est mort dans d'étranges circonstances. Au fil des ans, Ignazio s'est fait généalogiste amateur. Il tire parti de sa passion des orgues pour se rendre dans les églises du voisinage sous prétexte d'y admirer l'instrument, et se faufiler dans la paroisse, où il photographie les archives comportant le nom de la famille. Peu à peu s'établit ainsi la liste des victimes de la famille, avec la cause supposée du décès de chacun. Luigi, le frère aîné de Pietro, à qui l'on a diagnostiqué une encéphalite, est mort attaché à un lit d'hôpital à Venise en 1930. Leur jeune sœur, Angela, a péri en 1948 dans un hôpital psychiatrique où on l'avait placée pour *dispiacere*, c'est-à-dire « malheur », ou « chagrin ». La cousine de la mère de Cati, Maria, qui vivait à Frioul, a été déclarée paranoïaque schizophrène en 1960 à l'âge de vingt et un ans : elle racontait au médecin avoir découvert le secret de Fatima, mais n'entendait le livrer qu'au pape. Elle annonçait des tremblements de terre et se plaignait que des insectes s'échappaient de sa bouche chaque fois qu'elle parlait. On lui a appliqué un traitement à base d'électrochocs et d'insuline, qui n'a pas mis longtemps à la tuer. À son décès, le médecin a noté que sa température dépassait 43 degrés, graduation maximale du thermomètre[2].

Après la mort de Maria, une rafale de cas a frappé sa branche de la famille : il y a eu sa mère, Emma ; puis la sœur cadette d'Emma, Irma, qui pleurait elle-même le décès de sa propre fille, Rita. Ignazio et Cati sont les premiers à associer l'ensemble de ces décès à une seule cause. Jusqu'alors, on les a toujours attribués à un état d'épuisement lui-même dû à un choc ou au stress : pour Rita, c'est parce qu'elle avait assisté à un accident d'automobile sanglant ; Graziella, elle, avait été pourchassée par un dindon.

Ignazio débusque aussi le cas de deux frères, Primo et Secondo, cousins germains de Pietro, le grand-père de Cati, internés à San Servolo, l'hôpital psychiatrique de la lagune de Venise. Primo a eu quatorze enfants, dont Giuseppe, né en 1933 dans le quartier industriel de Portogruaro. Leur vie n'avait au départ rien de douillet : l'un des frères a été écrasé par un tracteur. Mais Giuseppe a eu l'intelligence de comprendre que son avenir était ailleurs, alors il est parti en Suisse. C'était un homme au physique impressionnant, un *uomo colossale*, comme on disait dans la famille, qui avait un jour tué un taureau au couteau. À la mi-quarantaine, en 1979, il s'est mis à marcher avec difficulté et à avoir des hallucinations. Comme Maria, Giuseppe a été déclaré schizophrène et, à sa mort, les médecins ont apposé la mention « méningite » à son certificat de décès. Mais cette fois, les pathologistes suisses étant peut-être plus scrupuleux que leurs confrères italiens, le neurologue responsable de l'autopsie de Giuseppe a conservé un peu du cerveau parce qu'il n'était pas totalement convaincu de son diagnostic. Ignazio parvient à en récupérer des morceaux qu'il envoie à Gambetti, pour examen du thalamus. Les deux hommes découvrent à leur grande déception un cerveau trop dégradé pour permettre un diagnostic.

Certains membres de la famille refusent tout simplement d'admettre ce que leur annoncent Cati et Ignazio. L'un de ceux-là vient leur rendre visite, un homme d'affaires dont la branche ne compte aucun cas, et se montre catégorique : Silvano et les autres sont morts d'un genre de réaction à retardement, après plusieurs générations, de pellagre – hypothèse évidemment impossible. En vérité, les informations que rassemblent Cati et Ignazio ne sont faciles à accepter pour personne. Cati en perd elle-même régulièrement le sommeil. Mais la recherche des origines du mal leur a fourni un propos commun, un exutoire à tout ce qui se passe autour d'eux. En 1985, Isolina, la mère de Cati, fête ses soixante-cinq ans, et Cati comme Ignazio sont à présent certains qu'elle a passé l'âge de l'IFF. Cati est sauvée. Peu après, ils conçoivent leur fille, Beatrice, qui naît en 1986. (Isolina meurt l'année suivante, d'un cancer des ovaires.)

Lorsque Gambetti et Luganesi publient leurs résultats dans le *New England Journal of Medicine*, en 1986, ils s'attendent bien à voir le monde médical s'agiter, mais pas à ce que la presse italienne, à qui rien n'échappe, s'empare de l'affaire. Un journal publie une photo de Lugaresi, dans laquelle on peut voir pointer sous les couvertures le sommet de la tête de Silvano qui, aux derniers jours de sa vie, s'est recroquevillé en position fœtale. « La mort comme une délivrance », rassure-t-on le lecteur. « Au secours, nous mourons d'insomnie ! » titre un autre journal en première page. Il est question de malédiction familiale séculaire et de « l'interminable agonie » de Silvano. On affirme qu'un nouveau membre de la famille est sur le point de mourir, ou on fait dire à Lugaresi que la malédiction s'interrompt définitivement avec la mort de Silvano, parce que la famille s'est éteinte. Et le journaliste de conclure avec délicatesse : « Espérons que ce ne soit pas qu'un pieux mensonge. » Ces articles paraissent au moment précis où une nouvelle maladie déconcertante afflige les vaches anglaises et catapulte les campagnes ordinairement paisibles du Royaume-Uni au sommaire des journaux télévisés italiens. On ressent indéniablement un certain plaisir à voir ces snobinards britanniques se dépatouiller dans leur épidémie – l'inverse s'est trop souvent produit. Lorsque la peur de la vache folle gagne l'Italie, se souvient Cati, des jeunes de son quartier viennent meugler à sa porte.

Jusqu'ici, la famille n'a pas entendu parler du prion, pas plus que les chercheurs du prion ne connaissent l'existence de la famille : tout ce qu'on sait en 1980 de l'IFF, c'est qu'il s'agit d'une maladie génétique détruisant le thalamus. Mais, en quelques années, les deux mondes, celui de l'IFF et celui du prion, vont peu à peu se rencontrer, et valoir de réels progrès à la connaissance de la maladie.

Après la naissance de Beatrice, une cousine de Cati appelle Ignazio pour lui parler du curieux comportement de sa sœur Teresa, qui déambule dans la maison en se cognant contre les meubles et transpire beaucoup. Elle ajoute que son père et son frère sont morts d'une maladie similaire à la fin des années 1970 ; à présent, sa conviction est faite que, contrairement à ce qu'en disent les médecins, sa sœur n'est pas atteinte de leucoencéphalite, et elle supporte mal le déni que manifeste sa famille. C'est la première fois qu'un membre de cette branche contacte celle de Cati.

Sur l'insistance d'Ignazio, la cousine emmène Teresa à Bologne. De tous les décès auxquels ont assisté les cliniciens, celui-ci est peut-être le plus affligeant : elle n'a que trente-six ans et deux petits garçons. Les premières scènes filmées à la clinique la montrent joyeuse, vêtue d'un pull rouge, les traits doux et les lèvres pulpeuses. Quelques mois plus tard, la tête tombant en avant, comme pour chercher le sommeil, alors qu'un médecin lui fait une prise de sang, elle réagit encore et parvient à sourire. Mais son mal est implacable. Il dépouille peu à peu ses joues de leur douceur. D'immenses cernes lui mangent les yeux dont la pupille est réduite à l'extrême. Comme les autres membres de sa famille, Teresa finit par sombrer dans un quasi-coma d'épuisement, le visage envahi de tics, et meurt. Peu après, une cousine plus âgée nommée Luigia suit le même parcours pour aboutir à la même fin. Chaque fois, Lugaresi prend ses dispositions pour qu'un pathologiste extraie sans tarder le cerveau et l'envoie à Pierluigi Gambetti, à Cleveland.

À l'examen du tissu cérébral de Luigia et Teresa, Gambetti croit déceler quelque chose de significatif, au moment même où Lugaresi de son côté remarque une courbe inhabituelle dans leurs EEG.

L'une et l'autre ont souffert d'une forme moins rapide d'IFF qu'Assunta, Pierina et Silvano – elles ont mis plusieurs années à atteindre le stade qu'ont atteint les précédents en une seule ; les indices laissés sur son parcours par cette forme de la maladie sont donc plus nombreux. Comme les autres, les victimes de la « forme lente » d'IFF perdent le sommeil, mettent en actes leurs rêves et produisent des EEG en dents de scie. Leur organisme cesse également d'obéir au rythme circadien, et pompe des hormones jour et nuit. Mais deux différences cliniques de taille distinguent leur mal de sa version rapide. D'abord, leurs EEG montrent un schéma de redoublements de pics qui évoque immédiatement à Lugaresi les courbes des victimes de la maladie de Creutzfeldt-Jakob. Ensuite, outre les perforations au thalamus, Gambetti découvre des plaques spongieuses dans d'autres régions du cerveau. À sa connaissance, ces plaques ne sont caractéristiques que de deux maladies neurologiques héréditaires, celle de Creutzfeldt-Jakob (MCJ) et le syndrome de Gerstmann-Straussler-Scheinker (GSS).

Par des voies différentes, Gambetti et Lugaresi aboutissent à la même conclusion : l'IFF est une maladie héréditaire du prion. Pour éprouver l'hypothèse, il leur faut le concours de Stanley Prusiner. Heureusement, Gambetti entretient avec ce dernier de bons rapports, ce qui, dans l'univers du prion, vaut mieux que le contraire. « J'avais rencontré Prusiner avant qu'il ne soit devenu Prusiner », dit Gambetti, et c'est là un fait qu'apprécie le futur prix Nobel. Il accepte donc de fournir à Gambetti les anticorps qui lui permettront de tester la présence de prions dans ses tissus atteints d'IFF. Il s'avère que, non seulement chez Teresa et Luigia, mais dans tous les cas d'IFF – rapide ou lente – le cerveau de la victime est infesté de prions malins. Ce sont ces prions qui rongent le thalamus et déclenchent les symptômes de la maladie. (Des expériences ultérieures établiront que les souris auxquelles on supprime le gène du prion montrent une tendance anormale à l'insomnie, ce qui semblerait indiquer que c'est l'absence de prions normaux et non la destruction du thalamus qui provoquerait ce symptôme. Cette interprétation sera renforcée en 1997 lors de la découverte par le laboratoire de Prusiner d'une forme d'insomnie fatale sporadique, comme la MCJ.)

De son côté, Gambetti sait que Prusiner bute sur un problème pour lequel il peut l'aider – une importante étude censée prouver aux sceptiques que le prion déclenche l'infection sans le secours d'acides nucléiques cachés est dans l'impasse. L'un des principaux défauts de sa théorie est qu'elle n'explique pas comment le prion peut provoquer des maladies différentes sur des espèces différentes. Il est capital d'établir cette possibilité, parce que certains chercheurs croient les symptômes déterminés par l'animal receveur, pas par le donneur, ce qui impliquerait que le prion n'est pas lui-même infectieux mais qu'il agit plutôt comme le révélateur d'une infection déjà latente chez le receveur. Prusiner veut leur prouver qu'ils se trompent. Lorsqu'il injecte du tissu prélevé sur une victime de la MCJ à une souris dotée de gènes du prion humains, celle-ci attrape la MCJ : elle perd son sens de la coordination et finit par s'effondrer. Mais lorsqu'il lui injecte le tissu cérébral d'une victime du syndrome de Gerstmann-Straussler-Scheinker, elle ne tombe pas malade du tout. En tant que nouvelle maladie à prion, l'IFF peut compléter son expérience, or, Gambetti en détient des échantillons. Au milieu des années 1990, pour venir en aide à son collègue, Gambetti lui envoie donc des spécimens d'IFF.

Prusiner trouve avec l'IFF la réponse qu'il cherchait : le prion de Creutzfeldt-Jakob provoque chez la souris perte de coordination et mort, alors que celui de l'IFF y ajoute l'insomnie. Il parvient même à purifier les prions de l'IFF et à démontrer que leur poids est différent de ceux de la MCJ et du GSS, ce qui permet de supposer que la distinction entre les diverses maladies à prion tient à la disposition spécifique des atomes de chaque type de prion. Par cette expérience, Prusiner établit que différentes souches de prion provoquent différentes maladies – ce qui est une caractéristique essentielle dans la définition d'un agent infectieux[3]. C'est un pas de géant vers la démonstration que le prion, et lui seul, est responsable de l'infection.

En 1997, un an après que l'IFF a permis de lever le voile sur le mystère des souches de prion, le Karolinska Institute attribue le prix Nobel de physiologie et médecine à Prusiner pour son « nouveau principe biologique d'infection ». L'un des membres de l'Institut déclare au *New York Times* : « Certains ne croient toujours pas qu'une protéine puisse être la cause de la maladie, mais nous l'avons cru. Cela ne fait aucun doute à nos yeux[4]. » Le discours de remise insiste sur le courage dont a fait preuve Prusiner dans la « bataille inégale » qu'il lui a fallu mener contre « une opposition écrasante ». Les détracteurs de Prusiner – ceux qui estiment qu'il usurpe un crédit censé leur échoir comme ceux qui pensent qu'il n'y a aucun crédit à accorder du tout – sont écœurés.

Parmi ceux-là se trouve Carleton Gajdusek, qui, le jour où il apprend l'attribution du prix Nobel à Prusiner, se trouve dans une cellule de prison. Son anticonformisme a fini par lui coûter cher. Le jeune Anga, arrivé nu-pieds et un os dans le nez à l'aéroport de Washington en 1963, n'a été que le premier d'une longue série. Au fil des ans, Gajdusek a cohabité avec cinquante-six préadolescents de Micronésie et de Mélanésie, prenant même une maison plus spacieuse pour pouvoir tous les loger. Son ambition pour eux, confie-t-il à son journal, est de leur faciliter « une prise de contact éclairée avec la culture occidentale leur permettant d'espérer ne pas en devenir les victimes[5] ». Les parents avaient supplié « Doc America » d'emporter leurs enfants pour leur montrer les bienfaits de l'Occident : éducation, argent, soins médicaux. Mais qu'attendait vraiment Gajdusek de ces enfants ? Les visiteurs de ce foyer insolite ne décrivent que ce qu'ils ont constaté : le chercheur se comportait comme un Peter Pan ; les Micronésiens lui tenaient lieu d'Enfants perdus.

Au milieu des années 1990, les agents du FBI commencent à se demander ce qui se passe chez Gajdusek lorsqu'un laborantin de ce dernier – mécontent d'avoir vu rejeter l'une de ses propositions – leur apprend l'existence de son journal. Il a eu l'occasion d'en feuilleter une partie chez un ami auquel Gajdusek en avait confié une copie pour sauvegarde. La curiosité du FBI est attisée par les allusions pédophiles qu'on y trouve. Gajdusek est une personnalité, une cible prestigieuse. « Cette affaire allait nous mettre sous les projecteurs », dira l'un des enquêteurs pour décrire l'excitation qu'éprouve la police à prendre en chasse un prix Nobel[6]. Les agents fédéraux rencontrent l'un des jeunes protégés micronésiens de Gajdusek, un nommé John Clayton Harongsemal, qui raconte avoir été molesté et se dit prêt à coopérer. Ils enregistrent alors une conversation téléphonique entre Gajdusek et Clay, où le savant reconnaît avoir pratiqué le *sir-sir*, terme micronésien désignant une séance de masturbation mutuelle. « Gajdusek s'est exprimé sans retenue, alors on l'a pris », se souvient l'enquêteur[7]. L'enregistrement révèle nettement que Gajdusek estime avoir rendu service à Clay. Il semble avoir appris de ses voyages que l'adoption à l'enfance d'un comportement homosexuel permet une vie hétérosexuelle plus épanouie à l'âge adulte. C'est un raisonnement pour le moins alambiqué et en tout cas intéressé. « Je m'en fiche complètement – de la culture de Papouasie-Nouvelle-Guinée. Ce que j'essaye de te dire, c'est que ce que tu m'as fait, c'est mal », répond Clay avec angoisse à Gajdusek[8]. Mais ce dernier ne l'entend pas ainsi – pas plus maintenant qu'autrefois.

La mise en accusation de Gajdusek jette un soupçon sur son passé ainsi que sur son travail. Ne serait-il pas passé à côté de la vraie cause du kuru par fascination pour les Anga et leur pratique d'« ingestion de semence » ? L'ensemble de son travail en Nouvelle-Guinée n'aurait-il été motivé que par son désir des préadolescents ? Un homme qui dit avoir été victime de Gajdusek en Nouvelle-Guinée, le fils adoptif de l'un de ses plus proches collaborateurs, raconte à un enquêteur de la police

179

d'État que Gajdusek a profité de sa qualité de médecin pour tenter de le séduire. Il aurait diagnostiqué une adhérence du prépuce et cherché à lui pratiquer une fellation[9].

Les personnes qui ont côtoyé Gajdusek pendant ses recherches sur le kuru n'admettent pas qu'on le dise motivé par ses pulsions pédophiles. « En matière de choses sulfureuses, j'en connais un rayon, et s'il avait fait tourner un bordel, je pense que je m'en serais aperçu », dit Jack Baker, l'agent de patrouille de Papouasie-Nouvelle-Guinée qui, avec son chien Kuru, a suivi Gajdusek dans la plupart de ses expéditions dans les Highlands. Lors de la conversation téléphonique enregistrée par la police, sous le questionnement intensif de Clay, Gajdusek reconnaît avoir « touché un ou deux gamins », mais ne parvient ensuite à en nommer qu'un. Hormis Clay, aucun des autres garçons hébergés par Gajdusek n'admet avoir été molesté. Le FBI ne croit pas à leurs dénégations, qui lui semblent, comme le dit un agent, motivées par le fait que les enfants « ne veulent pas renoncer au bon filon qu'ils ont trouvé et retourner vivre dans des huttes de paille, porter le sarong et entendre parler des États-Unis dans le transistor[10] ».

En février 1997, un tribunal du Maryland condamne Gajdusek à dix-huit mois de prison centrale, en reconnaissant qu'il n'en fera que moins d'un an. D'innombrables personnalités de tous horizons – des douzaines de chercheurs de renommée internationale jusqu'au romancier de science-fiction Arthur C. Clarke – signent des pétitions appelant le juge à la clémence. Absence criante, Stanley Prusiner n'est pas du nombre. Dans sa cellule, lorsqu'il apprend que Prusiner a reçu le prix Nobel pour son « nouveau principe biologique d'infection », Gajdusek est estomaqué. N'est-ce pas précisément ce qui lui avait valu *son propre* prix Nobel ?

Dans son journal, il interpelle le lauréat : « Je n'ai jamais trouvé dans tout ce que vous avez écrit ou dit la moindre bribe de pensée personnelle ni d'idée originale sans immédiatement en reconnaître la source, que vous avez systématiquement écartée de votre chemin pour la dissimuler. Vous, hérétique ? Vous, martyr ? Vous, défenseur d'idées inacceptables ? Foutaise ! Vous avez habilement pris en marche un train d'idées créatives et de travaux expérimentaux, et, tout aussi habilement, choisi le bon wagon, pour effrontément proclamer à la presse et aux médias que c'était le vôtre ! Mon respect pour vous diminue à mesure que prend votre méprisable manège et que vous vous vautrez dans cette gloire que vous convoitez tant[11]. » Au fin fond de sa cellule, Gajdusek fait vœu de ne jamais employer le mot « prion ».

Troisième partie

LA NATURE REPREND LE DESSUS

10

Apocalypse Cow
Grande-Bretagne, 1986

> *Un cas, c'est une nouveauté. Deux, une coïncidence.*
> *Trois, un problème.*
>
> Martin Jeffrey, pathologiste,
> Central Veterinary Laboratory, codécouvreur de l'ESB

Au milieu des années 1980, en grande partie grâce à Gajdusek et Prusiner, la recherche sur le prion ne manque pas de prestige. Les meilleurs postdoctorants rêvent désormais de s'y consacrer, alors que récemment encore ils considéraient le domaine de la tremblante du mouton comme une voie sans issue, si tant est qu'ils en aient jamais entendu parler. Chacun de son côté, Prusiner et Gajdusek ont consacré beaucoup de temps à diffuser leur parole. On n'a cessé de les voir aux conférences internationales sur la maladie d'Alzheimer et les autres maladies neurodégénératives, qui initiaient leurs confrères aux mystères d'un mal aussi bien héréditaire que sporadique ou infectieux, sans jamais manquer de laisser entrevoir que le cas recelait peut-être la réponse à l'une des plus tenaces énigmes de la médecine. Après les avoir entendus, les auditeurs repartaient le plus souvent en se demandant s'ils n'avaient pas consacré leur vie à des pathologies infiniment moins captivantes que celle-là.

Une théorie fonctionnelle du prion prend forme : il s'agit d'une protéine ordinaire, fabriquée par un gène ordinaire, qui, d'une façon ou d'une autre, se déforme et contraint les autres protéines à en faire autant. Les spécialistes pensent avoir une idée assez claire de la façon dont cette déformation s'accomplit

185

sur le plan cellulaire et moléculaire. L'incertitude règne en revanche sur celle dont les maladies à prion se propagent dans la nature – il faut dire qu'hormis quelques moutons, quelques vieilles femmes en Nouvelle-Guinée et une poignée de familles qui, comme celle de Venise, présentent une forme génétique de maladie à prion, presque personne n'en souffre.

Ce qu'il faudrait aux chercheurs, c'est une application grandeur nature qui fasse passer leurs travaux de la catégorie des simples curiosités à celle des nécessités médicales, leur rapportant au passage l'argent et le prestige qu'ils méritent pour le temps et les efforts consacrés à l'étude du mystère. L'opportunité se présente à la fin des années 1980, lorsqu'une épidémie de prion frappe le bétail britannique, déclenchant la frayeur alimentaire publique du siècle. À ce jour, l'incident a coûté la vie de quelque 800 000 têtes de bétail et de 160 humains. Dans un premier temps, l'encéphalopathie spongiforme bovine (ESB, plus connue sous le nom de maladie de la vache folle) semble fournir aux chercheurs l'occasion rêvée d'exhiber toute leur science, mais il apparaît bien vite que c'est exactement l'inverse qui se produit. L'épidémie de la vache folle révèle surtout le peu qu'on sait du prion.

Ce rendez-vous manqué est en partie imputable à l'esprit insulaire et protectionniste des Britanniques. Politiciens et scientifiques du pays n'ont cessé de garder leurs distances avec des experts comme Prusiner et Gajdusek, refusant de partager avec eux tant leurs informations que leurs échantillons. Ils ne prennent pas Gajdusek au sérieux, parce qu'il incarne la tradition d'amateurisme à laquelle ils entendent tourner le dos. En revanche, l'antipathie qu'ils nourrissent pour Prusiner est bien plus profonde et revêt un caractère personnel : ce qu'ils détestent, c'est son arrogance. Après avoir conduit les premiers travaux sur la tremblante du mouton avec pour seuls instruments la souris, la seringue et le microscope, ils n'ont pas du tout l'intention de se laisser chiper la vedette par un chimiste high-tech épris des médias et totalement ignorant de la science vétérinaire.

Ce refus de consulter les Américains coûtera cher aux Britanniques. La communauté scientifique du pays sera toujours en décalage face à l'épidémie de vache folle : pendant les dix années que durera la crise, chaque jour leur vaudra son lot de surprises. Avec sa formidable collection d'anticorps, par exemple, Prusiner aurait immédiatement pu les aider à déterminer les morceaux de l'animal dangereux à la consommation, mais on l'a totalement ignoré. En 1990, alors que l'épidémie de vache folle menace très fortement de virer à l'épidémie humaine, le Premier ministre Margaret Thatcher se fait un devoir de signaler à l'électeur que « les meilleurs de nos scientifiques sont penchés » sur le problème. C'est faux. Et si l'électeur savait la distance qui sépare les propos de la dame de fer de la réalité, il renoncerait sans attendre à ses tourtes à la viande et hamburgers.

L'histoire de la vache folle n'est pas simple. Les avis divergent, à tel point que certains y voient même le plus grand triomphe épidémiologique du siècle. Mais s'il est vrai que les chercheurs du gouvernement britannique ne tardent pas à localiser la source de l'infection, il leur faudra huit longues années pour mettre en place une protection efficace de l'homme. Un peu comme si lors de l'épidémie de choléra qui frappa le quartier de Soho en 1854, après que John Snow en eut localisé l'origine dans la pompe de Broad Street, les autorités avaient recommandé aux Londoniens de continuer à y puiser leur eau. Au cours des huit années qui séparent l'identification de l'ESB de l'installation d'une prévention efficace, 200 000 vaches malades et de 600 000 à 1 600 000 autres vaches montrant des indications précliniques d'ESB intègrent la chaîne alimentaire pour aller garnir les rayons des supermarchés britanniques.

À partir des travaux du comité scientifique de l'Union européenne, on peut estimer que du début à la fin de la crise, les Anglais ont consommé jusqu'à 640 milliards de doses d'ESB[1]. Coup de chance, la transmission à l'homme de l'ESB est laborieuse, mais les autorités britanniques n'en savaient absolument rien alors. Elles ont sous-estimé la menace initiale, ignoré la nature unique de l'agent pathogène – l'épidémiologiste en chef du pays ne savait même pas ce qu'était un prion – et permis aux lenteurs bureaucratiques et aux intérêts de l'industrie bovine de prendre le dessus sur la rapidité et la transparence. Le moindre doute rencontré a systématiquement donné lieu à la désignation d'un comité. La seule chose dont elles n'ont pas manqué, c'est la chance. Par bonheur, le prion n'est pas aussi infectieux que, par exemple, la grippe. Autrement, dans le pays, seuls les végétariens de longue date auraient survécu.

Rétrospectivement, il paraît probable que les premiers événements inhabituels observés dans les fermes anglaises remontent à la fin des années 1970. Dans les étables, les laitières, qui sont normalement les plus adorables des bêtes, se mettent à donner des coups de pied aux fermiers. Dans les champs, elles tremblent, marchent de guingois et finissent par tomber. Parfois, elles ne se relèvent plus, ou si elles le font, c'est en ne tenant debout qu'à grand-peine, et en tanguant dangereusement à la recherche de l'équilibre. Pour de toute façon finir par s'effondrer et mourir à leur tour.

La vache n'est pas le mouton ni le cochon – c'est l'animal le plus précieux de la ferme. Quand une vache meurt, on ne se contente pas d'en nourrir les chiens : le fermier tient à savoir pourquoi. Mais la vache n'est pas humaine pour autant, et il faut bien que l'argent rentre quand même pour faire tourner le négoce, ce qui suppose notamment qu'on veille à la note du vétérinaire. L'ensemble de la médecine vétérinaire moderne repose sur cet état de fait, ce qui se traduit dans la pratique par : « Cherche à savoir, mais sans y passer trop de temps non plus. »

Lorsque les vétérinaires anglais voient tomber les premières bêtes, ils croient à un déséquilibre minéral ou organique, comme une carence de magnésium, type de problème assez répandu chez la vache. Cette déficience provoque frissons et convulsions chez la bête, qui se montre excitée, nerveuse. Il arrive même qu'elle tombe. Lorsque le cas se produit, elle peut avoir l'air parfaitement saine au matin et mourir le soir même. C'est l'hypomagnésémie, mais les fermiers anglais parlent de « vertigo de l'herbe » ou « vertigo », en allusion à la démarche de l'animal malade.

Jusqu'à la fin du dix-neuvième siècle, le terme a aussi servi d'appellation à la tremblante du mouton. Dans les années 1980, on trouve encore beaucoup de cas de tremblante en Grande-Bretagne, mais il s'agit d'un problème chronique irrémédiable et sans conséquences sur la santé de l'homme, alors le fermier n'a pas vraiment à s'en soucier. S'il en était autrement, peut-être remarquerait-il certaines similitudes entre le comportement de ses vaches et celui des moutons malades de tremblante. Elles sont constamment en état d'alerte et anxieuses, comme dépassées par leur propre situation. Elles mettent le même acharnement névrotique à se lécher que les moutons à se frotter contre murs et poteaux. Elles portent la tête avec une étonnante raideur, si nettement qu'un fermier quelque peu exercé repère dans le troupeau celles qui sont atteintes à l'œil nu. C'est bien la « tête haute » et le « regard fixe » qu'avaient constatés le vétérinaire français Roche-Lubin chez les moutons infectés au milieu du dix-neuvième siècle[2]. Si l'on caresse le dos d'une vache atteinte de vertigo, on obtient le même type de réaction exacerbée que lorsqu'on le fait à un mouton atteint de tremblante.

À la fin des années 1970, au moment où les vaches anglaises commencent à tomber, une motivation économique supplémentaire incite fortement le fermier à ne pas consacrer trop de temps ni d'argent au diagnostic. Lorsqu'une vache meurt à la ferme, elle devient invendable à l'industrie alimentaire humaine. Alors dès qu'une bête atteinte de vertigo ne réagit plus aux traitements, le fermier s'empresse de l'envoyer à l'abattoir, qui lui en donnera un bon prix et en fera une viande parfaitement consommable – certaines entreprises alimentaires ne déclarent-elles pas ouvertement préférer les carcasses des moutons atteints de tremblante, dont la viande serait plus savoureuse ?

Le problème des vaches atteintes de vertigo se pose au compte-gouttes, année après année – d'abord quelques cas dans le Surrey, quelques autres dans l'Hertfordshire. Au début des années 1980, il s'intensifie, et les vétérinaires les plus concernés commencent à remarquer quelque chose. Comme Raymond Williams, trente-quatre ans, qui voit à l'automne 1983 une vache malade dans une ferme du Wiltshire, au sud de l'Angleterre. L'animal est anxieux, se tient à l'écart sur le trajet de l'étable à l'enclos où il doit être examiné, et perd du poids alors qu'il mange autant que d'habitude. Il montre parfois tant d'agressivité qu'il est impossible de le traire.

Le propriétaire de la ferme est issu de la famille qui possédait autrefois l'ensemble de la vallée, dont le plus gros village,

Castle Combe, a servi de décor au tournage du film *Doctor Doolittle* en 1966. Mais ce fermier-là n'a rien d'un doux dingue ami des bêtes ; il gère son troupeau de 250 têtes à l'aide d'un système informatique. Son programme lui permet d'optimiser la production de lait en ajustant le contenu de l'alimentation. La vache malade est abattue et mise sur le marché.

Dans les mois qui suivent, deux autres vaches apparaissent atteintes dans la même ferme. Puis une quatrième. Raymond Williams prend la décision inhabituelle d'abattre lui-même l'animal, dont il scie la tête et prélève un peu de cervelle. Il extrait aussi le foie et la caillette, l'une des quatre parties de l'estomac du ruminant, qui absorbe les éléments nutritifs et recueille généralement les toxines. Il expédie l'estomac à un laboratoire officiel de Gloucester, et le foie et le cerveau à des chercheurs de l'école vétérinaire de l'université de Glasgow, où il a été formé. Les résultats qu'on lui renvoie sont « indéterminés ». L'un des pathologistes pense que la vache a dû paître non loin d'une batterie de voiture usagée : le plomb qui s'écoule de ce genre d'épave serait susceptible de causer une pathologie semblable à ce qu'il a observé.

Mais une cinquième vache tombe malade. Sur proposition de Williams, le fermier l'envoie vivante à l'université de Bristol. Avec une requête précise : s'il fallait en venir à l'abattre et procéder à une autopsie, qu'on veille à ne pas trop l'endommager, de façon que le fermier puisse la vendre pour consommation humaine. Pendant qu'ils soumettent l'animal à une batterie d'examens, les vétérinaires de Bristol croient un temps qu'il est en train de guérir. Pour expliquer l'excitabilité et peut-être le déclin de la production laitière, ils ne trouvent guère mieux que l'hypothèse d'un défaut dans l'installation de traite électrique. Le fermier ne veut rien laisser au hasard ; il fait abattre la vache et la met sur le circuit alimentaire. Le vétérinaire officiel se contente d'espérer que l'incident, quelle qu'en ait été la cause, soit clos. Mais à cent cinquante kilomètres de là, dans le Sussex, un vétérinaire nommé David Bee, qui ignore tout de ce qui se joue à Castle Combe, observe des cas similaires. Lui aussi soumet des vaches à l'autopsie et obtient des résultats négatifs. Il finit par envoyer une vache vivante au centre officiel d'investigation vétérinaire. Depuis quelque temps, cette bête tremble et perd l'équilibre. Les vétérinaires d'État procèdent à son euthanasie, déposent du tissu cérébral sur des lamelles de microscope qu'ils envoient au laboratoire vétérinaire national, dans le sud-est de Londres.

En septembre 1985, c'est à une pathologiste nommée Carol Richardson qu'il échoit d'examiner ces tissus. Richardson n'a pas vraiment de renommée, même dans le monde relativement confiné de la pathologie vétérinaire, mais le hasard veut qu'elle ait toujours été très intriguée par la tremblante du mouton. Du temps de ses études, dans les années 1970, son professeur l'avait initiée au captivant mystère. Au microscope, il lui avait révélé les perforations jonchant le cerveau, puis raconté la controverse qui régnait sur la question, notamment le fait qu'on n'ait jamais réussi à isoler l'agent infectieux. En revoyant dans le cerveau de la vache le type de perforations que lui a montrées son professeur des années plus tôt, Richardson identifie immédiatement ce qu'elle a sous les yeux. « Un frisson m'a parcouru l'échine, se souvient-elle, je me suis dit que j'étais tombée sur la tremblante de la vache. »

Bouillonnant d'impatience, elle porte les lamelles jusqu'au bout du couloir, pour faire confirmer ce qu'elle a vu par un collègue. La confirmation ne viendra pas. Gerald Wells, le collègue en question, observe les échantillons, lit le rapport et n'adhère pas aux conclusions de Richardson. Il dresse la liste de ce qui est susceptible de perforer le cerveau des vaches et renvoie le tout à Richardson assorti d'un diagnostic de toxine fongique. Elle acquiesce, sans pour autant approuver, et transmet les conclusions de Wells à David Bee, le vétérinaire. Le diagnostic de la toxine fongique est une impasse, l'équivalent vétérinaire du « boh ! » italien. Bee est déçu, mais le syndrome disparaît de la ferme de son client, alors, comme Raymond Williams avant lui, il passe à autre chose.

Six mois s'écoulent. Un troisième vétérinaire, Colin Whitaker, observe plusieurs vaches au comportement étrange dans une ferme du Kent. C'est une grande exploitation, du lot des anciennes possessions de Lord Plurenden, un citoyen allemand qui a fui le nazisme pour devenir le puissant président du British

Agricultural Export Council. Plurenden est mort en 1978, mais ses affaires lui survivent. Les vaches de cette ferme ont un excellent pedigree, ce sont des productrices de pointe ; aux concours locaux, elles raflent les prix.

Les bêtes qu'examine Whitaker se montrent particulièrement agressives. Elles n'hésitent pas à charger lorsqu'on les en défie et ont même cherché à mordre quand on a essayé de les forcer à la trayeuse. « C'était assez dangereux », se souvient Whitaker – et troublant, aussi. Whitaker fait venir le vétérinaire officiel local, qui envoie deux cerveaux au laboratoire de pathologie où ils sont réceptionnés par Gerald Wells, l'homme qui a contredit le diagnostic de Richardson au sujet de la vache de David Bee. Whitaker et Wells sont amis, ils ont partagé la même chambre à l'université. Le premier explique ce qu'il a vu au second, qui examine les échantillons au microscope électronique, soupèse ce que lui a dit son camarade de faculté, et conclut sans douter un instant qu'il se trouve face à un cas de tremblante chez une vache. La perspective d'entrer dans l'histoire de la médecine l'excite terriblement. Il n'a pas l'ombre d'un souvenir du rapport que Richardson lui a remis l'année précédente. Il franchit le couloir pour partager sa découverte avec un autre collègue, Martin Jeffrey.

Heureuse coïncidence, Jeffrey a récemment été appelé dans un zoo du Hampshire pour examiner les tissus extraits d'un nyala – un genre d'antilope de la famille des bovidés – mort mystérieusement. Le cerveau de la bête était perforé de partout. « J'ai quelque chose d'intéressant à te montrer », dit Wells à Jeffrey. Et Jeffrey de répondre : « J'ai justement quelque chose d'intéressant à te montrer aussi. » Ils traversent une fois encore le couloir jusqu'au bureau de leur chef, Raymond Bradley, patron du service des pathologies, pour lui livrer la nouvelle : la tremblante du mouton semble avoir franchi la barrière des espèces. Non seulement ils tiennent une nouvelle maladie, mais c'est une maladie dont les conséquences économiques sont immenses. Wells conserve le souvenir de la grande excitation qui les prend tous[3]. C'est pour ces instants-là qu'ils ont choisi de devenir pathologistes.

Bien qu'il partage leur joie, Bradley ne cache pas une certaine angoisse : il se fait du souci pour le consommateur de bœuf anglais. Le fait que la tremblante du mouton n'ait jamais été transmise à l'homme n'implique pas forcément que celle de la vache ne le soit pas. En présence d'une maladie dont on sait si peu de chose, mieux vaut ne préjuger de rien. Il dresse un rapport – Bradley adore les rapports, au point de les rédiger lui-même à la main lorsque les dactylos sont occupées à autre chose – qu'il remet à son chef, un nommé Howard Rees, l'autorité vétérinaire supérieure.

Rees ne se laisse pas fasciner par le mystère qui entoure la situation. « J'ai immédiatement songé à l'industrie », se souvient-il. Dans les années 1950, les États-Unis ont interdit l'importation de mouton anglais, puis, en 1976, la consommation de tout mouton ou agneau provenant d'un troupeau contaminé, et cette décision coûte chaque année de l'argent au pays. Pour cette raison précise, Rees tente de garder le secret sur la nouvelle, en attendant que ses services soient en mesure d'établir un lien avec la tremblante. Il va sans dire que le niveau de preuve requis est particulièrement élevé. En consultation permanente avec ses supérieurs au ministère de l'Agriculture, Rees décide que le peu d'informations dont disposent ses vétérinaires ne sortira pas de leur petit groupe. Il sait parfaitement que les universités et instituts de recherche, en Grande-Bretagne comme à l'étranger, fourmillent de brillants spécialistes de la tremblante susceptibles de leur prêter main-forte – et qui *rêveraient* de le faire – mais n'entend pas leur en fournir l'occasion.

La plupart des vétérinaires dans le secret travaillant pour son compte, Rees parvient à le maintenir un temps. Sur son ordre, un article auquel travaillait Gerald Wells sur les premiers cas qu'il a observés est amputé de moitié, pour brutalement s'interrompre à la ligne précédant la première mention du mot « tremblante ». Un autre que Jeffrey entend publier au sujet du nyala est bloqué, et une conférence du vétérinaire Colin Whitaker, qui a observé les cas à la ferme de Lord Plurenden, censurée. Whitaker avait dressé la liste de dix-sept causes possibles de cette nouvelle affliction. La dix-septième était intitulée : « Un nouveau syndrome de type tremblante (?) » Après le passage du ministère, le mot « tremblante » a disparu. Whitaker se souvient avec amertume : « Il ne restait plus qu'"un nouveau syndrome de type" suivi d'un gros pâté noir. »

En mai 1987, le ministère de l'Agriculture recense dix-neuf cas confirmés ou soupçonnés de cette nouvelle pathologie bovine. Quel est ce mal ? D'où vient-il ? L'homme qu'on choisit pour étudier la question est un épidémiologiste nommé John Wilesmith. C'est un spécialiste de la tuberculose du blaireau – il ne connaît quasiment rien à la tremblante – mais le ministère apprécie surtout sa qualité de fonctionnaire aux ordres.

L'irruption d'une nouvelle maladie est avant tout un casse-tête logique. Il faut commencer par se demander ce que tous les cas ont en commun. Puis ce qu'ont subi les individus atteints que les autres n'ont pas subi. Le point d'intersection de ces deux questions indique l'origine du problème. En théorie, ça n'est pas très compliqué.

Mais, dans le cas présent, différents facteurs brouillent les pistes. D'abord, la tremblante n'est elle-même pas très bien connue. Ensuite, la nouvelle maladie reste encore sous la chape du secret officiel. Troisièmement, la vie des vaches est très lourdement soumise à l'influence humaine. L'homme les nourrit, les pulvérise d'insecticide, les féconde, les trait, leur fournit gîte et pâturage, et chacune de ces pratiques agricoles varie d'une région à une autre – on ne rencontre pas les mêmes en Écosse que dans le Somerset. En outre, les éleveurs ne conservent que peu d'archives, et racontent souvent des histoires plus inspirées du folklore que des faits. Les soigneurs amateurs pullulent dans le pays, en vendant des remèdes que le fermier ne connaît qu'à moitié. « Les vétérinaires passent le plus gros de leur temps à vérifier ce qui se trouve sur l'étagère de l'éleveur », raconte Wilesmith.

Wilesmith entreprend sa visite des exploitations en juin 1987, et se fait accompagner de vétérinaires locaux du type David Bee ou Colin Whitaker. Il affiche un ton délibérément aimable et veille à ne pas se montrer menaçant – il sait assez l'effet perturbant pour un fermier de voir la brave vache qu'il connaît depuis toujours devenir folle sous ses yeux pour ne pas lui imposer après coup l'irritation supplémentaire du questionnement d'un fonctionnaire. Pour l'heure, il demeure légal d'envoyer une vache malade à l'abattoir tant qu'elle est capable de marcher, mais il ne faut pas être particulièrement malin pour comprendre que si le ministère prend la peine d'envoyer un épidémiologiste jusque chez vous, c'est que cela risque de ne pas durer. Wilesmith a conscience qu'il n'obtiendra de témoignage véridique des éleveurs qu'en gagnant leur confiance.

Dans un premier temps, il pense que la tremblante a dû venir d'un vaccin destiné aux vaches. L'irruption apparemment concomitante en plusieurs lieux à la fois plaide pour la thèse des foyers multiples et simultanés, et Wilesmith sait d'expérience que ce genre d'infection n'a pas de cause plus probable qu'une vaccination. Il conserve le souvenir de l'irruption accidentelle de tremblante provoquée en Écosse dans les années 1930 par le vétérinaire W. S. Gordon alors qu'il essayait de perfectionner son vaccin contre le louping-ill. Mais les entretiens de Wilesmith avec les fermiers ne permettent d'incriminer aucune injection commune à toutes les vaches.

Il s'attarde ensuite sur les insecticides. L'éleveur expose ses bêtes à une considérable quantité de substances chimiques – du Ridect pour les mouches, du Valbazen, de l'Ivomec et du Paratect pour les vers. Ils versent du Tiguvon, un gaz nerveux hautement toxique, sur le dos des vaches pour les protéger du varron. Wilesmith se penche particulièrement sur les pyréthrinoïdes, version artificielle d'un dérivé du chrysanthème dont les fermiers badigeonnent l'étiquette que les vaches portent à l'oreille pour éloigner les mouches. On utilise essentiellement des pyréthrinoïdes dans le sud de l'Angleterre, qui compte bien plus de mouches et concentre aussi la plupart des cas de cette nouvelle maladie aux allures de tremblante. Mais après sept mois d'observation de cervelle de vache au microscope, le laboratoire vétérinaire central atteint des conclusions excluant cette piste. Les pathologistes ont découvert que les cerveaux des vaches présentent non seulement des perforations, mais aussi de petites plaques de protéines amyloïdes : des dépôts de protéines cérébrales mortes. Ils ne comprennent pas comment les pyréthrinoïdes pourraient produire ces plaques, qu'on ne trouve dans le monde animal que chez les bêtes frappées de tremblante.

Entre-temps, Colin Whitaker, le vétérinaire de la ferme de

Lord Plurenden, livre son exposé, celui que le ministère a censuré, à l'occasion d'une conférence de vétérinaires du bétail. Il raconte les tremblements, et l'attitude agressive des vaches qu'il a vues dans le Kent. Malgré les coups de ciseaux infligés à son texte, l'assistance comprend très bien ce dont il est question. David Bee, le vétérinaire qui a observé des cas auparavant, est dans la salle. Après l'exposé, il prend la parole ; « J'ai déjà vu ça », dit-il, à la grande irritation de Whitaker. D'autres s'exclament : « On dirait la tremblante, mais chez la vache. » Dans les mois qui suivent, plusieurs journaux spécialisés évoquent la maladie sans nom, puis c'est le *Daily Telegraph*, premier quotidien national à le faire, qui, en octobre 1987, raconte qu'une « mystérieuse maladie du cerveau tue les vaches laitières anglaises, et les vétérinaires ne trouvent pas de remède ».

Le ministère de l'Agriculture baptise officiellement la maladie du nom d'encéphalopathie spongiforme bovine, pour des raisons opposées à celles qui avaient incité Prusiner à donner celui de « maladies à prion » aux encéphalopathies spongiformes virales transmissibles – il faut surtout qu'on l'oublie aussi vite que possible. L'encéphalopathie spongiforme bovine est une maladie qui, selon l'*Economist*, « fait ravaler leur langue aux vétérinaires et détraque le cerveau des vaches ». L'appellation de l'ESB n'est pas à la hauteur de ses spectaculaires symptômes : des vaches qui flanquent des coups de sabot au vacher, qui le chargent à genoux en espérant le frapper de la tête. Pour dépeindre le tableau, la presse s'essaye à différents adjectifs – ces bêtes sont tour à tour « dingues », puis « idiotes », « carrément givrées », jusqu'à ce que le *Sunday Telegraph* finisse par parler de « maladie incurable de la "vache folle", qui emplit le cerveau de trous et rend mabouls ces animaux si dociles[4] ». Malgré toute la haine que lui voue le ministère, force est d'admettre que le nom est accrocheur.

Si Wilesmith se consacre à présent pleinement à l'éclaircissement du mystère, ses supérieurs sont empêtrés dans le conflit d'intérêts qui tourmente le ministère, tiraillé entre l'intérêt supérieur de l'agriculture nationale et la sécurité de l'approvisionnement alimentaire du pays.

Dans le même temps, les pathologistes du laboratoire vétérinaire central rencontrent un autre type de problème : ils n'ont plus la capacité d'accueil suffisante pour les quantités de cerveaux qu'on leur envoie pour autopsie. Leurs confrères d'un laboratoire d'Édimbourg spécialisé de longue date dans la tremblante du mouton se prétendent capables de confirmer dans la journée la présence d'ESB dans une vache, grâce à une version du test à base d'anticorps mis au point par Prusiner et divers laboratoires. Les Américains se tiennent prêts eux aussi. Ça n'empêche pas le laboratoire vétérinaire central de préférer continuer à découper des cerveaux en rondelles, teinter les tissus et les caler sur des lamelles – ce qui peut parfois prendre des semaines entières – pour y déceler une fois encore les trous et les plaques d'amyloïdes si parlantes. Comme si la recherche sur le prion n'avait pas déjà dix ans d'existence.

En novembre 1987, on recense 32 cas confirmés d'ESB et 96 soupçonnés, sur plus de 50 fermes. La plupart de ces dernières ne comptent encore qu'un seul cas. Mais l'une d'elles en a déjà vu 11. Les fermiers continuent pour la plupart d'envoyer leurs bêtes malades aux rayons des supermarchés. Wilesmith a désormais considéré puis exclu toute possibilité d'origine chimique, environnementale ou génétique. Les regards se tournent donc naturellement vers l'alimentation, mais, en bon épidémiologiste, Wilesmith est réticent à l'idée même d'infection véhiculée par l'alimentation, car les acides digestifs sont particulièrement efficaces dans la stérilisation de ce que reçoit l'estomac. Il est vraiment difficile d'attraper une maladie par ce qu'on mange. Mais dans les registres alimentaires des éleveurs, Wilesmith retrouve constamment l'expression « tourteau au parloir », comme une sinistre rengaine.

Le « tourteau », préparation concentrée de protéines, est habituellement donné au moment de la traite, c'est-à-dire au « parloir », quand l'animal est seul et qu'on peut lui donner un supplément adapté à ses besoins. Les vaches l'apprécient – il est aromatisé à la mélasse – et elles y voient une récompense pour leur bonne coopération à la traite.

Les protéines du tourteau proviennent en grande partie de la viande d'autres animaux d'élevage, notamment ceux rendus impropres à la consommation humaine parce qu'ils sont morts sur le terrain. En général, des négociants se présentent pour emporter le bétail ainsi « tombé », qu'ils revendent à l'usine de transformation des déchets animaux. Cette dernière fait bouillir les cadavres, puis traite chimiquement les carcasses qu'elle envoie aux entreprises d'alimentation bovine, qui les mettent en boîte et les vendent aux éleveurs. On ne peut pas exclure, mais c'est hautement improbable, songe Wilesmith, qu'un agent infectieux particulièrement coriace survive à un tel périple.

Wilesmith découvre plusieurs autres faits étayant la thèse du tourteau. Parmi les vaches malades, beaucoup sont très jeunes, c'est-à-dire qu'elles ont été contaminées juste après la naissance. Or, l'ESB frappe davantage les bêtes laitières que les bêtes à viande ou nées à vocation laitière mais vite intégrées à des troupeaux de boucherie. Wilesmith se demande donc ce qui distingue le traitement des races laitières de celui des races à viande. Il constate que dans le second cas on laisse les génisses téter leur mère, alors que dans le premier on les retire à leur mère et on leur donne du lait concentré. Le fermier tient à garder le lait maternel pour le vendre, il ne saurait être question que les génisses lui biberonnent ainsi le bénéfice.

En janvier 1988, Wilesmith reçoit l'appel d'un responsable des services vétérinaires qui accrédite encore un peu la thèse du tourteau. Le zoo Marwell, dans le Hampshire, vient de perdre un nouvel animal apparenté aux antilopes, un gemsbok, des suites d'une étrange maladie. C'est dans ce zoo qu'est mort le nyala en 1986. L'autopsie confirmant que le gemsbok est bien mort d'encéphalopathie spongiforme, Wilesmith pose aux gardiens la même question qu'à tous les fermiers : quelque chose a-t-il récemment changé dans la vie du gemsbok ? Oui, lui répond-on, son alimentation – le fabricant des aliments pour antilopes a remplacé les protéines de soja par des protéines de viande pour abaisser ses coûts de fabrication.

Wilesmith tient désormais le tourteau, parfois aussi dit « farine de viande et d'os », dans le collimateur. À mesure que la certitude le gagne, il demande aux industriels de l'alimentation animale et du fourrage s'ils ont modifié quelque chose dans le traitement de la viande au cours des cinq dernières années, laps de temps écoulé depuis le départ estimé de l'épidémie. Ils lui répondent qu'ils emploient davantage de morceaux ovins, notamment de cervelle de mouton. Ils ont aussi abaissé la température de cuisson de leurs farines de viande et d'os et cessé d'ajouter certains dénaturants chimiques. Wilesmith se dit que chacune de ces modifications suffirait à elle seule à permettre qu'un agent pathogène parvienne vivant à la bouche de l'animal. Fort de cette information, début 1988, il estime avoir assez d'éléments pour coucher son hypothèse sur le papier. Des particules infectieuses de la tremblante du mouton survivent au processus d'élaboration d'aliments animaliers, à l'issue desquels elles contaminent les vaches laitières. Il envoie son rapport à ses supérieurs du ministère de l'Agriculture.

Wilesmith s'est saisi d'un problème complexe et il a trouvé la bonne réponse, avec des moyens extrêmement réduits. Le ministère tient à présent un mécanisme et une cause. La vache folle provient de la tremblante du mouton, ce qui est un grand soulagement pour l'industrie bovine britannique, puisque, comme chacun sait, il n'y a aucun risque à manger du mouton atteint de tremblante. Le ministère promet que l'ESB s'avérera tout aussi bénigne pour les consommateurs de bœuf – un discours incontestablement dicté par la défense de ses intérêts – et la quasi-totalité des experts mondiaux de la tremblante – Prusiner inclus – acquiescent.

La nouvelle entraîne en outre épidémiologistes et vétérinaires britanniques sur un terrain peu familier : nul ne sait prédire la forme d'une irruption de tremblante, ni sa durée, ou la façon de la contenir, et encore moins si tout ce qu'on raconte de la quasi-irréductibilité de la tremblante se vérifiera pour les vaches. Si, en pistant l'ESB, Wilesmith était remonté jusqu'à un virus classique, l'ensemble de ces questions ne se poserait pas, mais l'avenir paraît à présent très incertain. Cela n'empêche nullement le ministère de l'Agriculture de s'atteler à la réparation du problème mis en évidence par John Wilesmith, sans douter un instant que le plus dur soit fait.

11

Beuglements officiels
Grande-Bretagne, 1996

> *Je crois très sincèrement, et aucune information*
> *jusqu'à ce jour ne m'a persuadé du contraire, que le bœuf*
> *britannique tue.*

> Anthony Bowen,
> père de Michelle Bowen,
> victime de la maladie de la vache folle

Au dix-huitième siècle, dans le Leicestershire, l'éleveur Robert Bakewell avait « substitué la chair profitable aux ossements inutiles » et créé le mouton au profil de barrique qui nourrirait les nouvelles masses industrielles du pays. Impressionnés par sa réussite, les éleveurs bovins ont voulu exercer le même type de magie sur leurs vaches, et les imitateurs se sont multipliés à mesure que les conditions de vie s'amélioraient et que le public demandait chaque fois plus de viande et de lait.

Au fil des ans, par des méthodes de sélection agressives, les éleveurs ont remodelé la vache anglaise, uniformisant sa couleur au blanc et noir, écartant ses naseaux et renforçant sa mâchoire. Surtout, ils l'ont dotée d'une charpente plus solide, capable de supporter d'immenses mamelles. On lui a même surélevé l'arrière-train pour faciliter l'accès de ses pis aux génisses (ainsi qu'au trayeur).

Bakewell avait voulu faire du mouton une machine à « convertir le fourrage... en argent ». Les intentions des éleveurs bovins britanniques n'étaient pas différentes, si ce n'est qu'ils disposaient de meilleurs outils, notamment par l'accès mondialisé à la semence des meilleurs taureaux et le recours à un système performant de traçage des lignées championnes. Les résultats n'ont pas déçu. Au sortir de la Seconde Guerre mondiale, la vache anglaise s'est mise à battre record sur record. Alors qu'aux alentours de 1940 une bonne vache fournissait quelque 4 000 litres de lait par an, le double pour une championne, en 1985, il n'était pas rare qu'une vache de choix produise 15 000 litres. Une bête d'exception a même donné 726 814 litres de lait au cours de sa vie. En 1946, un journal agricole constatait les progrès accomplis : « On n'aurait su trouver plus piètres animaux que ceux qui ont finalement donné lieu à tant de progrès aussi importants que fabuleux[1]. »

Mais l'élevage n'est qu'un volet des méthodes employées pour optimiser la production de lait. L'autre touche à l'alimentation. Comme toute mère ayant allaité le sait bien, la production de lait est une activité très exigeante en protéines. Les meilleures vaches laitières ont donc été soumises à une diète particulière. Au point qu'on a pu lire dans un journal agricole de 1963 : « Si, pour un meilleur rendement, vous n'êtes pas disposé à nourrir les bêtes en conséquence, laissez tomber[2]. »

Le premier à avoir songé que les protéines animales pouvaient répondre à ce besoin, c'est le baron von Liebig – celui-là même qui, en son temps, avait contesté la théorie microbienne de Pasteur[3]. Au milieu du dix-neuvième siècle, von Liebig, enseignant à l'université de Giessen, dans le sud-ouest de l'Allemagne, a remarqué qu'en Amérique du Sud d'immenses tanneries jetaient des tonnes de viande de bœuf faute de pouvoir les faire parvenir en Europe avant qu'elles ne s'avarient. Lecteur attentif de Malthus, il s'est dit qu'une partie de ces protéines pourrait servir à nourrir la classe ouvrière européenne croissante. C'est ainsi qu'il a inventé un extrait de bœuf à forte teneur en protéines, un cube de concentré, tiré des carcasses de vache inexploitées. L'astuce consistait à prélever la totalité de l'extrait de protéine, de sorte que le cube ne rancisse pas au cours du long voyage jusqu'en Europe.

Avec son cube, von Liebig a rencontré un franc succès – dans toute l'Europe, les femmes de constitution fragile se sont mises à consommer du « liebig »[4] – mais près d'un an après avoir créé son extrait de viande pour l'homme, il s'est aperçu qu'il pouvait aller plus loin. Son bénéfice était en partie rogné par le fait que les surplus invendus de son extrait de bœuf finissaient systématiquement à la poubelle. Il les a donc récupérés, assaisonnés de sel et agrémentés de ce qu'un journal a délicatement appelé « de la fibre de déchet de viande » pour en nourrir les cochons[5]. Au début, ces derniers n'en ont pas voulu, mais il a suffi d'y adjoindre un édulcorant pour qu'ils l'acceptent. Les fermiers n'ont pas mis longtemps avant d'en nourrir, outre les cochons, les vaches et les poules. (Les chevaux, eux, n'ont jamais cédé.)

En fin de compte, deux types de protéine animale sont entrés dans la composition de l'alimentation animale[6]. Il y a eu la « farine de viande américaine », faite de ce que les humains ne consomment pas, et la « farine de cadavres allemands », tirée des cadavres d'animaux malades. L'une et l'autre assuraient une rapide prise de poids du bétail ; l'une et l'autre ont fait un tabac dans l'univers de l'élevage. L'idée d'un risque d'infection par voie alimentaire à partir d'animaux malades a bien effleuré les éleveurs d'alors, mais les manuels scientifiques de l'époque assuraient par exemple qu'en soumettant la viande « à de la vapeur surchauffée dans d'amples tambours dotés de lames tournantes[7] », on supprimait toute infection, la concoction donnant une poudre inoffensive.

Contraindre une bête d'élevage naturellement végétarienne à manger une autre bête d'élevage, c'est la rendre cannibale malgré elle – ce qui met l'homme, comme l'avait dit Robert Parkinson, le détracteur de Bakewell, « en opposition à son Créateur » – mais von Liebig voyait les choses d'un autre œil. Il préférait se considérer comme un conservateur, un homme qui améliore le cycle naturel de la naissance, la croissance et la mort. Rares sont ceux qui ont trouvé la pratique immorale. Au contraire, après la Seconde Guerre mondiale, les autorités britanniques *exigeaient* que les aliments pour bovins contiennent 5 % de protéine animale – toute proportion inférieure aurait constitué une tromperie de l'éleveur. Au fil du temps, ce supplément est devenu indispensable aux vaches : l'élevage sélectif avait fait de chaque bête une productrice de pointe et, comme dans le dopage des athlètes, il lui fallait un petit plus pour maintenir ses performances au plus haut niveau. Faute de quoi, non seulement sa production s'en ressentait, mais elle devenait stérile ou trop faible pour paître. Passé un certain stade, les éleveurs anglais ne pouvaient plus faire autrement que de donner du tourteau à leurs vaches.

En s'engageant dans cette course, les fermiers des années 1980 ne visaient pas spécialement les dividendes que leur rapporterait le surcroît de lait obtenu, pas plus qu'ils n'étaient motivés par le désir de nourrir les masses : l'Angleterre, comme le reste de l'Europe, produisait déjà trop de lait et de fromage. L'attitude de ces éleveurs relevait plus que tout d'un certain machisme. La vie d'un éleveur de vaches laitières est, par certains aspects, fort curieuse : il passe ses journées à planifier l'œstrus de ses vaches et à masser leurs mamelles endolories en y appliquant de la pommade. Dans son univers, les plaisanteries tournent toujours autour d'orgies inséminatrices et ses bêtes sont en constante compétition pour les honneurs. En 1985, un encart publicitaire pour un concentré laitier défiait ainsi l'éleveur : « Êtes-vous vraiment sûr de vous croiser avec ce qu'il y a de mieux[8] ? » En donnant aux vaches des protéines animales, on n'était pas tant en train de les amener à pleinement réaliser leur potentiel physique que d'aider le fermier à réaliser le sien.

Dans les années 1980, l'éleveur britannique se rêvait en champion. Or, un champion se devait de posséder une vache championne, et une vache championne requérait nécessairement une protéine spéciale. Non que les fermiers aient eu conscience de donner aux vaches des restes d'autres vaches : ils savaient juste qu'il s'agissait d'un certain type de protéine animale et ne cherchaient pas trop à en savoir plus du moment que ça marchait. Ce dont ils étaient sûrs, c'est que, chaque matin, il fallait se lever avant le jour, comme avant eux leurs pères et grands-pères, pour être ponctuel au rendez-vous de la traite. Sauf que désormais, quand ils s'y présentaient, les vaches leur donnaient des coups de pied.

On est en mars 1988. Sir Donald Acheson, l'autorité médicale suprême en Grande-Bretagne, l'équivalent du *surgeon general* aux États-Unis, s'apprête à faire son entrée. En pleine tragédie de la vache folle, c'est le moment où l'on voudrait lui crier : « Faites analyser les hamburgers, Sir Donald ! Les tourtes à la viande ! Protégez les adolescents ! » Quinze mois ont passé depuis la réaction officielle à l'épizootie d'ESB, pendant lesquels la mécanique prétentieuse et rouillée du gouvernement britannique a péniblement progressé. Le ministère de l'Agriculture a fait le lien entre l'ESB et la tremblante, à travers le concentré protéique de mouton contenu dans l'alimentation des vaches. Le travail très persuasif de Wilesmith a mis en lumière toute l'importance du département vétérinaire du ministère, où l'on entend parfois suggérer que l'ESB tombe à pic pour protéger la corporation des innombrables coupes budgétaires de Mme Thatcher.

Le ministère de l'Agriculture est déterminé à ce que l'ESB demeure un problème de santé animale ne concernant que les vétérinaires. Les plus hauts responsables ignorent l'un après l'autre les incessants appels provenus des mois durant de leur infatigable directeur de laboratoire des pathologies, le passionné des rapports, Raymond Bradley, qui leur suggère de s'intéresser aussi aux implications de l'épidémie *sur l'homme*. Sa proposition d'entreprendre des tests sur les animaux pour vérifier si l'ESB est transmissible aux « primates (et, par inférence, à l'homme) » est approuvée, mais le ministère a pour priorité d'abattre sans tarder toutes les vaches malades pour rassurer les partenaires de la Grande-Bretagne à l'exportation. La tâche exige qu'on demande aux éleveurs de signaler la présence d'ESB dans leurs troupeaux ; tout animal abattu sera payé. Le hic, c'est que le ministère ne dispose pas du budget nécessaire à un tel dédommagement ; pour que le Trésor accepte de débloquer ce genre de somme, il faudrait qu'un responsable de la santé affirme que l'ESB constitue une menace pour l'homme. À l'époque, on dénombre environ cinq cents cas d'ESB chez la vache et aucun chez l'homme.

Or, justement, Sir Donald n'est pas pressé d'aider le ministère. La retraite approche et il ne tient surtout pas à effrayer le monde par des déclarations précipitées. Il n'a jamais entendu parler de l'ESB et ne connaît pas grand-chose à la tremblante du mouton, alors avant de prendre quelque décision que ce soit, il préfère s'entourer d'un comité d'experts. Comme nombre d'autorités médicales du pays, il est habité d'une foi immense dans le consensus scientifique.

Le comité qu'il désigne, baptisé « groupe de travail Southwood », du nom du professeur de zoologie qui le préside, tient sa première séance en juin 1988. Bien qu'il n'y ait aucun spécialiste du prion parmi eux, les membres entrevoient immédiatement le risque que des vaches atteintes d'ESB intègrent la chaîne alimentaire et, au grand soulagement du ministère, recommandent que soit immédiatement signalée, abattue et détruite, moyennant compensation, toute bête infectée. Le nombre de cas rapportés par les éleveurs grimpe aussitôt en flèche. Les autorités ne doutent pas un instant que les étables seront vite nettoyées et que le bœuf anglais retrouvera bientôt la place qui était la sienne.

Au ministère, on ne s'attend pas à ce que le grand public trouve dans les nouvelles mesures matière à s'inquiéter, mais la population commence à relever certaines incohérences dans l'attitude officielle. Pourquoi consacrer des millions de livres à des vaches malades si le risque humain n'existe pas ? Le ministère, appuyé par Sir Donald, tient sa réponse toute prête : le gouvernement n'agit que par excès de précaution.

En attendant, le groupe de travail Southwood et les experts qu'il consulte se forment sur le tas. Ils découvrent, par exemple, que l'agent de l'ESB pénètre l'animal par la bouche avant de suivre le parcours digestif jusqu'aux organes censés filtrer l'infection – les amygdales, l'intestin et la bile – d'où il gagne les systèmes nerveux central et périphérique avant d'atteindre le cerveau. Ils apprennent aussi que les pâtés, les tourtes à la viande et même certains aliments pour bébés contiennent ces organes en grande quantité. Le groupe de travail recommande donc leur interdiction, mais seulement dans les aliments pour bébés, ce qui ne manque pas d'attiser encore les doutes du consommateur : si les morceaux des vaches infectées sont mauvais pour le bébé, comment ne le seraient-ils pas pour l'adulte ? Le gouvernement interdit ensuite tous les abats dans l'ensemble de l'alimentation destinée à l'homme, mais accorde aux industriels un délai transitoire pour les retirer du circuit. Les fabricants d'aliments pour animaux domestiques s'interrogent : ce qui a rendu folles les vaches ne risque-t-il pas d'en faire autant avec les chiens, les chats ou les perroquets ? Les aliments qu'ils commercialisent sont faits à partir d'un concentré provenant des mêmes animaux malades qui jusqu'alors ont composé la farine de viande et d'os qu'emploient les éleveurs. La corporation prend l'initiative d'adopter le même interdit – mais avec effet immédiat. Pendant cinq mois, en Grande-Bretagne, il sera donc plus sûr d'être un chien qu'un humain.

Si en public, les responsables du gouvernement martèlent qu'il n'y a aucun danger à consommer de la viande porteuse d'ESB, au sein du gouvernement, certains se montrent plus réalistes : ils savent que le ministère et Sir Donald se fondent sur des suppositions. Nul ne sait réellement d'où vient l'ESB, comment elle se propage et si elle se transmet à l'homme. « L'ultime aspect du problème, écrit un sous-secrétaire du ministère de l'Agriculture, est celui qui me paraît le plus préoccupant. Rien ne prouve que l'homme puisse être infecté, mais nous ne pouvons pas affirmer que le risque n'existe pas. » Le fait que la tremblante ne soit pas transmissible à l'homme permet-il de conclure que l'ESB ne l'est pas non plus ? Il faudra attendre deux ans pour en savoir un peu plus, quand les tests sur les primates proposés par Bradley livreront leurs résultats.

En 1990, le grand public commence à mesurer le gouffre qui sépare ce que le gouvernement prétend savoir de ce qu'il sait réellement. D'une part, le groupe de travail Southwood a prédit que l'épizootie d'ESB ne produirait au total que vingt mille cas et le chiffre sera bientôt dépassé, trois cents nouveaux cas apparaissant chaque semaine (on atteindra le paroxysme avec trente-sept mille cas pour la seule année 1992). On apprend alors qu'un grand coudou, un oryx d'Arabie et un élan du zoo Marwell ont rejoint le nyala et le gemsbok sur la liste des victimes de l'ESB. Plus inquiétant encore, une expérience de transmission par voie orale de l'ESB à des souris est en train de démontrer que l'ESB contenue dans l'alimentation peut franchir la barrière des espèces. Un fait confirmé au mois de mai lorsqu'un chat de Bristol reçoit le diagnostic d'encéphalopathie spongiforme féline.

L'apparition de l'encéphalopathie spongiforme féline chez Max – promptement rebaptisé « Mad Max » par la presse – relance l'inquiétude du public. En janvier 1990, sa maîtresse a remarqué qu'il marchait avec difficulté. Curieusement, quand elle lui caressait le dos, le chat faisait avec la bouche des mouvements de léchage et de mastication, exactement comme le mouton atteint de tremblante. En avril 1990, Max subit l'euthanasie ; l'autopsie de son cerveau montre d'innombrables perforations. Après examen plus poussé, l'encéphalopathie spongiforme est confirmée, révélation abondamment relayée par la presse, et la confiance publique tombe en chute libre. Jusqu'à ce moment, le pays s'est montré relativement complaisant pour la série de récits dérangeants venus du front bovin, mais une semaine après qu'on a connaissance du cas de Max, les écoles refusent le bœuf britannique. Près du quart des consommateurs affirment quant à eux qu'ils n'en mangeront plus.

Le bœuf anglais et ses promoteurs ripostent. À la télévision, le ministre de l'Agriculture, John Gummer, fait avaler un hamburger à sa fillette de quatre ans*. Les responsables officiels font la tournée des écoles pour les persuader de remettre le bœuf au menu. La Commission des viandes et du bétail, organisme subventionné par l'État dont l'activité consiste à promouvoir les produits de la ferme, lance un concours pour élire le « produit de boucherie pour enfants le plus savoureux et le plus innovateur ». (Ce sont les « Oinkies », des boulettes de saucisse et de fromage, qui l'emportent[9].)

Mais le public s'attend à de mauvaises nouvelles, et ses soupçons se confirment en mars 1991, lorsqu'un veau est déclaré atteint d'ESB près de trois ans après que la cause de l'épidémie – l'ajout de protéines bovines à l'alimentation des vaches – soit censée avoir été supprimée. Comme toujours, diverses théories circulent sur les raisons de l'échec des efforts officiels pour endiguer l'infection. Plusieurs chercheurs pensent que la maladie se transmet de mère en fille ou par l'intermédiaire d'un terrain contaminé – comme on l'a toujours cru de la tremblante – mais Wilesmith montre à juste titre du doigt les fabricants qui, enfrei-

---

* Le visage de la petite Cordelia trahit surtout qu'elle préférerait manger n'importe quoi d'autre – on prétextera par la suite que la viande était trop chaude – et la conscience collective conservera de l'événement l'image d'un coup de publicité raté (le vocabulaire politique britannique s'est depuis enrichi de l'expression « faire un Gummer » pour désigner ce genre de loupé).

gnant la loi, continuent de mêler des protéines de mouton ou de bœuf à l'alimentation destinée aux vaches. On apprendra plus tard que les éleveurs trichent aussi, en continuant d'utiliser leurs vieux stocks. Ils estiment que si les autorités n'ont pas ordonné de saisie, c'est que les aliments contaminés ne doivent pas être si dangereux que cela. Et puis, le gouvernement n'a-t-il pas répété jusqu'à la nausée qu'il n'y avait rien à craindre du bœuf ?

Wilesmith découvre en outre que les fabricants ne nettoient pas leur matériel assez régulièrement. Ils versent dans la même machine une cargaison de protéines bovines en préparant des aliments pour poulets, puis une autre de protéine de poulet lorsqu'il s'agit d'aliments bovins, et l'une contamine l'autre, ce que confirment des analyses – les protéines infectieuses bovines sont de retour dans l'alimentation des vaches.

Les experts commencent à mesurer combien l'épidémiologie du prion est épineuse, et les paramètres à considérer pour une réglementation alimentaire réellement exhaustive atteignent un tel degré de complexité que la nouvelle loi interdisant la présence de protéine animale dans l'alimentation bovine n'entrera pas en vigueur avant 1994. Et la première loi interdisant toute protéine animale dans toute alimentation animale ne suivra qu'en 1996, soit cinq longues années plus tard. Entre-temps, le gouvernement ne pourra faire guère plus que se féliciter de voir l'épidémie franchir son pic, les cas se raréfiant quelque peu.

Mais de nouvelles surprises attendent au tournant. Les expériences de transmissibilité commandées par Raymond Bradley dès le début de la crise sont enfin arrivées à terme. En 1991, deux ouistitis auxquels on a inoculé des tissus de mouton atteint de tremblante développent la maladie. Or, le ouistiti est un primate, comme l'homme. Le gouvernement ne se gêne pas pour crier victoire, sous prétexte que deux autres singes auxquels on a injecté l'ESB lors de la même expérience sont en bonne santé ; l'ESB serait donc nettement moins infectieuse que la tremblante. Malheureusement, moins d'un an plus tard, les deux ouistitis en question exhibent les premiers symptômes de la maladie de la vache folle.

De nouveaux travaux laissent à présent entendre que les recommandations du groupe de travail Southwood n'ont pas été assez loin ; la vache malade comporte davantage de tissus infectieux qu'on ne l'a cru. En 1994, on interdit donc la consommation d'intestin de veaux âgés de deux mois et plus – l'âge auquel la particule infectieuse apparaît à cet endroit. En 1995, l'ensemble de la tête de la vache, à l'exception des joues et de la langue, est interdit. Puis, ce sont les joues. Finalement, seule la langue est consommable, à condition qu'on sache l'extraire de la tête sans en déloger les tissus à risque alentour.

Le public découvre au sujet du processus qui conduit la viande de bœuf jusqu'au supermarché des choses qu'il aurait préféré ne jamais savoir. Il apprend par exemple que les abattoirs séparent le muscle des abats sans vraiment faire le détail. L'équarisseur n'est pas un Vésale des temps modernes. La vache est parfois abattue d'une balle, ce qui risque de répandre de la cervelle contaminée dans le reste du corps. En outre, c'est au jet d'eau pressurisé qu'on arrache les petits bouts de chair collés à l'os, dans des parties de la carcasse dangereusement proches des tissus infectieux de la moelle épinière. Le produit de cette méthode, qu'on appelle viande séparée mécaniquement, « ressemble davantage à une pâtée qu'à des morceaux de viande identifiables », selon les propres termes d'un responsable de supermarché désarçonnant de franchise – c'est la première composante des hamburgers. En décembre 1995, le gouvernement interdit la séparation mécanique de viande sur les vertèbres d'animaux âgés de six mois et plus.

Reste le dernier aspect du problème – l'ESB se transmettra-t-elle à l'homme ? En janvier 1994, sous l'immense titre : « Vache folle : le chaînon humain ? », un tabloïd raconte le cas d'une jeune fille de seize ans, Victoria Rimmer, alors aveugle et muette dans un hôpital de Liverpool. Elle est tombée malade début 1993. Cela a commencé par des défaillances de la mémoire – en rentrant d'une soirée, elle n'a pas su retrouver sa maison –, suivies d'une « douleur fulgurante au bras droit et au cou », et de troubles de la coordination. Lorsqu'elle marche, déclare sa grand-mère, on dirait « les vaches malades d'ESB qu'on voit tituber à la télévision ». À en croire le journal, ce sont là les symptômes courants de la version sporadique de la maladie de Creutzfeldt-Jakob, sauf que la jeune fille a quarante ans de moins que les victimes ordinaires de cette maladie. La grand-mère ne manque pas de préciser par ailleurs que Victoria « ne se nourrit que de hamburgers ».

Le gouvernement répond par de nouvelles banalités. « Les faits sont clairs, dit le Dr Kenneth Calman, l'homme devenu premier responsable de la Santé à la place de Sir Donald. La maladie de Creutzfeldt-Jakob est extrêmement rare et s'attrape de multiples façons. Rien ne permet de supposer que la consommation de viande contaminée en soit l'une. » Le Premier ministre John Major, successeur de Margaret Thatcher, écrit personnellement à la mère éplorée d'une jeune confectionneuse de tourtes à la viande décédée de la MCJ pour lui rappeler que « la maladie de la vache folle NE SE TRANSMET PAS à l'homme[10] ».

En privé, les autorités ne cachent pas leur confusion. Si Vicky Rimmer est bien atteinte de la forme sporadique de la MCJ, ce serait le plus jeune cas constaté depuis vingt-trois ans dans le pays. Las de voir le gouvernement botter en touche, quelques chercheurs indépendants font part aux journaux de leur conviction que la jeune Rimmer a été infectée par les hamburgers et les saucisses. « La conclusion est inéluctable : l'ESB est entrée dans notre chaîne alimentaire[11] », affirme Stephen Dealler, microbiologiste new-yorkais et infatigable pourfendeur du ministère de l'Agriculture britannique. Pendant deux semaines, la photo de Vicky est partout. Avec son minois d'adolescente, ses immenses pendentifs aux oreilles et ses longs cheveux raides qui lui tombent dans les yeux, elle conquiert les tabloïds. Un journaliste qui obtient de visiter sa maison rapporte ce qu'elle a écrit sur le calendrier au mur : « Je veux retrouver ma vie[12]. »

L'évolution de son état finit par troubler tout le monde. Vicky Rimmer ne veut pas mourir. Les médecins ne lui donnent que quelques mois à vivre, voire quelques semaines, mais elle reste dans le coma – pas pour un mois ni un an, mais année après année – en 1994, 1995, 1996 et l'essentiel de 1997. Le temps de retomber dans l'anonymat[13].

En attendant, d'autres cas surviennent d'adolescents frappés de la MCJ, trop nombreux et rapprochés pour qu'il s'agisse d'une coïncidence. Le gouvernement comprend que sa ligne de conduite est intenable. Le 20 mars 1996, Stephen Dorrell, ministre de la Santé, prend la parole au Parlement pour annoncer ce qui a déjà paru sous forme de conclusion provisoire dans la presse scientifique et de rumeur dans les journaux depuis deux ans : le bœuf britannique est en train de tuer les adolescents britanniques. Le premier décès confirmé est celui de Stephen Churchill, un étudiant du Wiltshire âgé de dix-neuf ans, en mai 1995. Dès 1989, sur proposition du groupe de travail Southwood, les autorités avaient installé une cellule d'observation à Édimbourg, à la recherche d'éléments indiquant la transmission à l'homme de l'ESB. Sauf que si de tels éléments se présentaient, comment le savoir ? Comment reconnaître ce qu'on n'a jamais vu ? Cela se révèle plus simple que prévu : les cerveaux de Churchill et de neuf autres adolescents atteints présentent d'impressionnantes plaques amyloïdes, des dépôts de protéines mortes quasiment visibles à l'œil nu. Si l'on a cru qu'il s'agissait de cas de MCJ sporadique, tout désigne à présent une maladie à prion due à l'ESB. Les chercheurs ne peuvent que rester cois face à des échantillons dont l'état de dégradation, craignent-ils, annonce la plus grave épidémie de l'ère britannique moderne. On parle de « nouveau variant » de la maladie de Creutzfeldt-Jakob, pour les similitudes pathologiques constatées avec les formes sporadique et génétique de cette dernière.

Humilié et impuissant, le gouvernement britannique a perdu toute emprise sur les événements. L'Europe se ferme au bœuf britannique. (John Major ne manque pas d'exprimer « l'effarement » que cela lui inspire[14].) Le marché s'effondre. Les grandes surfaces annulent leurs commandes, les marchands de bétail cessent leurs achats, et le fermier se retrouve avec toute une population de vaches dont nul ne sait si elles sont propres ou impropres à la consommation. Dans une revue agricole, une bande dessinée intitulée « Apocalypse Cow ! » met en scène une vache transportant un écriteau où l'on peut lire « La Fin est Proche »[15].

La blague n'est pas si délirante que ça. Le public réclame l'abattage de l'ensemble du cheptel britannique – soit 11 millions de têtes. Toujours obnubilé par les coûts impliqués, le gouvernement s'y refuse. Il finit toutefois par décider qu'on abattra tout animal âgé de plus de trente mois – le temps scientifiquement constaté nécessaire à rendre la quantité présente de prion dangereuse (ce qui sera par la suite démenti). Entre 1996 et 1999, les autorités font abattre 3,3 millions d'animaux, malades ou pas, pour plusieurs milliards de livres. « La ménagère veut retrouver sa confiance dans le bœuf, explique un industriel du secteur dans un rapport à la Chambre des communes. On va la lui rendre[16]. »

Mais rassurer la ménagère n'est plus aussi simple que cela. De même que personne n'a su prédire ce qui arriverait aux troupeaux, nul ne sait ce qu'il adviendra des humains. Tous ceux qui ont mangé de la viande de bœuf, ne serait-ce qu'une fois, sont-ils condamnés ? Ou seulement quelques-uns d'entre eux ? Les journaux imaginent pour le tournant du siècle des scénarios rappelant ceux du kuru, où l'Angleterre pleurerait cinq cent mille morts par an et subirait l'isolement de la quarantaine. Le président du comité d'experts qui a succédé au groupe de travail Southwood dit ne pas pouvoir « exclure qu'on atteigne 500 000 cas[17] », et, en 1999, l'autorité médicale suprême du pays, Liam Donaldson, qui a succédé au remplaçant de Sir Donald, livre une fourchette d'estimation : « Entre moins d'une centaine et plusieurs millions[18] » de personnes mourront d'ESB dans les années qui viennent.

L'épidémie n'atteindra finalement que la limite basse de cette fourchette. À ce jour, cent cinquante Britanniques sont morts du variant de la MCJ (« nouveau » a progressivement disparu du nom de la maladie à la fin des années 1990), soit moins que ceux qui, sur la même période, sont morts en tombant d'une échelle, et dix fois moins que les noyés. Quelques cas possiblement indigènes sont signalés en France, en Italie, en Irlande, au Portugal, en Espagne, en Corée du Sud et au Japon. Et, en 2004, une femme de vingt-cinq ans qui a passé son enfance en Grande-Bretagne meurt aux États-Unis. En revanche, le nombre des porteurs du prion est nettement supérieur, même si l'analyse de l'appendice et des amygdales d'individus anglais en bonne santé laisse entendre que près de quatre mille Britanniques seraient contaminés – mais on ignore totalement s'ils mourront tous de la maladie de la vache folle, et même s'ils en connaîtront les symptômes[19]. L'homme est peut-être capable de transporter une certaine quantité de prion difforme dans son organisme sans développer la maladie. Par ailleurs, chaque nouvelle année confirme que l'épidémie a sans doute franchi son pic. En fait, les experts du Collège impérial de Londres, qui évoquaient en 1997 une épidémie frappant dix millions de personnes, estiment à présent que le nombre probable de décès ne dépassera pas sept mille « avec 95 % de certitude ». John Collinge, l'un des principaux chercheurs britanniques du prion, prévient que « pour l'instant, mieux vaut ne pas nous estimer sortis du bois », mais d'autres prétendent qu'il ne cherche par là qu'à maintenir le montant des subventions. Fin 2004, le gouvernement britannique autorise à nouveau l'abattage et la vente des bêtes de plus de trente mois, ce qui, dans les faits, revient à déclarer qu'à ses yeux la crise de l'ESB est passée. L'incertitude qui règne autour de l'épidémie d'ESB – le pire est-il passé ou à venir ? – apparaît nettement à l'occasion de l'intervention de Stanley Prusiner, en octobre 2005, dans une conférence allemande sur le prion. Sur l'estrade, face aux sept cents visages qui le contemplent, il déclare que cette réunion est la plus grosse jamais tenue sur la question, pour aussitôt ajouter en aparté qu'elle le restera peut-être à jamais[20].

De tous les décès imputables à la vache folle, l'un des plus frappants est sans doute celui de la jeune Clare Tomkins, vingt-quatre ans[21]. Elle habite le Kent, non loin de la ferme où se sont produits les premiers cas parmi les bovins qui ont attiré l'attention du ministère. C'est une jeune femme pleine de vie et d'humour. Si Vicky Rimmer incarnait la réalité postindustrielle du pays, Clare en est le rêve préindustriel, petite Anglaise typique aux boucles blondes et aux taches de rousseur qui apparaissent au premier rayon de soleil. Elle possède un cheval et travaille chez un marchand d'animaux domestiques. Chaque semaine, elle verse une partie de sa paye à une œuvre de bienfaisance pour les animaux.

En 1996, à peu près au moment où le ministre de la Santé déclare que l'ESB semble avoir atteint l'homme, Clare entre en dépression, pleure constamment et ne mange plus grand-chose. Elle refuse de s'éloigner de ses parents. On la croirait retombée en enfance.

Bientôt, elle se met à avoir des hallucinations, à chanceler, à éprouver des secousses irrépressibles, des douleurs aux genoux et un engourdissement des lèvres. Lorsqu'elle mange, elle se plaint que tout a mauvais goût.

Les cas de variant de la MCJ s'étant accumulés, le neurologue qui l'ausculte y songe tout de suite. Il en parle à sa famille, mais celle-ci lui répond que Clare est végétarienne de longue date. Pourtant, en octobre 1997, à partir d'une biopsie des amygdales, les médecins diagnostiquent bien la maladie. Pendant quelques mois, l'état de Clare reste stable, quoique pitoyable, puisqu'elle hurle « comme un animal blessé, malade, se souvient son père. Elle vous regardait comme si vous étiez le diable incarné. Ses yeux reflétaient la peur. Elle hallucinait ». Vers la fin, incontinente et quasiment aveugle, il faut l'attacher. La mort viendra comme un soulagement un mois plus tard, en avril 1998.

Le cas de Clare soulève une nouvelle gamme de questions sur une épidémie qui n'en manque déjà pas. Elle n'a par exemple plus mangé de viande depuis l'âge de treize ans, en 1985, à l'époque où, a priori, l'ESB n'existait pas, ou presque pas, en Angleterre. Faut-il n'y voir que de la malchance ? L'explication selon laquelle l'ESB serait apparue bien avant que le gouvernement ne l'ait vue paraît nettement plus convaincante. La mort de Clare vient renforcer les innombrables critiques que s'est attirées le travail épidémiologique de John Wilesmith. Une bonne part de ses conclusions se sont révélées fausses : les modifications apportées au milieu des années 1980 à la préparation des aliments pour animaux n'ont pas pu augmenter la présence de prion dans la farine de viande et d'os, et la suppression des puissants solvants n'y a pas changé grand-chose non plus, pas plus que le fait qu'on ait employé davantage de têtes de mouton. En d'autres termes, si le tourteau contenait du prion en 1988, il en contenait aussi probablement déjà en 1958.

D'autres études ont jeté un doute sur le fait même que la tremblante du mouton soit à l'origine de l'épidémie. L'analyse moléculaire révèle que le prion de l'ESB ne ressemble pas à celui de la tremblante, en tout cas une fois injecté dans le bétail. Le prion de l'ESB apparaît comme une souche unique, inconnue jusqu'alors, de maladie à prion. (Il a fallu que le département américain de l'Agriculture prenne l'initiative de réaliser ces études ; les autorités britanniques ont été plus que réticentes à mettre à l'épreuve la théorie selon laquelle l'ESB provenait du mouton.) Si le gouvernement anglais avait su que l'ESB pouvait ne pas être « la tremblante de la vache », il aurait pris de tout autres mesures. D'une part parce qu'il se serait montré beaucoup plus hésitant à laisser ses concitoyens continuer à manger de la viande. D'autre part, s'il avait su que, comme le suggère la nouvelle théorie, l'ESB est apparue au milieu des années 1970 dans une ferme anglaise, où une vache victime de la forme sporadique de la MCJ a été envoyée à l'usine de fabrication d'aliments pour animaux, il se serait bien mieux préparé à l'épidémie qui a frappé le cheptel – 800 000 têtes infectées – parce qu'il aurait compris que l'agent infectieux avait déjà traversé plusieurs cycles d'infection, d'abattage et de réinfection avant qu'on ne le remarque, au bout d'une décennie.

La crise laisse planer bien d'autres mystères. Comment a commencé la maladie de la vache folle ? Pourquoi certaines personnes développent-elles la maladie et pas d'autres ? Est-ce qu'elles ont mangé plus de viande, ou une viande d'un autre type ? Pourquoi la plupart des victimes du variant de la MCJ sont-elles jeunes ? Pourquoi a-t-on constaté davantage de cas de ce variant dans le Nord de l'Angleterre, alors que le gros de l'ESB se trouvait dans le Sud ? Pourquoi les années 1980, et pourquoi l'Angleterre ? (Les pays européens ont massivement importé des aliments contaminés de Grande-Bretagne, mais le continent n'a connu que de petites irruptions de la maladie de la vache folle.) Mystère supplémentaire : pourquoi l'Angleterre connaît-elle encore des cas d'ESB, peu fréquents, mais une centaine par an quand même ? Les mangeoires dans lesquelles on a mis des prions infectieux vingt ans plus tôt seraient-elles encore contaminées ?

Pour les protagonistes de ces années délicates, cette absence d'explications n'aide pas à tourner la page. L'ancien ministre de l'Agriculture John Gummer, par exemple, n'a toujours pas digéré. Aujourd'hui encore, il se demande quelle a été son erreur : « As-tu bien analysé tous les indices dont tu disposais ? As-tu tenu quoi que ce soit pour acquis ? As-tu manqué de sincérité ? N'as-tu pas fait ton travail ?... As-tu, de quelque façon que ce soit, omis de tout entendre et de tout vérifier[22] ? » (Et Jim Hope, l'un des principaux chercheurs britanniques du prion, de commenter : « Les experts, c'était nous... Nous ne détenions pas beaucoup de réponses [mais] plutôt que de l'admettre devant le grand public, nous avons pensé qu'il valait mieux donner l'impression de maîtriser la situation, ce qui n'était pas le cas et ne l'a jamais été[23]. »)

Le message n'est pas vraiment passé partout. En ce début de siècle, partant de l'hypothèse que la vache folle est venue de la tremblante, l'Europe s'emploie à supprimer le « vivier » potentiel d'une nouvelle irruption d'ESB en élaborant une race de moutons à l'épreuve de la tremblante. Malheureusement, depuis, les chercheurs ont découvert que les génotypes qui renforcent la plupart des souches de tremblante sensibilisent les autres. Simultanément, des chercheurs français ont rencontré un cas d'ESB chez une chèvre[24]. Lorsqu'il saute d'une espèce à l'autre, le prion change à la fois de forme et de force ; autant dire que nul ne sait si le prion d'ESB de la chèvre sera dangereux pour le mouton, la vache et l'homme ou s'il s'en tiendra à la chèvre. Malgré tous nos efforts, nous paraissons plus vulnérables que jamais.

12

Au diapason du prion
États-Unis/Angleterre, des années 1970 à nos jours

> Chaque soir, avant de me coucher, je remercie la
> grande vache folle là-haut dans le ciel, parce que c'est
> l'ESB qui a vraiment apporté de l'argent à notre secteur.
>
> Paul Brown, du NIH[1]

Les cicatrices de l'« épidémie de vache folle » en Europe sont encore apparentes aujourd'hui. L'interdiction par l'Union européenne de la plupart des aliments génétiquement modifiés en fait partie, tout comme les spéculations qui se poursuivent sur Internet quant à l'origine du mal – on dénonce tour à tour les insecticides employés sur les vaches contre le varron, la poussière spatiale[2], une expérience japonaise de guerre biologique en Papouasie-Nouvelle-Guinée, ou encore un complot américain conduit par Carleton Gajdusek de mèche avec la CIA*.

« Cette fois, les experts sont muets », écrit le quotidien britannique *Today* en 1994, après l'apparition du premier cas probable de variant de la maladie de Creutzfeldt-Jakob – et c'est vrai. Mais paradoxalement, en faisant étalage du peu qu'ils savent des maladies à prion, les experts ont vu leur budget de recherche croître au-delà de leurs rêves les plus fous. La colère

---

* En 2005, un article du *Lancet* suggère que l'ESB proviendrait de restes humains infectés de Creutzfeldt-Jakob sporadique mélangés à de la protéine de vache en Inde et mis sur le marché britannique pour consommation bovine – c'est-à-dire que si les vaches ont transmis une maladie à prion à l'homme, elles n'ont fait que lui rendre la monnaie de sa pièce. Voir Susarla K. Shankar et P. Satishchandra, « Did BSE in the UK originate from the Indian Subcontinent ? », *The Lancet*, vol. 366 (9488), 3 septembre 2005, p. 790-791.

du public contre les autorités qui n'ont pas su le protéger – la « vache folle » compte parmi les raisons de la chute du gouvernement de John Major en 1997 – incite les États à investir dans la recherche des sommes plus importantes que jamais auparavant. Dotée d'un montant dérisoire à l'origine, elle atteint 300 millions de dollars au milieu des années 2000. Chacun jure qu'on ne l'y reprendra plus.

Une part de cet argent sert à établir l'épidémiologie précise des maladies à prion ; une autre à mieux comprendre les risques posés à l'homme par la consommation de viande infectée ; et la majeure partie du reste, à améliorer les tests du bétail vivant. Mais les chercheurs ont compris aussi que si leur travail doit servir à quelque chose, il doit déboucher sur des applications. L'épidémie de vache folle ne durera pas éternellement, pas plus que le sentiment d'urgence qui l'accompagne. Ainsi, de même qu'on investit de l'argent dans des domaines comme la transmission du mouton à la vache, des millions de livres, d'euros, de dollars sont alloués à la recherche médicale de base. L'espoir des scientifiques est que leurs travaux aient des applications dépassant largement les seules maladies infectieuses ou héréditaires du prion, qui ne touchent que quelques milliers d'individus dans le monde. Ils veulent aussi bien prendre une part active à la victoire sur d'autres maladies qu'apporter certaines innovations dans d'autres domaines que celui de la biologie.

L'idée que le prion puisse avoir des implications sur d'autres maladies n'est pas neuve. En fait, elle trottait dans l'esprit de Carleton Gajdusek dès 1957, lorsque, fraîchement débarqué en Papouasie-Nouvelle-Guinée pour y étudier le kuru, il avait promis au NIH que s'il parvenait à en « casser » le secret, « les maladies de Parkinson, de Huntington, la sclérose en plaques et bien d'autres[3] » suivraient probablement. De retour aux États-Unis, après avoir réussi à transmettre le kuru au chimpanzé, en 1965, il a tenté de tenir sa promesse, et injecté massivement aux animaux des tissus porteurs d'autres maladies neurologiques. Mais de toutes les maladies neurodégénératives que Gajdusek a tenté de transmettre – Creutzfeldt-Jakob, sclérose en plaques, sclérose latérale amyotrophique, Alzheimer, Parkinson et Huntington, parmi beaucoup d'autres –, seule celle de Creutzfeldt-Jakob s'est avérée transmissible. À la grande déception de Gajdusek, les autres sont restées « insaisissables ».

Au moment où il devient le meneur de la recherche mondiale dans le domaine, Stanley Prusiner ravive l'espoir de voir le monde se mettre au diapason du prion. En fait, en 1982, le moment est idéal pour introduire sa nouvelle appellation de l'agent de la tremblante, « prion ». Il ne s'agit pas seulement de se débarrasser d'un nom encombrant, mais d'établir aussi un nouveau principe de maladie. Pour désigner une personne souffrant de n'importe quoi allant du rhume à la rage, on dit qu'« elle a un virus ». De même, Prusiner espère qu'on dira qu'« elle a une maladie à prion » pour désigner quelqu'un atteint de n'importe quoi allant de la MCJ à... à quoi au juste ?

La liste établie par Prusiner réunit les troubles neurodégénératifs étudiés par Gajdusek – Parkinson, Huntington, Alzheimer, sclérose en plaques – et quelques autres, dont certains troubles du système immunitaire comme la maladie de Crohn, l'arthrite rhumatoïde et des maladies métaboliques comme le diabète de l'adulte.

Voici longtemps que, ponctuellement, certains faits suggèrent l'existence de points communs entre ces maladies. Si la plupart des cas sont héréditaires, elles semblent aussi souvent frapper au hasard. Le stress paraît agir comme un facteur aggravant et la fréquence de la plupart de ces maladies augmente avec l'âge. Jakob trouvait que ses patients ressemblaient aux victimes de la sclérose en plaques, les personnes atteintes du kuru font penser aux parkinsoniens et la démence induite par la maladie de Gerstmann-Straussler-Scheinker est tellement similaire à celle de l'Alzheimer que la confusion de diagnostic est quasiment systématique. En 1997, un article démontre que le Deprenyl (dont le nom générique est sélégiline), un médicament habituellement prescrit aux victimes de la maladie de Parkinson, est utile aux patients souffrant d'un Alzheimer modéré[4], et, en 2001, le laboratoire de Prusiner en publie un autre prouvant que la mutation du gène du prion peut provoquer une maladie à prion indistincte de celle de Huntington, avec ses tremblements caractéristiques, sa gaucherie et ses pensées délirantes[5].

Prusiner et d'autres ont souligné dès la fin des années 1970 que, outre la concordance des symptômes, chacune de ces maladies laisse derrière elle des protéines mortes et mal repliées.

Cette caractéristique commune n'avait jamais vraiment attiré l'attention des spécialistes de ces maladies, trop focalisés sur les aspects uniques de celle qu'ils étudiaient – ses symptômes, par exemple, ou l'absence ou l'excès de telle ou telle substance neurochimique. Le fait que toutes ces maladies produisent le même dépôt dans l'organisme semblait anecdotique – cela paraissait aussi peu utile à la recherche d'un traitement que, disons, de savoir que la plupart des infections s'accompagnent de pus.

À l'inverse, les spécialistes du prion ont pris les protéines mortes et mal repliées pour la *cause* de la maladie. Ce qui les frappait le plus, c'est que la plupart de ces maladies ne déposaient pas seulement des protéines mortes et mal formées, mais des protéines mortes, mal formées et d'un type bien particulier, appelées plaques ou fibrilles amyloïdes. Ces dépôts se constituent lorsque les atomes se joignent à travers la charpente de protéines endommagées, comme les barreaux d'une échelle formidablement résistante. Les enzymes ne parviennent pas à les digérer, et l'eau ne les dissout pas. La biologie n'a jamais rien vu d'aussi solide ; on peut raisonnablement dire qu'aucune cellule ne survit à leur présence. (Les chercheurs disent de ces amas qu'ils sont amyloïdes pour leur apparence blanche et amidonnée, *amylus* signifiant « amidon » en latin.)

Évidemment, pour chacune des maladies concernées, les dépôts se constituent en des lieux différents. Dans celle d'Alzheimer, ils occupent des espaces interstitiels du cerveau ; ils sont si gros qu'on les voit à l'œil nu. Dans celle de Parkinson, les protéines mortes se rassemblent en constituant de petites masses filamenteuses dites « corps de Lewy ». Dans celle d'Huntington, elles s'amassent parmi les neurones. Mais ces amas n'ont pas nécessairement à se situer dans le cerveau pour nuire. Dans le diabète de type II ou de l'adulte, par exemple, ils se forment dans le pancréas. Dans l'amylose cardiaque, ils s'accumulent dans le cœur, réduisant sa capacité de pompage.

Les chercheurs du prion espèrent à présent pouvoir transposer les techniques qu'ils ont affinées à ces maladies en étudiant la composition et le comportement des protéines prion. La plaque amyloïde la plus semblable à celle du prion étant celle qu'on trouve dans la maladie d'Alzheimer, il paraît logique de commencer par là. Au début des années 1980, Stanley Prusiner met toute son énergie à étudier les points communs entre la protéine prion et celle d'Alzheimer. (Le choix n'est pas innocent : trouver des fonds pour la recherche sur la maladie d'Alzheimer qui touche des millions de victimes est nettement plus facile que pour le prion.) Dans les maladies à prion, les protéines saines qui deviennent pathogènes suivent un processus semblable à la cristallisation : dès qu'une protéine mal repliée en touche une autre, celle-ci se plie mal à son tour, et ainsi de suite, en cascade. Les protéines d'Alzheimer ont aussi ce comportement. Si l'on dépose un peu de plaque amyloïde d'Alzheimer dans une éprouvette contenant des protéines d'Alzheimer normalement formées, ces dernières finissent toutes par adopter le nouveau pli et s'agglomérer pour ne plus constituer qu'une seule plaque amyloïde. Prusiner croit qu'il existe d'autres points communs entre les deux protéines, et il tend même à penser que, par essence, les protéines d'Alzheimer sont des protéines prion. Il pense d'ailleurs en détenir la preuve lorsqu'en 1983, avec George Glenner, un expert de la maladie d'Alzheimer de l'université de Californie (San Diego), il constate que les plaques de l'une et de l'autre réagissent à la même teinture. La teinture sert de révélateur de la composition des protéines, alors le fait que les protéines des deux maladies réagissent à la même teinture peut signifier qu'elles sont de composition identique. Prusiner qualifie la découverte de « stupéfiante »[6] ; Glenner, lui, se garde de conclure trop vite. « C'est comme déduire que deux personnes sont de la même famille parce qu'elles ont les cheveux roux[7] », souligne-t-il.

Après quelques années d'étude des deux maladies, les différences se font jour et il apparaît clairement que l'enthousiasme de Prusiner était excessif. Avec ses collaborateurs, il attribue la protéine prion au gène du même nom sur le chromosome 21 ; Glenner, par contre, établit l'origine de la protéine d'Alzheimer sur un autre chromosome. Les deux sont composées d'acides aminés distincts, obéissant à une séquence distincte. Les chercheurs n'ont pas mis le doigt sur une maladie unique mais sur un principe de maladie unique.

En revenant aux plaques amyloïdes, Prusiner et les autres y portent un intérêt accru : ils tiennent à savoir ce qu'elles sont et comment elles se constituent. Mais, d'une maladie à l'autre, la réponse n'est jamais la même. Ils étudient des dizaines de pathologies, de la sclérose latérale amyotrophique à l'arthrite rhumatoïde en passant par le diabète de l'adulte, dont ils identifient chaque fois la protéine clé qui se déforme.

La seule question de savoir pourquoi les protéines forment des plaques amyloïdes destructrices qui détériorent la cellule est en elle-même déjà fascinante. Peut-être faut-il y voir un effet collatéral de la flexibilité générale des protéines : elles adoptent de multiples formes de pliures parce qu'elles ont à remplir de multiples tâches, et à partir du moment où une molécule physiologiquement active a la possibilité d'adopter tant de formes différentes, il est probable qu'une petite proportion de ces dernières soit nuisible dans l'espace restreint de la cellule. Dans le monde entier, les chercheurs en matière de protéines se vouent à cette question précise concernant leurs maladies respectives, et espèrent empêcher les protéines de devenir des amyloïdes et les amyloïdes d'endommager la cellule. D'ailleurs, certains estiment que les amyloïdes ne la détériorent pas, mais qu'au contraire ils la protègent en isolant les protéines nocives et en les maintenant par un lien si fort qu'un chimiste spécialisé les dit « globalement indestructibles sous des conditions physiologiques[8] ».

On notera avec intérêt que les chercheurs ont aussi vérifié l'ancienne intuition de Gajdusek que le prion n'est pas la seule protéine transmissible – l'amylose AA, une maladie opportune qui frappe des personnes souffrant d'inflammation chronique comme l'arthrite rhumatoïde, partage cette faculté. Lorsqu'on l'injecte à des souris, la protéine se réplique et provoque la maladie, comme avec le prion ; et la transmission peut même se faire par voie orale[9]. Il y a aussi lieu de penser que d'autres maladies à plaques amyloïdes, comme l'Alzheimer, sont transmissibles – les chercheurs britanniques Rosalind Ridley et Harry Baker ont affirmé en 1993 y être parvenus[10]. George Glenner, le collaborateur de Prusiner, est mort en 1995 d'amylose cardiaque, et le spécialiste de l'Alzheimer Rudolph Tanzi, de la Harvard Medical School, se demande, et il n'est pas le seul, si Glenner n'a pas été infecté en travaillant sur la protéine[11]. Si d'autres maladies protéiques se révélaient transmissibles, la recherche pourrait se voir contrainte de dissocier les maladies qui nous infectent de celles qui ne font que survenir, celles qui fondent sur nous et celles dues à notre mode de vie, à l'âge ou aux toxines présentes dans notre environnement. Peut-être un jour dira-t-on de la sclérose en plaques, de la maladie d'Alzheimer, et même du diabète qu'ils s'attrapent – ou en tout cas qu'on peut attraper une propension à ces maux.

« Le plus incroyable, c'est le temps qu'il nous a fallu pour voir ce qui était juste sous nos yeux, dit Fred Cohen, chimiste moléculaire à l'université de Californie (San Francisco) dont le laboratoire collabore avec celui de Prusiner. Les parallèles étaient pourtant évidents. »

Si les maladies à prion sont infectieuses, toutefois, ça n'est pas de façon ordinaire. Elles ne sont pas « vivantes » – c'est-à-dire que l'infection est dans leur cas un processus purement mécanique. La théorie du prion met en cause notre unicité dans l'univers, et c'est sans doute pour cette raison que – comme l'idée galiléenne d'une Terre tournant autour du Soleil – elle a du mal à se faire accepter. C'est un nouvel exemple – pour reprendre les termes du chimiste allemand Friedrich Wöhler, qui découvrit en 1828 la possibilité de synthétiser *in vitro* les substances chimiques de l'organisme – de « la grande tragédie de la science, la mise en pièces d'une merveilleuse hypothèse par un vilain fait[12] ». L'hypothèse voulait que la vie soit indicible, unique ; la réalité est qu'elle n'est que chimie. Ou encore, comme l'a écrit Justus von Liebig en 1855, la vie n'est que « processus chimiques obéissant aux lois ordinaires de la chimie[13] ».

On ne s'étonnera donc pas qu'une branche de la biologie attribuant l'origine d'une maladie à des processus mécaniques, sans vie, fasse une entrée remarquée en ingénierie. Les chimistes connaissent bien la notion d'influence sur la conformation, qu'ils appellent nucléation. C'est, pour résumer, la tendance des molécules à se disposer de façon généralement ordonnée autour d'un premier point de fixation : cette propriété confère aux matériaux une solidité remarquable. La soie, par exemple, est le fruit de la nucléation, de même que la coquille de l'ormeau, dont la surface nacrée est trois cents fois plus solide que si elle se composait d'une matière non nucléée. En fait, c'est dans la physique mécanique que J. S. Griffith a puisé l'idée qui finirait par servir de fondement à la théorie du prion, à partir de la façon dont se comportent les pions sur un damier qu'on secoue, et où un seul serait fixé : ils tendent à se disposer en schéma ordonné autour de celui-ci. En 1995, le chercheur du prion Bryon Caughey coécrit un intéressant article sur la nucléation, où il compare le prion à la « Glace-9 » sortie de l'imagination de l'écrivain de science-fiction Kurt Vonnegut dans *Le Berceau du chat*[14]. Il s'agit d'une variante de l'eau gelant à une température plus élevée. Dans le roman, un maniaque dépose délibérément des semences de Glace-9 qui, par nucléation, provoquent le gel de toute l'eau de la Terre. (Vonnegut a lui-même emprunté cette idée à son frère Bernard, inventeur de la pluviogénie, méthode d'incorporation aux nuages d'éléments de cristallisation pour augmenter les précipitations, encore un exemple de nucléation.)

À travers les articles et les romans comme ceux de Caughey ou Vonnegut, on voit combien l'idée de nucléation stimule l'imagination, et Carleton Gajdusek n'échappe pas à la fascination. Bien que se trouvant en prison, il demeure productif. Il trouve même à l'incarcération des aspects positifs : sa vie s'est nettement simplifiée, il n'a plus à se demander où il a bien pu poser son portefeuille ni à distinguer ses vêtements propres des sales. « Aucun hôtel ne pourrait m'offrir de service plus ponctuel et courtois[15] », confie-t-il à son journal en 1997. Les gardiens lui permettent de travailler dans la salle commune après l'extinction des feux, ce dont il profite pour multiplier les écrits personnels. « Au rythme actuel, mon journal de 1997 sera le plus fécond de ma vie[16] », se réjouit-il.

En 1998, les autorités relâchent Gajdusek pour cinq ans de mise à l'épreuve avec autorisation de purger sa peine à l'étranger. Âgé de soixante-quatorze ans, il a pris beaucoup de poids, au point que son frère le décrit comme « un gros bouddha[17] ». L'homme qui naguère sillonnait les sentiers les plus improbables de la jungle des Highlands se déplace désormais avec difficulté. Il se rend directement au cabinet de son avocat, récupère son passeport, tient une petite cérémonie à l'aéroport de Dulles avec des amis (dont plusieurs prix Nobel comme lui), et s'envole pour la France. « Comme Diogène et son tonneau, il souhaite vagabonder de laboratoire en laboratoire[18] », explique alors un scientifique européen.

Gajdusek, qui réside aujourd'hui à Amsterdam, est un exilé heureux. Il parle ouvertement – certains diront de façon obsessionnelle – de sa sexualité, si longtemps tenue secrète. « Je suis un pédiatre pédophile pédagogique », m'a-t-il annoncé en 2003, lorsque je l'ai appelé pour solliciter un rendez-vous. Il passe l'essentiel de son temps à lire et méditer de grandes idées, de celles qui l'ont toujours plus attiré que le travail de laboratoire.

L'un de ses sujets de réflexion porte sur la façon dont la vie peut se répliquer sans ADN. Pour lui, « la vie n'est que nucléation, changement de conformation et réplication ». Mais on pourrait en dire autant de la non-vie. Il se demande si les lois de la nucléation rendent également compte de la disposition des étoiles dans la galaxie, ou si les fossiles peuvent servir de modèle pour la recréation de formes de vie disparues.

Parmi les autres questions qui intéressent Gajdusek, il y a le mystère de ce qui rend les prions – ou « amyloïdes nucléants », ainsi qu'il préfère les appeler – si résistants à la désinfection. La notion d'un prion dépourvu d'ADN ne suffit pas vraiment à expliquer une telle indestructibilité : même la *cendre* de prion est infectieuse. Gajdusek explique que c'est un fragment nanoscopique de glaise ou de silice présent dans le prion qui conserve la forme de la protéine après que le reste de la structure a été incinéré. Ces genres de gabarits moléculaires – « des copies fantômes atomiques », dans le vocabulaire de Gajdusek – attendent qu'un nouveau prion intact s'adapte à leur forme pour réinitialiser le cycle infectieux. « Cette fois, écrit Gajdusek dans un article en 2001, on peut bel et bien parler de "virus" issu du monde inorganique[19]. »

Les systèmes d'autoassemblage biologiques, comme les plaques de protéines, et ceux non biologiques, comme les cristaux, ouvrent de nouveaux horizons, et beaucoup de chercheurs ont choisi d'aller relever le défi, notamment un professeur d'ingénierie biomédicale du MIT nommé Shuguang Zhang. Zhang est un disciple de Gajdusek qui lui est resté fidèle ; une photo du prix Nobel orne toujours son étagère. Zhang s'efforce d'exploiter le principe de la nucléation en médecine. La biologie se cherche depuis longtemps un milieu de référence présentant une complexité supérieure à la boîte de Petri, certes pratique mais pas toujours conforme à la vie réelle, et inférieure à l'expérimentation sur l'animal vivant, plus fidèle mais d'exécution difficile. Grâce à la nucléation, Zhang espère ouvrir une troisième voie. Il a mis au point des solutions protéiques aqueuses capables de constituer des échafaudages tridimensionnels. Il a par ailleurs montré qu'injectés dans le corps, ces échafaudages accélèrent la cicatrisation lorsqu'on les emploie comme des points de suture dissolvants, et qu'ils peuvent aussi pénétrer l'organisme, adopter une forme incisant la membrane d'une cellule, puis se dissoudre pour la laisser se refermer après y avoir déposé un médicament. Ce ne sont là que les premières des nombreuses applications que les protéines autoassemblantes permettent d'entrevoir en médecine. Certains de ses collègues bombardent des molécules au radioémetteur pour leur faire adopter différentes formes dans l'organisme. Ils espèrent pouvoir un jour contraindre les cellules souches accrochées aux échafaudages à adopter la forme de cellule musculaire ou de neurone.

Les applications pour l'autoassemblage ne manquent pas non plus hors du corps – de minuscules systèmes exploitant les lois de la nucléation pourraient s'avérer extrêmement utiles dans des domaines aussi variés que l'élaboration de plastiques se fabriquant tout seuls ou celle de minuscules circuits s'assemblant seuls aussi sur une puce informatique, à l'échelle moléculaire. Pour Zhang, il ne s'agit que de s'approprier une œuvre déjà accomplie par la nature – glaner les secrets de cette minuscule machine qu'est la cellule et en mettre le génie à notre service. L'opposition à ces systèmes existe déjà, elle aussi, soucieuse du fait que nul ne connaît le réel degré de sécurité de ces technologies ni leur effet sur l'organisme ou l'environnement. On cite l'exemple de la « buckyball », une nanomolécule de carbone autoassemblante, en forme de ballon de football. Alors qu'on la croyait totalement inoffensive, on s'aperçoit qu'une fois lâchée dans la nature, elle y perdure un temps considérable, envahissant les cellules de choses vivantes sans qu'on en sache les conséquences. La récupération par l'homme de la puissance cellulaire se fera donc à ses risques et périls, mais Zhang se veut confiant. « Il y a eu l'âge de pierre, celui du bronze, et celui du plastique, dit-il. Nous entrons dans l'âge des matériaux de synthèse[20]. »

13

L'homme a-t-il mangé de l'homme ?
Monde entier, huit cent mille ans av. J.-C.

À bien des égards, la recherche de la solution au mystère des maladies à prion aura été l'histoire de frustrations, de longues expériences ne menant nulle part et de grands espoirs jamais accomplis. La nature est parfois trop originale pour qu'on l'explique par paradigmes, et les casse-tête qu'elle nous soumet sont trop complexes pour qu'on espère les résoudre à l'échelle humaine du temps. Mais parmi tant de frustrations, les chercheurs du prion ont tout de même répondu à une ancienne énigme de l'anthropologie.

Les anthropologues se sont longtemps demandé si l'homme est cannibale. Il ne s'agit pas tant de savoir s'il est déjà arrivé que l'homme consomme de la chair humaine – le cas survient incontestablement lorsque la seule alternative est la famine – que si le cannibalisme a jamais été une pratique centrale pour quelque culture humaine que ce soit. De nombreuses sociétés ont souvent fait l'objet d'affirmations en ce sens. Les Fore, les Anga et les Mundugumor de Nouvelle-Guinée, les Fidjiens des mers du Sud, les Aztèques, les Arawaks et les Caribs, ou Caraïbes, du Nouveau-Monde (le mot « cannibale » proviendrait d'ailleurs de « Carib ») ne sont que quelques-uns des peuples au sujet desquels voisins, voyageurs et, plus tard, anthropologues occidentaux ont dit qu'ils consommaient régulièrement de la viande humaine, que ce soit pour honorer leurs morts, se venger de leurs ennemis ou simplement se nourrir. Il est apparu par la suite qu'aucun récit de première main ne venait jamais confirmer ces histoires. La plupart des récits de voyageurs provenaient d'autres voyageurs les ayant précédés, qui les tenaient eux-mêmes d'autrui et probablement déformés. Les anthropologues ont puisé quant à eux l'essentiel de leurs informations dans la rumeur locale. Ainsi que l'a écrit l'un d'eux en 1979, « le seul défaut humain qui ressort clairement de nos montagnes de données est... la propension européenne au plagiat[1] ».

Même l'épidémie de kuru s'explique sans besoin de recourir au cannibalisme. Gajdusek affirme depuis longtemps que la seule manipulation des corps infectieux lors des préparatifs funéraires aurait suffi à répandre la maladie. Et si les premiers rapports officiels de la patrouille des Highlands évoquent constamment le fait que les Fore se disent cannibales, je n'y ai pour ma part pas trouvé le moindre témoignage direct[2]. « Si l'occasion se présente, je me propose d'accepter l'invitation d'un chef kagu à une sorte de cérémonie de consommation de chair humaine, pour y observer les différents rituels[3] », promet à la fin des années 1940 R. I. Skinner, le premier agent de patrouille à pénétrer en territoire fore. L'occasion ne se présentera jamais.

De si maigres indices ont permis à une génération d'anthropologues hostiles à la notion de cannibalisme de se faire remarquer en arguant du fait qu'appliqué à une tribu le terme « cannibale » n'était pas descriptif mais péjoratif.

Ça n'est plus de mise. Sans vraiment se l'être proposé, une étude anglaise sur ce qui a conduit certains Britanniques à tomber malades de la vache folle et pas d'autres a prouvé la présence de cannibalisme dès l'aube de l'humanité. En fait, non seulement avons-nous été tous cannibales à un moment donné de notre histoire, mais aussi en avons-nous payé le prix : notre anthropophagie a provoqué une vague de maladies à prion qui a coûté un lourd tribut en vies (et nous a sans doute dotés d'une certaine révulsion envers l'acte, qui, plus récemment, l'a rendu tabou[4]).

L'histoire de cette découverte majeure commence dans les années 1980, peu après celle du gène du prion. Les chercheurs voudraient bien savoir pourquoi certains mammifères semblent particulièrement susceptibles aux maladies à prion – certaines races de moutons, par exemple – alors que d'autres s'y montrent résistants. Ils se demandent si quelque chose dans la configuration génétique du mouton affecte ses chances d'attraper la tremblante après exposition à l'agent infectieux.

Au fil du temps, il apparaît distinctement que la susceptibilité aux maladies à prion chez l'animal dépend souvent de petites altérations du gène du prion. Les gènes abritent le modèle, la recette, de toutes les protéines du corps. La plupart des mammifères possèdent les mêmes gènes correspondant aux mêmes protéines, qu'ils partagent avec les membres de leur espèce, mais il est assez fréquent que deux codes génétiques ou plus donnent globalement la même protéine. On appelle ces variations des polymorphismes. Le génome humain en regorge, et ils n'ont le plus souvent que peu ou pas d'effet sur leur porteur.

Au début des années 1990, le chercheur anglais John Collinge entreprend l'analyse du gène du prion chez des sujets britanniques avec l'intention de découvrir si l'on constate dans la population humaine la même corrélation entre ce polymorphisme-là et la susceptibilité aux maladies à prion[5]. À l'époque, on ne connaît pas encore de victime humaine de la maladie de la vache folle, mais on a remarqué un groupe de jeunes gens atteints de celle de Creutzfeldt-Jakob, que je n'ai pas encore évoquée jusqu'ici, des adolescents contaminés par l'injection d'une hormone de croissance dérivée de l'hypophyse humaine. Entre les années 1950 et 1980, les médecins britanniques ont prescrit ces hormones à mille huit cents enfants, dont quelques-uns ont attrapé la MCJ parce que le corps du donneur était contaminé et que le mode de préparation de la solution injectée n'avait pas détruit les prions infectieux. Le premier de ces cas survient au milieu des années 1980 ; le consommateur de bœuf commence tout juste à se méfier de la vache folle, et le Royaume-Uni compte déjà six victimes humaines de l'hormone de croissance.

Au sein de ce groupe, Collinge remarque un fait intéressant : quatre cas présentent le même polymorphisme sur le gène du prion. Il se tourne alors vers des victimes de la forme sporadique de la MCJ, et constate que la proportion parmi eux est plus forte encore : quarante sur quarante-cinq sujets. Ces quarante-là, comme les quatre qui ont reçu des hormones de croissance, affichent le code génétique d'un acide aminé nommé valine en un point déterminant de chacun de leurs deux gènes du prion (tout humain possède deux exemplaires de chaque gène, un pour chaque parent). On dit qu'ils sont homozygotes valine.

Pour Collinge, il est essentiel de s'assurer que son schéma de susceptibilité à l'infection vaut dans les conditions naturelles, parce que selon qu'elle provient d'une injection ou du monde extérieur, la MCJ ne se comporte pas de la même façon. Il y a bien un endroit où l'on peut voir en action une maladie infectieuse humaine du prion, c'est la Papouasie-Nouvelle-Guinée. Les sceptiques ont beau dire que c'est un foyer de cannibalisme, personne ne contestera qu'il s'agit quand même d'un foyer de maladie à prion. Dans les années suivant la découverte de la maladie de la vache folle, l'endroit devient le laboratoire grandeur nature de tous ceux qui veulent observer cet événement épidémiologique rare. Les vieilles femmes autochtones continuent d'y mourir d'infections acquises lors de célébrations funéraires auxquelles elles ont pris part quarante ans plus tôt.

L'équipe de Collinge est en contact avec Michael Alpers, l'ancien chercheur de Gajdusek, qui dirige encore le programme sur le kuru à Okapa. Ils le prient de prélever des échantillons sanguins sur certaines des survivantes à ces cérémonies. Des trente femmes testées par Alpers, seules sept sont homozygotes ; les vingt-trois autres possèdent une valine et une méthionine, un autre acide aminé qui remplace parfois la valine à l'endroit du polymorphisme. Ces sujets sont hétérozygotes. Et c'est ce qui leur a sans doute valu de survivre : la proportion est trop élevée pour qu'il s'agisse d'une coïncidence. En fait, les analyses sanguines des Fore vivants ont révélé les plus forts taux d'hétérozygotie du monde. La conclusion est imparable : ils en ont tiré une sorte de protection contre le kuru.

Après les travaux de Collinge, beaucoup de chercheurs prédisent que si la vache folle se transmet à l'homme, elle frappera sans doute aussi de façon disproportionnée les homozygotes. Et, au milieu des années 1990, les faits leur donnent raison. En 2003, l'épidémie a déjà près de dix ans et l'on atteint la cent cinquantième victime mortelle du variant de la MCJ (la forme humaine de la vache folle). Si les Anglais ont bien été exposés à

640 milliards de doses de vache folle, comme le disent les estimations, ils ont remarquablement survécu à l'hécatombe. Nul ne conteste qu'il s'agit d'une tragédie, mais pourquoi diable ne déplore-t-on pas beaucoup plus de décès ?

À cela, on répond surtout que la protéine prion a beaucoup de mal à franchir la barrière des espèces. Le prion humain infecte assez facilement l'homme – comme en atteste le kuru – et le prion bovin en fait autant avec la vache – comme en atteste la maladie de la vache folle. La contamination est un processus physique. Pour que la maladie se propage, il faut que les deux protéines s'adaptent bien l'une à l'autre. Plus les protéines du transmetteur et de l'hôte sont différentes, moins la transmission est probable ; plus elles se ressemblent, plus elle est probable. On comprend dès lors que les irruptions de prion les plus alarmantes aient commencé par une infection au sein de la même espèce.

Mais cela n'explique toujours pas pourquoi l'ESB semble atteindre certains humains plus facilement que d'autres. Collinge découvre ensuite que l'étonnante tendance constatée au début de l'épidémie est à présent encore plus nette ; toutes les victimes de la vache folle à ce jour, sauf une, sont homozygotes (elles possèdent deux méthionines sur leur gène du prion). Ce qui laisse supposer, fort heureusement, que le pays étant majoritairement hétérozygote, une bonne part de ses habitants est dotée d'un certain niveau de résistance à la maladie de la vache folle.

En 2004, le groupe de Collinge reçoit des résultats étayant sa thèse : on a créé des souris porteuses de gènes homozygotes du prion humain, on leur a transmis des prions de la vache folle, et on a constaté qu'elles avaient bien plus de risques de subir l'infection d'ESB que celles dotées de gènes hétérozygotes du prion humain. Quelque chose dans l'hétérozygotie altère la forme de la protéine prion de façon à contrarier sa propagation dans le corps humain. (À la fin des années 1990, Elio Lugaresi et Pierluigi Gambetti ont fait le même genre de constat avec les formes rapide et lente d'IFF ; Assunta et Silvano, homozygotes, sont morts rapidement. Pour Luigia et Teresa, hétérozygotes, la maladie a suivi un cours bien plus long[6].) En outre, il se pourrait que l'hétérozygotie intervienne dans le phénomène récemment mis au jour des porteurs sains de prion mutant : on a longtemps cru que tout porteur de gènes du prion ayant subi une mutation finissait par développer la maladie, mais des études ont récemment révélé l'existence de porteurs de la mutation qui ne tombent jamais malades, ou qui meurent en tout cas de maladies de vieillesse avant de développer celle-là. L'hétérozygotie les dote peut-être d'une certaine protection.

Collinge et son laboratoire ont donc mis le doigt sur une caractéristique épidémiologique majeure : les homozygotes ont plus de risques d'attraper une maladie à prion que les hétérozygotes, et la proportion d'hétérozygotes dans la population britannique est trop importante pour ne résulter que du hasard. Les chercheurs partent du postulat que les deux faits sont liés – que l'évolution a, d'une manière ou d'une autre, privilégié les hétérozygotes par rapport aux homozygotes.

Ce que le laboratoire apprend ensuite n'en est que plus intrigant : les hétérozygotes sont surreprésentés partout dans le monde, chez tous les peuples, toutes les ethnies. Selon la théorie de la génétique des populations, cela signifie que nos ancêtres communs ont été confrontés à une situation qui a défavorisé les homozygotes. Pour que tant de génomes aient été altérés, il a fallu qu'une sévère menace ait pesé sur la survie de l'homme, soit sur toute la surface du globe, soit très tôt dans l'histoire de l'humanité, quand tous les hommes étaient encore en Afrique.

Collinge et son équipe s'emploient à dater ce mystérieux événement. Avec le concours d'un généticien des populations, ils parviennent à retracer l'histoire de ce fragment de gène du prion ; ils découvrent que la méthionine est l'acide aminé originellement codé pour le gène du prion et que les valines ne sont apparues à cet endroit qu'il y a quelque cinq cent mille ans. Un nouvel acide aminé peut surgir et tant qu'il ne nuit pas s'installer sans motif en nous pendant des centaines de millénaires, c'est pourquoi la datation de Collinge constitue la première occurrence possible de l'événement responsable d'avoir favorisé les hétérozygotes par rapport aux homozygotes.

La plupart des paléoanthropologues estiment que l'homme moderne descend d'un petit groupe d'*Homo sapiens* qui peuplait l'Afrique voici quelque soixante-dix mille ans. Ils n'étaient peut-être pas plus de deux mille. Si tel est le cas, il aura suffi que très peu d'individus adoptent un comportement modifiant la proportion entre méthionine et valine dans leur protéine prion. Mais de quel comportement peut-il s'agir ? Pour le savoir, Collinge et son équipe se penchent sur les conditions d'existence de nos lointains ancêtres.

À cette époque, les humains jouissaient d'une assez bonne santé (en fait, l'espérance de vie a baissé lorsque l'homme a produit ses premières ébauches d'installation agricole, voici dix mille ans de cela). Ils mouraient essentiellement d'accidents ou, dans les périodes de famine, de malnutrition[7]. N'étant que rarement confrontés aux maladies infectieuses, ils n'y étaient pas très résistants. Par conséquent, rien n'aurait été plus efficace pour se débarrasser d'un grand nombre d'humains qu'une nouvelle maladie infectieuse.

Oui, mais quel genre de maladie ? Les grandes épidémies humaines d'alors étaient d'incubation lente, car les infections virulentes préfèrent les terres densément peuplées, où le nombre d'hôtes est suffisant : après avoir frappé l'un, elles passent au suivant (il faut par exemple au virus de la rougeole 300 000 personnes et 3 000 infections par an pour se perpétuer ; les villes sont indispensables à sa prolifération). Mais avant l'agriculture, lorsque l'homme était encore très disséminé, il fallait à l'infection un très faible niveau d'agressivité pour que son hôte la conduise jusqu'au suivant. Autrement, elle tuait sa victime avant d'avoir la possibilité d'en contaminer une autre.

Quel pouvait être le meilleur vecteur pour une telle infection ? La viande, sans doute. La nourriture est le moyen idéal d'introduire un agent pathogène dans l'organisme, parce qu'elle est activement recherchée, et ingérée par la volonté même de l'individu. Et nous savons que l'homme préhistorique mangeait de la viande parce qu'il était désormais trop grand pour se contenter de fruits, de baies et de graines sauvages ; il lui fallait du concentré protéique. La viande constitue une excellente réserve d'agents pathogènes. Aucun médicament n'existant alors pour soigner les infections, il n'y aurait rien d'étonnant à ce que l'époque se soit caractérisée par un très fort taux de mortalité lié aux maladies alimentaires.

Deux facteurs plaident contre le fait d'attribuer à la viande l'origine de cette antédiluvienne épidémie. D'abord, les acides gastriques savent très bien se débarrasser des infections ; ensuite, les humains ont vite appris à cuire leurs aliments, et notamment la viande, qui devient sensiblement moins dangereuse parce que les bactéries ne survivent pas à la chaleur. Si les premières traces avérées d'utilisation du feu ne remontent qu'aux alentours de cent cinquante mille ans av. J.-C., certains signes indiquent que les hominidés en ont acquis la maîtrise avant de renoncer au régime végétarien de leurs ancêtres. D'autant que, eu égard à l'extrême rigueur du climat des glaciations périodiques de l'époque, la survie dans le climat du nord de l'Europe exigeait le feu. La braise ne fossilisant pas bien, il n'y a pas forcément lieu de s'étonner qu'on n'ait trouvé nulle trace de foyer dans les sites plus anciens. L'argumentation, certes, tourne un peu en rond – on sait qu'il y avait du feu parce que les hominidés étaient devenus si grands que la viande leur était indispensable – mais n'est pas totalement dénuée de valeur.

Par conséquent, dans cette population préhistorique – disséminée aux quatre coins du monde, capable d'utiliser le feu et de chasser, à l'abri de toute maladie conventionnelle connue – sur laquelle Collinge et ses collègues fondent leur hypothèse, il fallait, pour qu'une épidémie réussisse, qu'elle emporte ses victimes très lentement. Si elle se propageait à travers la consommation de viande, elle devait pouvoir survivre tant à l'agression des acides gastriques qu'à la cuisson. Il fallait en outre qu'elle provienne d'une source de viande aisément accessible aux hommes en tout lieu. La viande qui correspond le mieux à tous ces paramètres est la chair humaine, et l'acte le plus susceptible de répandre un agent pathogène contenu dans la chair est le cannibalisme.

Dans quelles proportions faudrait-il qu'ait été pratiqué le cannibalisme pour qu'une épidémie préhistorique de prion déferle sur le monde entier ? Si l'on en juge d'après le cas des Fore, il n'avait pas à être extrêmement répandu. Le kuru a probablement commencé par un cas isolé de MCJ sporadique, sans doute au début du vingtième siècle. Les parents et amis de cet individu l'ont mangé à l'occasion d'un rite funéraire puis, lorsqu'ils ont développé la maladie et qu'ils en sont morts, ils ont été mangés à leur tour par leurs parents et amis. Cinquante ans après, l'épidémie était en cours, assez violente pour tuer la moitié des habitants de certains villages.

Qu'en est-il alors du doute que j'ai évoqué plus haut sur le fait que le kuru provienne ou pas du cannibalisme ? Et de la théorie de Gajdusek pour qui la simple manipulation des corps aurait suffi à la propagation d'une maladie à prion ? L'objection ne saurait valoir pour une épidémie de prion si ancienne. Les premières cérémonies funéraires humaines datent d'il y a environ cinquante mille ans, soit des centaines de milliers d'années après que le polymorphisme protecteur a commencé à se propager. Rien ne dit que les premiers hominidés enterraient leurs morts, mais de nombreux indices prêtent à penser qu'ils les mangeaient.

Atapuerca est un important site archéologique du nord de l'Espagne[8]. Ses nombreuses grottes à flanc de colline surplombant la vallée et la rivière ont toujours servi d'abri aux bêtes comme aux hommes. De ces habitants, animaux ou humains, beaucoup sont morts à cet endroit, ce qui en fait aujourd'hui un genre d'immense réserve de vestiges. Les cinq ou six chantiers de fouilles qui s'y affairent se consacrent chacun à une période préhistorique distincte. L'un d'eux est celui de Gran Dolina, un site découvert à la fin du dix-neuvième siècle et qui recèle des restes humains. Les archéologues l'ont daté d'environ huit cent mille ans av. J.-C., au moment de la dernière inversion du champ magnétique terrestre. Cela fait de Gran Dolina le plus ancien dépôt de restes hominidés d'Europe.

Parmi ces restes se trouvent les corps d'un enfant de quatorze ans et d'un autre de dix, découverts à l'entrée de la grotte, ce qui a son importance, parce que c'est habituellement là que les animaux dévorent leur proie. Les archéologues ont d'abord pensé ces enfants victimes d'un animal préhistorique qui les avait dévorés dans la fraîcheur de l'entrée de la grotte – les carnivores, notamment les ours et les hyènes, ne manquaient pas dans la région. Mais des analyses plus poussées ont montré que leurs ossements, ainsi que ceux d'animaux trouvés non loin de là, ont été disséqués avec une précision dépassant les aptitudes des carnivores autres qu'humains : deux phalanges de doigt ou d'orteil, par exemple, ainsi qu'un crâne, ont été soigneusement dépecés. D'autres os ont été sectionnés de façon à pouvoir en sucer la moelle. Et des outils de pierre ont été trouvés près des restes. Seuls deux scénarios pourraient expliquer les événements de Gran Dolina. Soit des hominidés ont accompli quelque rite comportant le dépeçage de la chair de leurs morts, soit, plus probablement (parce que les hominidés d'il y a huit cent mille ans étaient incapables de ce genre de comportement symbolique), ils mangeaient leurs semblables pour se nourrir.

Selon le site Internet d'Atapuerca, « ces humains primitifs ne faisaient pas encore la différence entre le corps d'un cerf et le cadavre d'un homme[9] ». L'affirmation est pour le moins légère – le chimpanzé reconnaît sa propre espèce, alors on peut au moins accorder aux hominidés d'Atapuerca le même degré de sophistication culturelle. Les os de l'enfant de dix ans présentent des signes indiscutables de malnutrition. Peut-être que plusieurs séances de chasse se sont révélées infructueuses, ou qu'une sécheresse et l'absence de végétation qui s'en est suivie ont attiré au loin les grands herbivores. On peut imaginer l'urgence qu'il y avait pour les hominidés à trouver de la viande. Peut-être aussi ont-ils tué et mangé leurs propres enfants, mais, là encore, le chimpanzé lui-même ne le ferait pas, alors on peut supposer que ces hominidés non plus. Le plus probable demeure que ces enfants sont morts de faim et que leurs parents ont jugé qu'il n'y avait aucune raison de gâcher cette viande. Surtout s'ils avaient d'autres bouches à nourrir. Plus de sept cent cinquante mille ans plus tard, un Fore a bien rapporté à un ethnologue le raisonnement de ses ancêtres : « Étions-nous donc fous ? Voilà de la bonne nourriture que nous n'avions jamais songé à manger. »

Alors, à l'aide d'une lame confectionnée par le frottement de deux cailloux, les parents ont désossé la jambe d'un de leurs enfants. Ils ont brisé la section longue du fémur et distribué la nutritive moelle aux autres. Ils ont découpé l'ensemble des grands muscles du corps, puis cassé le crâne pour en extraire le contenu et le manger. Après quoi ils ont jeté les os à leurs pieds, parmi ceux de cerf et de poney datant de temps meilleurs. Ils n'étaient pas en mesure de se demander si ce qu'ils avaient fait était bien ou mal, mais la souffrance émotionnelle précède la morale ; peut-être ont-ils pleuré, peut-être cela les a-t-il profondément atteints, mais ils savaient leur acte indispensable à la survie de leur famille.

Tout cela est possible. Mais il se peut évidemment que ce soit faux. Peut-être qu'un clan a posé une embuscade à un autre, et qu'on a mangé les morts de l'ennemi pour intimider les survivants. L'ingestion rituelle du rival défait est un acte bien connu des anthropologues, que les chimpanzés eux-mêmes pratiquent. Et les hominidés de Gran Dolina sont nos ancêtres, au même titre que ceux de Neandertal. On sait que de ces deux groupes, l'un, le nôtre, dont ces hominidés partagent quasiment tous les gènes, ne montre que peu de scrupule devant la guerre et le crime. On ne sait pas si le repas de la grotte de Gran Dolina a suivi une tuerie intentionnelle. Sans doute ne le saura-t-on jamais. La seule chose à ne pas laisser de trace dans les fossiles, c'est le motif. Mais quelle qu'en soit la cause, il est extraordinaire que huit cent mille ans plus tard, cette pratique qui a coûté si cher et incité l'homme à définitivement tourner le dos au cannibalisme nous ait sauvé la vie.

Lorsque s'imposera la démonstration de Collinge et de son équipe, les anthropologues sceptiques risquent de devoir mettre leurs idées à jour. Mais ils trouveront quand même une consolation. Leur principale objection à l'accusation de cannibalisme repose sur le fait que les Européens s'en servent de prétexte à leur racisme. Les Espagnols, par exemple, lorsqu'ils ont détruit la civilisation aztèque, n'ont cessé de marteler qu'ils ne faisaient que supprimer des mangeurs de chair humaine ne méritant aucune compassion. Ils n'étaient pas les seuls à le penser. Les Aztèques eux-mêmes croyaient à l'existence des cannibales, dont la figure occupe même une place centrale dans leurs mythes. Ils étaient persuadés que les Indiens du Nord et ceux du Sud en étaient (en matière de cannibalisme, c'est toujours de l'autre qu'il s'agit). Et sous les attaques de Cortés et ses hommes, ils ont cru avoir affaire à une nouvelle tribu cannibale, ce qui explique leur détermination à combattre les Espagnols. En fin de compte, ils n'avaient pas tout à fait tort : Gran Dolina recèle les vestiges des premiers Européens, et déjà ils se mangeaient entre eux.

14

Bientôt aux États-Unis ?
États-Unis, aujourd'hui

> *Le bœuf américain est sûr, c'est clair et net... j'en ai
> même mangé ce midi.*
>
> Mike Johanns, secrétaire américain à l'Agriculture,
> après l'annonce du deuxième cas de vache folle
> constaté aux États-Unis en juin 2005

Carrie Mahan, une habitante de la banlieue de Philadelphie âgée de vingt-neuf ans, se porte à merveille. Mais du jour au lendemain, elle ne parvient plus à marcher qu'à grand peine et pas du tout à déverrouiller la portière de sa voiture. Aux urgences d'un hôpital de la ville, les médecins lui donnent des médicaments et la renvoient chez elle en lui conseillant le repos. On est en janvier 2000. Mais Carrie revient le lendemain, se plaignant d'angoisses, de nausées et d'hallucinations. Cette fois, on l'admet dans l'établissement. Les choses empirent rapidement. Elle perd fréquemment connaissance et ses jambes sont prises de tremblements. Puis elle tombe dans le coma et on la place sous respirateur artificiel. Près d'un mois plus tard, le 24 février 2000, les médecins lui ôtent les tuyaux qui pénètrent sa bouche, son nez et ses veines, et l'autorisent à mourir.

Très tôt, Peter Crino, l'un des neurologues de Carrie Mahan, a écrit sur sa feuille de température : « S'agit-il de la MCJ ? » L'hypothèse lui paraît improbable parce que c'est une maladie rare, qui plus est à vingt-neuf ans. Le diagnostic retenu est donc finalement celui d'infection virale au cerveau. Mais au vu des résultats des analyses de Carrie, Crino ne peut s'empê-

241

cher de songer encore à la MCJ. Dans l'enquête médicale concernant Vicky Rimmer, la jeune Anglaise qui en 1993 avait été le premier cas probable de maladie de la vache folle chez l'homme, on avait évoqué un cerveau équivalent à celui « d'une femme de quatre-vingt-dix ans qui aurait subi de graves dégâts neurologiques[1] ». Crino trouve que celui de Carrie Mahan ressemble un peu à cela. « Il y avait des perforations partout, se souvient-il. C'était à l'évidence une lésion neurologique majeure. Il ne restait quasiment plus rien du cerveau. »

Crino et le pathologiste avec lequel il officie, Nicholas Gonatas, ne savent pas trop comment interpréter le décès de la jeune femme. Vu son âge, l'hypothèse d'une forme génétique plutôt que sporadique de MCJ ou de Gerstmann-Straussler-Scheinker (GSS) aurait été le plus probable. Sauf qu'on ne trouve dans sa famille aucun cas de ce type. On ne lui a jamais injecté d'hormones de croissance, et elle ne s'est jamais rendue en Angleterre, ce qui écarte toute possibilité d'infection par voie alimentaire. Crino et Gonatas se contentent donc d'un diagnostic de MCJ sporadique.

Allen Mahan, le frère de Carrie, n'y croit qu'à moitié. Avant même qu'elle ne décède, il la pense déjà victime de la forme humaine de la maladie de la vache folle, le variant de la MCJ. Il s'est informé. Les victimes anglaises étaient jeunes. Elles présentaient des symptômes de dérangement psychiatrique. À sa première visite à l'hôpital, sa sœur a paru instable, désorientée, allant jusqu'à faire des avances aux médecins. Allen incite Crino à appeler Robert Will, au centre de veille de la MCJ d'Édimbourg, où s'est fait l'essentiel des travaux concernant la vache folle et le variant de Creutzfeldt-Jakob, pour lui demander son avis sur ce qui a bien pu tuer Carrie. Will lui répond que la rapidité du décès et le profil génétique de Carrie – elle n'a pas le polymorphisme méthionine-méthionine constaté à ce jour chez toutes les victimes du variant – rendent l'hypothèse improbable. Allen ne peut qu'accepter le premier diagnostic de l'hôpital, même si les chances d'attraper précisément cette maladie ne sont que d'une sur un million. Le fait que Carrie ait été une Américaine d'origine africaine rend la MCJ encore moins probable

– de l'ordre d'une chance sur 2,5 millions – et son âge de vingt-neuf ans, moins encore.

Mais le diagnostic de MCJ sporadique rencontre une nouvelle objection. Crino et Gonatas ont envoyé un peu du tissu cérébral de Carrie au meilleur pathologiste des maladies à prion du pays, Pierluigi Gambetti, à la Case Western Reserve. Lorsque ce dernier soumet ses échantillons au test des anticorps de prion, à la surprise générale, l'anticorps ne réagit pas, ce qui signifie qu'il ne reconnaît pas la protéine comme un prion. Gonatas, qui est l'ancien professeur de Gambetti, n'est pas convaincu. Il demande à Gambetti d'essayer encore. Gambetti s'exécute, pour un résultat à nouveau négatif.

Depuis le temps où les chercheurs britanniques étaient contraints d'injecter la tremblante à une souris puis d'attendre des années que l'animal développe la maladie ou pas, le diagnostic du prion a considérablement évolué, mais on reste en terrain de connaissances instable. Il arrive par exemple que les prions logent dans des parties reculées du cerveau et que l'analyse passe à côté ; ou encore qu'ils ne soient pas présents en quantité suffisante pour déclencher le résultat positif. N'empêche, Gambetti est persuadé que la combinaison de tests croisés auxquels il soumet son échantillon permettra de déceler jusqu'aux cas les plus difficiles. Il pense que Carrie est morte d'une autre maladie aux symptômes similaires à ceux de la MCJ et ne se laisse pas décourager par l'absence de réaction de l'anticorps puisque, de toute façon, 40 % des cas qu'on lui envoie au titre de la MCJ se révèlent négatifs au test du prion.

Mais la non-réponse ne satisfait pas la famille et les proches de Carrie. Ils insistent pour qu'on revoie le diagnostic et, quatre ans après la mort de la jeune femme, Gambetti ressort les échantillons pour les soumettre à nouvel examen. À ce moment-là, la question de savoir si Carrie est morte de la maladie de la vache folle se pose de façon plus pressante, parce que les autorités fédérales ont confirmé l'identification, aux États-Unis, d'un premier cas de vache atteinte.

Dans les années 1980, lorsque la maladie de la vache folle frappe l'Angleterre, la plupart des Américains n'y prêtent qu'une attention distraite. Si les Européens attribuent volontiers l'épidémie aux méthodes d'élevage intensif à l'américaine, aux États-Unis, on reçoit les images de bûchers de vaches anglaises diffusées aux nouvelles du soir comme un écho morbide venu de l'Ancien Monde. Depuis Theodore Roosevelt, en matière de sécurité alimentaire, l'Amérique donne l'exemple au monde entier ; le tampon certifiant l'inspection par le département américain de l'Agriculture (USDA) est aussi rassurant que connu.

L'USDA affiche à l'égard de la vache folle la même nonchalance. Une fois que l'épidémiologiste John Wilesmith établit que l'origine de la maladie est attribuable à la farine de viande et d'os infectée servie aux bêtes en Grande-Bretagne, en 1988, les autorités constatent à leur grande satisfaction que les États-Unis n'importent pas de quantités significatives d'aliments britanniques pour animaux. Par contre, au cours des dernières années, les fermiers nationaux ont bien importé quelques centaines de têtes de bétail anglais à des fins d'élevage ; l'USDA en localise la moitié (pas le reste), qu'il rachète pour les abattre[2]. S'appuyant sur le fait qu'il ne s'agit pas de bêtes laitières mais à viande, donc moins susceptibles d'attraper la maladie, l'agence s'empresse de déclarer le pays à l'abri. Pour l'industrie du bœuf, qui pèse 27 milliards de dollars, la nouvelle est excellente.

Quelques citoyens ne sont pas rassurés pour autant, et doutent que l'USDA fasse vraiment son possible pour leur sécurité. Ils savent que le sentiment de se savoir parfaitement protégés par un gouvernement bienveillant relève en partie du mythe, parce que, à l'instar de son homologue britannique, le rôle de l'USDA comporte un autre aspect capital – et contradictoire. Outre le souci de la santé du consommateur, il a aussi celui de la santé des industries alimentaires. Et depuis une vingtaine d'années, c'est ce dernier qui prime.

La révolution Reagan, avec son parti pris économique libéral, a dépouillé les inspecteurs officiels de leur autorité. L'industrie de la viande est aujourd'hui seule chargée de sa propre inspection, les contrôleurs de l'USDA se focalisant surtout sur les antécédents de chaque entreprise en matière de respect des règles. À lire les déclarations sous serment de ces contrôleurs dans l'industrie de la viande, on a non seulement l'impression qu'ils ne pèsent d'aucun poids face à la direction de l'entreprise visitée, mais qu'ils se font surtout rembarrer par leur propre hiérarchie aussitôt qu'ils tentent d'exercer correctement leur métier. À les entendre, les cas de viande couverte d'excréments, déformée par les abcès, tombée à terre puis raccrochée sur la chaîne d'assemblage sont monnaie courante. Cela provoque une recrudescence des intoxications alimentaires : les autorités médicales du pays font état de 5 000 décès par an et près de 200 000 intoxications légères *par jour*.

Ceux que j'appelle les Creutzfeldt-Jakobins – tous ceux qui se soucient de la présence de la vache folle aux États-Unis, activistes de l'agroalimentaire, végétariens, consommateurs de viande bio, et la quasi-totalité des personnes qui ont vu un proche mourir d'une maladie neurodégénérative et ne se sont pas satisfaits du diagnostic – n'oublient pas qu'à l'apparition de la vache folle en Grande-Bretagne le gouvernement l'a passée sous silence pour préserver le marché du bœuf et des produits laitiers. Au cas où la maladie apparaîtrait en Amérique, ces Creutzfeldt-Jakobins ne s'attendent pas à un autre comportement de leur propre gouvernement.

Au milieu des années 1990, plus préoccupé de rassurer les marchés étrangers que d'apaiser l'inquiétude du citoyen, l'USDA annonce son intention de procéder au dépistage de la vache folle parmi le bétail. Le programme visera les bêtes incapables de se rendre debout à l'abattoir – le bétail dit « tombant » ou « aux quatre D » (*dead, dying, disabled, or diseased* : mort, mourant, impotent ou malade) ; ce sont celles dont on croit qu'elles présentent le plus grand risque de maladie à prion. (En Grande-Bretagne, même avant l'ESB, on n'a jamais autorisé le bétail tombant à intégrer la chaîne alimentaire.)

L'USDA ne précise pas combien d'animaux seront testés. Le pays abat à peu près 35 millions de bêtes chaque année, et, ainsi qu'on l'apprendra par la suite, l'USDA n'entend en tester qu'une sur mille (quand les Européens testent près du quart de leurs bêtes). Pour justifier cette proportion, l'USDA explique que son objectif n'est pas de repérer la vache folle avant que le consommateur ne la mange, mais de prélever un échantillon du cheptel américain pour voir si la vache folle constitue un problème significatif. Sur les quarante mille tests pratiqués, tous sont négatifs.

Puis, fin décembre 2003, l'USDA annonce qu'une vache tombante d'un troupeau de l'État de Washington s'est avérée positive. Les autorités ne cachent pas leur surprise, alors même que le bruit courait depuis longtemps parmi les chercheurs du prion que le cheptel américain comporterait forcément certains cas – ne serait-ce que parce que jusqu'en 1997 le pays a autorisé l'ajout de protéines de bœuf et de mouton dans l'alimentation des vaches (et même continué jusqu'en 1989 d'importer les farines de viande et d'os *britanniques*). Au grand soulagement des autorités, on apprend quelques jours plus tard que l'animal avait plus de six ans, ce qui signifie qu'il est né avant la mise en place de l'interdiction en 1997 des protéines de bœuf et de mouton dans l'alimentation bovine aux États-Unis. Motif de soulagement supplémentaire, l'animal a vu le jour au Canada. « Cela change considérablement la donne », déclare à la presse le chef vétérinaire de l'USDA en contenant difficilement sa joie. Le problème ne concerne finalement pas le pays du tout.

Mais le monde entier ne partage pas cet optimisme : le Japon, premier importateur de bœuf américain, déclare l'embargo (il redoute particulièrement l'ESB parce que le patrimoine génétique des Japonais est lourdement homozygote), aussitôt imité par plus de quarante pays.

Espérant rétablir la confiance, la secrétaire à l'Agriculture, Ann Veneman, annonce que ses services multiplieront par dix le nombre de tests. Elle en profite pour rappeler à table le consommateur national : « Nous ne voyons aucune raison justifiant que les gens changent [...] leurs habitudes alimentaires et se privent de joyeuses et saines fêtes, déclare-t-elle à la presse le 23 décembre. J'ai l'intention de servir du bœuf au réveillon, et nous réaffirmons toute notre confiance en la sûreté de notre système alimentaire. » Pourquoi alors augmenter le nombre de tests ? « Surcroît de précaution », répond Veneman, comme si, près de dix ans après, on reproduisait à l'identique le parcours des autorités britanniques.

L'idée d'un surcroît de précaution, toutefois, n'est pas totalement dénuée de sens. Lorsqu'un petit producteur bovin du

Kansas annonce qu'il compte satisfaire les exigences de sa clientèle japonaise en testant *toutes* ses bêtes, l'USDA le lui interdit. Les raisons d'un tel refus sont évidentes : la confiance dans le bœuf national repose évidemment sur le fait qu'on *ne connaisse pas* le risque qu'il constitue. D'immenses sommes sont en jeu – le géant de la viande Tyson Foods, par exemple, s'attend à doubler son bénéfice si l'interdit sur la viande américaine est levé dans le monde entier[3]. La nouvelle du cas de l'éleveur du Kansas parcourt le globe, abondamment relayée à travers les listes d'adresses électroniques des organisations américaines de consommateurs, où l'on fait à nouveau le parallèle entre les premiers jours de la vache folle en Angleterre et les événements qui agitent à présent les États-Unis[4].

Rien dans l'attitude de l'USDA n'est de nature à inspirer confiance. Chaque fois qu'un renforcement des contrôles est envisagé, les industriels du bœuf – qui ont la main sur bon nombre de postes clés au sein de l'administration – agissent dans l'ombre pour faire avorter le projet. Le pays traite vingt-cinq milliards de bêtes chaque année et personne ne semble détenir le poids politique pour sécuriser le processus. Veneman a elle-même appartenu à un groupe de pression et siégé au conseil d'administration d'une entreprise nommée Calgene, qui produit entre autres les tomates Flavr Savr, premier aliment génétiquement modifié jamais mis à la vente au consommateur. Cette implication aux premières heures de la « Frankenfood », la nourriture selon Frankenstein, n'a pas échappé aux Creutzfeldt-Jakobins.

Un peu plus tard, un nouvel incident vient renforcer le doute du consommateur. En avril 2004, une vache détraquée est abattue au Texas après qu'un inspecteur régional a rejeté la demande d'un vétérinaire national qui voulait la soumettre au test, puis, en janvier 2005, les Canadiens trouvent une vache atteinte d'ESB née *après* l'interdiction des protéines animales dans les aliments pour animaux, qu'ils ont mise en place en 1997, en même temps que leur voisin américain. Tout indique à présent que, comme en Grande-Bretagne, l'interdit n'est pas respecté. Les récits en ce sens sont innombrables : on parle d'usines qui ne séparent pas correctement les protéines bovines et porcines, d'éleveurs qui, par souci d'économie, continuent de donner à leurs bêtes des protéines de bœuf et de mouton malgré l'interdit.

Dans le cas de vache folle survenu à Washington en décembre 2003, il est une chose que les Creutzfeldt-Jakobins n'ont particulièrement pas appréciée. L'USDA avait déclaré que la vache en question était « tombante ». Mais trois des quatre témoins ayant vu l'animal à l'abattoir ont affirmé qu'elle marchait et n'avait été déclarée tombante que parce qu'un équarrisseur, la voyant prise de secousses, l'a tuée pour qu'elle ne piétine pas les autres dans le fourgon. Le litige incite le contrôleur général de l'USDA à ouvrir une enquête. Ses conclusions auront leur importance : si la vache *marchait* tout en étant porteuse de l'ESB, et si l'USDA ne teste que les bêtes tombantes, trop peu d'animaux sont testés.

Les Creutzfeldt-Jakobins s'appuient sur deux études abondamment citées et susceptibles de faire la lumière sur cette question essentielle. Dans la première, réalisée au début des années 1990, Richard Marsh, chercheur de l'université du Wisconsin formé auprès de Carleton Gajdusek, et le spécialiste de la tremblante du mouton William Hadlow ont injecté le tissu cérébral de deux visons atteints de maladie à prion à du bétail sain, et constaté que, si le bétail attrapait bien une maladie à prion, celle-ci ne ressemblait pas à l'ESB telle qu'on la connaît en Grande-Bretagne[5]. La disposition des perforations et des plaques dans le cerveau était différente. Ensuite, les vaches sur le point de mourir s'effondraient brusquement, sans avoir préalablement montré le moindre signe de maladie.

La seconde étude est celle des époux Elias et Laura Manuelidis, professeurs de neurologie à Yale. À la fin des années 1980, leur laboratoire a examiné les échantillons de quarante-six patients dont le seul critère de sélection était que leur certificat de décès faisait état de maladie d'Alzheimer. Sur les quarante-six, six étaient en fait morts de la MCJ[6]. D'autres études viendront confirmer celle des Manuelidis. Pour les millions d'Américains concernés par la maladie d'Alzheimer, ces études signifient que des milliers d'entre eux meurent peut-être de la MCJ à l'insu du corps médical.

Ces deux articles reviennent à la une en juin 2005, lorsque l'USDA annonce avoir trouvé un deuxième cas de vache folle. L'animal, tombant, s'est avéré positif à un dépistage rapide, mais quand l'USDA le soumet à ce qu'il appelle le test « étalon or », il redevient négatif. L'USDA procède à un troisième test, positif, mais déclaré nul parce qu'on estime la technique encore trop expérimentale. L'inspecteur général de l'USDA court-circuite alors le secrétaire à l'Agriculture pour commander un quatrième test sur la bête. Le résultat est à nouveau positif. Finalement, l'USDA envoie des échantillons à un laboratoire britannique, qui, sept mois environ après que l'animal a été abattu, confirme la présence d'ESB. Il faut impérativement faire une annonce. À la différence de la vache de l'État de Washington trouvée près d'un an et demi plus tôt, celle-ci est née aux États-Unis, ce qui est une mauvaise nouvelle, mais peut-être était-ce avant l'interdit sur l'alimentation des ruminants, ce qui en serait une bonne. Le plus inquiétant est que l'infection au prion, comme celles que Richard Marsh a observées au milieu des années 1980, ne présente pas l'aspect attendu. Le fait que les meilleurs tests de l'USDA aient été négatifs révèle aussi qu'ils sont peut-être insensibles à la souche de maladie à prion qui frappe les vaches américaines.

Tout cela n'empêche pas l'USDA de trouver matière à se féliciter : l'animal n'a pas intégré la chaîne alimentaire, et le fait de n'avoir relevé qu'un cas positif sur plus de 400 000 tests est réconfortant. Mike Johanns, le successeur d'Ann Veneman (devenue depuis directrice exécutive à l'UNICEF), réaffirme que la viande de bœuf américaine est sûre : « C'est clair et net... j'en ai encore mangé ce midi. C'est la plus sûre du monde et je n'ai pas du tout l'intention de m'en passer. » Il affirme dire à la presse les choses « telles qu'elles sont ».

Johanns ne se hasarde pas à expliquer pourquoi l'inspecteur général de l'USDA a jugé nécessaire une contre-expertise à la contre-expertise consécutive aux deux tests initiaux, ni – on l'apprendra plus tard – pourquoi l'échec du même animal à un test précédent n'a fait l'objet d'aucun rapport écrit (« Les gars du labo n'en ont tout simplement pas parlé à leurs supérieurs[7] », expliquera un porte-parole de l'USDA). Taiwan, qui, deux mois auparavant, vient de rouvrir ses frontières au bœuf américain, les referme aussitôt, et le cours des actions Tyson Foods perd 3 % dès la séance suivante.

Après ce deuxième cas, l'USDA accroît encore la fréquence des tests, qui toucheront à présent plus d'un demi-million de vaches malades ou mortes. En décembre 2005, soumis à très forte pression par les États-Unis, les Japonais rouvrent leurs frontières au bœuf américain, pour les refermer après quelques semaines lorsqu'ils découvrent avec horreur qu'un empaqueteur de viande américain leur a involontairement envoyé de la moelle[8]. La rumeur que du bétail tombant continue d'intégrer la chaîne alimentaire – alors que c'est interdit depuis l'épisode de la vache de l'État de Washington en décembre 2003 – circule obstinément dans leur pays, ce qui « risque de déclencher la colère du gouvernement et du consommateur japonais », prévient le journal *Yomiuri Shimbun*. Et alors même que l'USDA renouvelle ses assurances publiques que le bœuf américain est sûr et annonce son intention de réduire son programme de tests, on découvre un troisième cas de vache folle américaine en Alabama en mars 2006, puis un autre en avril, celui d'une vache canadienne cette fois, née après l'interdit. Le sort semble parfois vouloir s'acharner.

Comme ils se demandent si la vache folle a atteint ou pas la population humaine des États-Unis, les Creutzfeldt-Jakobins sont amenés à se pencher sur la MCJ. Au fond, ils ne croient pas qu'on puisse attraper cette maladie par hasard. En revanche, ils pensent que la forme dite sporadique par les scientifiques est en fait le variant de la MCJ (la vache folle chez l'homme) et que le gouvernement refuse de le reconnaître, soit par incompétence, soit par duplicité. En d'autres termes, à leurs yeux, la vache folle sévit déjà aux États-Unis, où elle tue des gens, mais on ne le sait pas.

Pendant la première moitié de la décennie, la figure de proue du mouvement est un Texan nommé Terry Singeltary. Filiforme, une longue queue-de-cheval argentée, Singeltary se décrit lui-même comme un « péquenot hippie » qui n'a pas fait d'études. Sa mère est morte en 1997 d'une forme rapide de la

MCJ dite variant Heidenhain, dont les victimes perdent la vue parce que la maladie ronge une partie de leur cerveau connectée au nerf optique. À peine remis de l'épreuve, Singeltary a découvert qu'un an plus tôt la mère de son voisin dans le petit village de Bacliff, au Texas, avait succombé elle aussi à la MCJ. Il entreprend de se documenter sur la maladie, et remarque notamment l'article de Marsh sur l'existence possible d'une souche domestique d'ESB. Tout cela le conduit à porter sur la politique de sécurité alimentaire de l'USDA un regard nouveau. Il est désormais persuadé que sa mère a été contaminée par des instruments chirurgicaux infectés de la vache folle et que la mère de son voisin l'a été par un complément nutritif aux extraits de protéine bovine – qu'il surnomme « la vache folle en gélules ».

Au début, Singeltary est encore rongé de douleur, et les messages électroniques qu'il envoie aux chercheurs donnent dans la provocation : « Dans le cadre de ma recherche du responsable du meurtre de ma maman... », puis de conclure par « je suis le fils fou d'une maman morte de la vache folle ». Depuis, si l'on en croit son épouse Bonnie, « Terry s'est un peu calmé ». Installé à l'ordinateur qui trône dans son salon, Singeltary se répand quasiment chaque jour dans les listes d'adresses électroniques scientifiques et les forums de discussion relatifs à la MCJ où il expose le point de vue des Creutzfeldt-Jakobins. Avec d'autres, il souligne qu'aucune interdiction ne frappe aujourd'hui aux États-Unis les parties de l'animal montrant la plus grande susceptibilité au prion. La cervelle, l'intestin et la viande séparée mécaniquement – arrachée à la carcasse par de l'eau sous pression et donc très porteuse de tissus nerveux potentiellement infectieux – sont encore à la vente. Aucune restriction ne frappe l'utilisation de protéines bovines dans la composition de médicaments ou de compléments protéiques du type de celui que Terry tient pour responsable de la mort de la mère de son voisin. Après le cas de la vache de Washington, la Food and Drug Administration (FDA) a proposé l'interdiction de certaines de ces pratiques – avant d'y renoncer en silence. Il demeure donc légal aux États-Unis de nourrir le bétail d'excréments de poulet, et comme les volailles continuent de consommer des protéines bovines – provenant parfois de bétail mort – et que le prion survit à l'excrétion, il est fort possible que les bovins continuent d'ingérer leurs propres prions infectés à travers les matières fécales des volailles. (Ce fait est tellement préoccupant qu'en 2005 McDonald's, premier consommateur de bœuf du pays, s'en plaint dans une lettre à la FDA[9].)

La plupart des parents de victimes de la MCJ que j'ai interrogés rejoignent Singeltary sur le fait que la maladie qui a frappé leur proche n'était pas sporadique. Ils partagent avec lui deux autres soupçons : d'abord, tous les cas, ou presque, de MCJ aux États-Unis sont dus à une infection ; ensuite, le gouvernement fédéral dissimule ce fait à l'opinion publique. Un nombre étonnant de scientifiques de renom doutent eux aussi de l'existence d'une MCJ sporadique – notamment parmi les experts en protéines, les épidémiologistes et les neurologues. Ils estiment la notion même de MCJ sporadique superflue. Si l'on sait qu'une maladie se répand par infection, pourquoi à tout prix supposer que certains l'attrapent aussi par hasard ? Pourquoi ne pas plutôt chercher la source de l'infection dans leur cas aussi ? La théorie d'une MCJ sporadique leur semble par ailleurs souffrir de certaines lacunes. D'une part, si la MCJ sporadique naît d'une incapacité de l'organisme à correctement produire des protéines qui survient avec l'âge, il paraît étrange que les chances de l'attraper diminuent à partir de soixante-dix ans. En outre, ils jugent suspecte la coïncidence qu'aucun cas sporadique de tremblante du mouton ou d'ESB n'ait jamais été décelé en Australie ni en Nouvelle-Zélande, deux pays dont les bêtes ont également été épargnées par la forme infectieuse du mal. Les chercheurs trouvent à ces cas de MCJ « sporadique » une foule d'autres origines infectieuses possibles, qui vont de la viande infectée à la contamination par des instruments hospitaliers, en passant par la transfusion sanguine de personnes souffrant de maladie à prion non diagnostiquée (plusieurs cas de ce type ont récemment été signalés en Grande-Bretagne), les compléments protéiques, l'enrobage de protéine bovine d'innombrables gélules, ou encore les cosmétiques à base de produits bovins. Peter Crino, le neurologue de Carrie Mahan au Centre médical de l'université de Pennsylvanie, fait partie de ces sceptiques, tout comme Carleton Gajdusek et David Asher, l'un de ses anciens élèves qui dirige aujourd'hui le service de la FDA chargé de protéger les réserves de sang du pays[10].

Pour le public, le flou qui règne sur la nomenclature des maladies à prion est de nature à nourrir encore un peu le doute. Qui saurait dire la différence entre la MCJ génétique (on est porteur de la mutation à la naissance), la MCJ sporadique (qui survient par hasard) et le variant de la MCJ (consécutif à une infection) ? En écrivant ce livre, je n'ai cessé de rencontrer des gens qui m'ont dit : « Ma mère est morte de la vache folle » ou : « J'ai un ami dont la tante est morte de la vache folle. » Chaque fois, le diagnostic a été celui de la MCJ sporadique, et non celui de l'infectieuse, mais la famille restait sceptique : invariablement, la victime était un grand consommateur de viande ou avait passé un week-end en Angleterre dans les années 1980.

Si la mort qu'elle induit n'était pas si brutale, l'idée d'une MCJ sporadique ne soulèverait peut-être pas tant de résistance. Mais les familles des défunts s'écrient nécessairement, comme Beryl, la grand-mère de la jeune Vicky Rimmer : « Pourquoi Vicky ? Une enfant en pleine santé ? [...] Si elle avait été fragile depuis des années, encore, je comprendrais[11]. » Dans la même veine, Terry Singeltary m'a dit : « On ne meurt pas comme ça, sans raison. » Certaines victimes de la MCJ sont prises de terribles démangeaisons, comme si elles avaient la tremblante du mouton. Elles crient, hurlent comme pourchassées par des démons. Elles voient des hommes imaginaires escalader jusqu'à leur chambre d'hôpital. Clare Tomkins croyait voir un phasme sur son bras et Carrie Mahan ne cessait d'entendre la même rengaine dans sa tête. Le parent d'une victime du variant de la MCJ a dit en 1995 : « Je n'imagine pas ce salopard de Satan se tourner vers moi pour me dire : "Tu vois, ça, c'est mon œuvre[12]." »

Une autre maladie à prion sévit en Amérique, c'est celle du dépérissement chronique du ruminant. Si la vache folle est une maladie engendrée par la quête de profit, celle-là est engendrée par la soif de prestige. Elle frappe les élans et les cerfs, mais on la trouve parmi la population animale d'une demi-douzaine d'États, au Canada et en Corée du Sud. Les symptômes du dépérissement chronique sont similaires à ceux d'autres maladies à

prion – l'animal commence par excessivement transpirer et uri-
ner, puis il se met à perdre du poids, ne tient plus sur ses pattes
et finit par s'effondrer. La vache folle n'a été confirmée que dans
quelques cas aux États-Unis ; on sait par contre que le dépérissement chronique a déjà tué des centaines de cerfs, probablement
même des milliers.

Il n'y a aucune raison qu'une maladie à prion survienne
parmi des ruminants à l'état sauvage. Les cerfs ne sont pas cannibales, contrairement aux vaches qui le sont devenues malgré
elles, et lorsqu'ils ne sont pas domestiqués, élans et cerfs n'ont
pas suffisamment de contacts entre eux pour qu'une épidémie de
prion se répande à la façon supposée de la tremblante chez le
mouton. Mais les cerfs ne mènent pas la vie qu'ils menaient
naguère, car l'homme a une fois encore laissé son ambition
tordre le cours naturel des choses.

Les premiers cas enregistrés de dépérissement chronique se
sont produits dans le Colorado, à la fin des années 1970. Là, dix
ans plus tôt, un jeune biologiste nommé Gene Schoonveld travaille à Fort Collins pour le bureau régional de la faune et de la
flore à une expérience censée permettre aux cerfs de mieux survivre jusqu'au bout de l'hiver. L'objectif est récent. La famine
est l'un des moyens auxquels la nature a recours pour ajuster la
population de cerfs aux quantités de nourriture disponible. Bien
que pas grand monde ne s'en soit réellement aperçu, dans les
années 1950 et 1960, la population du Colorado s'est fortement
accrue, ce qui, en réduisant les surfaces boisées, a compliqué la
quête de nourriture des cerfs. Dans le même temps, l'État a voté
des lois de conservation, limitant notamment la durée d'ouverture de la chasse et ses terrains. Bien vite, on a vu des cerfs
efflanqués errer sur les pelouses et dans les rues de banlieue à la
recherche d'un repas. Les gens se sont mis à les nourrir, pour
constater qu'ils mouraient quand même, s'effondrant au pied des
bottes de foin, au bord des autoroutes ou sur les parterres de
fleurs.

Schoonveld tient à comprendre les raisons de ce mystère,
alors il installe un groupe de cerfs affamés dans un enclos du
parc animalier de la Colorado State University. Il observe leur
estomac pour voir ce qui s'y passe et commence à les alimenter.

Lorsqu'il souffre de malnutrition, le cerf perd de sa capacité d'assimilation des nutriments, parce que les micro-organismes de son estomac meurent. On a beau lui donner n'importe quelle quantité de nourriture, il est incapable de la digérer. Et reste affamé.

Pour son étude, Schoonveld place d'autres cerfs dans un enclos séparé, qu'il espère voir se reproduire et lui fournir quelques « cobayes » de rechange. Ces cerfs-là cohabitent avec quelques moutons empruntés à l'université pour des études nutritionnelles complémentaires. Les versions divergent quant au fait que ces moutons aient été infectés ou pas (de nombreux témoins sont morts depuis), mais Schoonveld prétend – et il n'est pas le seul – que les troupeaux de l'université comportaient certains individus atteints de tremblante. Si tel est le cas, il se peut qu'ils l'aient transmise aux cerfs partageant leur enclos.

Au début, se souvient Schoonveld, tout paraît normal – comme il s'y attend, les cerfs qu'il nourrit continuent de s'affamer. C'est du côté des cerfs supplémentaires que viennent les surprises. Voilà qu'ils ruissellent de sueur, titubent, tremblent, salivent énormément et perdent du poids.

Qu'est-ce donc qui tue les cerfs de l'enclos annexe ? Ce ne peut être leur alimentation, aussi appétissante que nutritive. Schoonveld conduit son expérience à terme, rédige ses conclusions sans avoir résolu le mystère des cerfs du second enclos, et passe à autre chose. Lorsque le personnel de la faune et de la flore du Colorado vient chercher les cerfs survivants pour les relâcher dans les montagnes Rocheuses, il n'émet aucune objection.

Dix ans plus tard, en 1977, un étudiant vétérinaire de la Colorado State University s'étonne de trouver des traces d'encéphalopathie spongiforme dans le cerveau de cerfs provenant de parcs locaux qu'on lui a confiés pour autopsie. Les responsables de la faune conduisent alors diverses études pour vérifier le degré de propagation de cette nouvelle maladie ressemblant à la tremblante. Les dix années écoulées depuis les expériences de Schoonveld (en supposant que ses cerfs sont bien les premiers porteurs de l'infection) ont largement laissé au dépérissement chronique du ruminant le temps de se répandre. Le mal a atteint des troupeaux domestiques de l'est du Colorado et du Wyoming, et l'on ne tarde pas à constater qu'il frappe aussi les élans. Il finit par passer les Rocheuses, puisqu'on l'observe au Nebraska en 2001, et franchir le Mississippi en 2002 jusqu'au Wisconsin. On a même constaté sa présence en 2005 dans un troupeau domestique de l'État de New York – l'animal a été abattu et servi au banquet de 650 chasseurs enthousiastes. Fin 2005, on relève le premier cas chez un renne sauvage.

Les chercheurs ne savent toujours pas grand-chose du dépérissement chronique du ruminant, mais ils trouvent que son mode de propagation rappelle davantage la tremblante que l'ESB – c'est-à-dire que le côtoiement y est indispensable. Plus les contacts de cerf à cerf sont nombreux, plus on dénombre de cerfs infectés – or, la population des cerfs est en pleine expansion en Amérique. Aujourd'hui, Schoonveld, jeune sexagénaire, se reproche l'irruption de la maladie. « Je les ai nourris. Je les ai manipulés. J'en ai mangé. J'en ai donné à manger à mes enfants, dit-il. Si quelqu'un avait dû mourir de cette maladie, c'était bien moi. » Mais si Schoonveld a peut-être été le déclencheur du dépérissement chronique – ce qui reste difficile à prouver –, la maladie n'aurait pas beaucoup progressé sans le concours de multiples autres acteurs.

Un cerf ne parcourt pas de lui-même mille cinq cents kilomètres dans l'année. Et cela n'a pas été nécessaire puisqu'il s'est trouvé des gens pour les déplacer aux quatre coins du pays, favorisant sans le savoir la propagation de cette nouvelle maladie à prion. L'homme s'est mis à élever des cerfs dans le but de les rendre plus gros et de les doter de plus grands bois qu'à l'état sauvage. Certains chasseurs étant disposés à payer des dizaines de milliers de dollars pour avoir l'occasion de tuer une belle bête, l'éleveur se charge de la transporter à l'endroit où le chasseur souhaite la tuer. Mais, dans ce système, tous les cerfs d'élevage ne sont pas tués : certains s'enfuient et font des petits, et parmi ceux-là, quelques-uns ont transmis la maladie.

Mais ni le cerf à l'état naturel ni le cerf modifié par l'élevage ne suffisent à combler le désir du parfait trophée. Ce qui offre une autre explication possible, complémentaire, de la rapide propagation du dépérissement chronique constatée ces dernières années. L'objectif suprême des chasseurs de cerf, ce sont ses splendides bois. À cet égard, le summum, c'est le dix-cors, un animal aux bois si développés qu'ils présentent dix ramifications. La taille des bois est déterminée à la base par la génétique, mais la nutrition intervient aussi. Serait-il possible alors de nourrir les mâles de façon à en faire de beaux trophées ? L'idée est apparue à la fin des années 1960, lorsque des chasseurs du Texas ont lancé un programme nommé « Quality Deer Management » (« gestion de cerfs de qualité »), ou QDM, qui a aussitôt rencontré le succès dans l'ensemble du pays. « Les bois – il y a quelque chose de magique, de mystique dans les bois du cerf », s'extasie un site Internet consacré à ce programme[13]. La protéine responsable de la croissance des bois se vend sous forme de granulés que le chasseur dépose là où les bêtes ont l'habitude de paître : à force d'ingérer les granulés, le cerf voit ses bois devenir impressionnants. Le projet a parfaitement fonctionné : le nombre de mâles de premier choix a décuplé. Les cerfs sont de plus en plus gros et les armoires des chasseurs se remplissent de trophées.

À l'instar des fermiers anglais avant eux, les chasseurs ne savent pas que les granulés qu'ils répandent contiennent des protéines d'animaux tombants, notamment de moutons. S'ils sont infectés par la tremblante – hypothèse probable – les cerfs y ont été exposés. Or, pour les manger, ils tendent à se regrouper, ce qui, en démultipliant les contacts entre eux, accroît le risque de propagation de la maladie.

En 2002, les services de la faune et de la flore ont constaté des cas de dépérissement chronique près du mont Horeb, dans le Wisconsin, là où les chasseurs déposent des granulés protéiques depuis des années. « Nous sommes issus de familles d'éleveurs de bétail, » raconte au *Capital Times* de Madison une femme appartenant à un groupe local de QDM, alors c'est là que nous avons puisé nos idées pour améliorer le cheptel[14]. » Cet automne-là, j'ai visité le mont Horeb alors qu'on cherchait à en éradiquer la maladie. La ville semblait hors du temps : la rue principale, avec son grand magasin de malt, était muette et bordée d'immenses trolls sculptés dans le bois, évocation des

257

racines scandinaves de la commune. Non loin de là, les services des ressources naturelles du Wisconsin étaient au travail. Leur projet consistait à tuer jusqu'au dernier cerf sur un territoire d'approximativement mille kilomètres carrés – soit quelque 25 000 bêtes. Ne resterait ensuite qu'à en importer de nouveaux, sains, pour préserver la considérable activité que constitue la chasse au cerf pour l'État. La méthode était calquée sur le système par lequel les fermiers se débarrassent de la tremblante : éliminer puis repeupler.

Dans de nombreux États, pour procéder à une telle tuerie, il aurait fallu faire appel à la Garde nationale, mais pas au Wisconsin, où la chasse est une passion. On y abat 450 000 cerfs par an, plus que partout ailleurs. « Je [...] cherche de vaillants chasseurs prêts à nous aider, à moins que la peur ou leurs épouses ne les en dissuadent[15] », confiait un responsable des ressources naturelles à une journaliste du Milwaukee. Les autorités ont donc prolongé la saison de chasse et levé la restriction habituelle d'un seul mâle par chasseur. Et les volontaires ont massivement afflué.

Ce week-end-là, il y avait des cerfs partout, dans chaque pré au bord de la route. Derrière chaque tournant, une dizaine de bêtes levaient la tête : certaines arboraient déjà les premières rousseurs de leur robe d'hiver. Je n'en ai pas vu de manifestement malades – lorsqu'un cerf est atteint de dépérissement, on peut compter ses côtes. Le soir, j'ai rejoint le poste de veille de la maladie, en pleine forêt. Avant même d'avoir vu quoi que ce soit, l'odeur m'a pris au nez. C'est là que les chasseurs étaient censés apporter leurs proies, et que des employés des ressources naturelles, aidés de volontaires, tous coiffés d'un bob orange où l'on pouvait lire « Équipe d'intervention contre la maladie du dépérissement chronique », s'employaient à scier les têtes qu'ils plaçaient dans des glacières destinées aux laboratoires. Le chasseur pouvait choisir d'emporter la carcasse, après délivrance d'un certificat sanitaire, ou de l'abandonner sur place. Dans 90 % des cas, c'est cette dernière option qu'on choisissait, alors ce soir-là, les cadavres s'empilaient sur la remorque d'un tracteur, la robe pâlie et la langue pendante. Il y avait des mouches partout ; et les participants ne prenaient manifestement aucun plaisir à se trouver là. « C'est une partie de chasse pour chasseurs de pacotille », m'a dit l'un. Les services officiels ont déversé des hectolitres de désinfectant à base d'eau de Javel, qu'ils croyaient efficace contre l'infection au prion. En fait, cette technique prête à débat – pas grand-chose n'est capable de tuer le prion.

Le lendemain, je me suis rendu dans un laboratoire de l'université du Wisconsin, où des étudiants en pathologie vétérinaire recouverts de la tête aux pieds d'une combinaison de protection procédaient à l'extraction des amygdales et du nerf vague, qui s'étend du cerveau à l'estomac et constitue le foyer d'infection majeur du dépérissement. Le tableau était particulièrement déprimant – les têtes grises, les langues arrachées et violacées, et, sur des tables d'aluminium, attendant qu'on les examine, quelques volatiles soupçonnés d'être porteurs du virus du Nil occidental. On aurait cru voir la nature tomber en pièces sous nos yeux.

L'opération a montré un taux d'infection avoisinant 2 %, ce qui est très élevé pour une maladie en milieu sauvage. La partie de chasse de 2002 n'a pas tué tous les cerfs, alors le programme d'éradication a été reconduit en 2003, puis en 2004, et il se poursuivait en 2005. À la troisième année, en 2004, la zone ciblée – délimitée sur une impressionnante carte topographique au quartier général des ressources naturelles – a été étendue de moins de 1 000 à 4 500 kilomètres carrés, pour répondre à la propagation de la maladie. Dans la zone plus atteinte, la chasse de 2004 a révélé un taux d'infection compris entre 8 % et 12 %, qui est resté stable en 2005. Considérant l'estimation officielle selon laquelle sans l'intervention humaine le dépérissement chronique finirait par toucher 40 % de tous les cerfs de l'État sur une période comprise entre dix et trente ans, on peut en déduire que les services des ressources naturelles ne sont parvenus qu'à maintenir la maladie à son niveau. En revanche, comme l'a admis un responsable officiel en 2005 : « L'éradication est une jolie idée, mais elle ne se fera pas[16]. » Autrement dit, le dépérissement chronique du ruminant n'est pas près de quitter le Wisconsin.

Concernant la maladie proprement dite, la question clé demeurant sans réponse est celle de savoir si, comme la vache folle, elle est transmissible à l'homme. En 2000, Byron Caughey, du NIH, a obtenu l'infection *in vitro* de protéines prion humaines saines par des prions du dépérissement, mais l'éprouvette n'est pas la vie réelle ; s'il avoue qu'il ne se risquerait pas à manger les parties du gibier atteintes de dépérissement chronique, Caughey n'en souligne pas moins le fait rassurant que les prions du dépérissement chronique sont très dissemblables de ceux de l'homme. En 2006, une équipe de chercheurs a trouvé des prions dans du muscle de cerf, ce qui signifie que quiconque mange du gibier court au moins un risque potentiel.

En 2001, constatant la propagation rapide du dépérissement chronique du ruminant, l'USDA l'a élevé au rang d'« urgence nationale[17] ». En Europe, nombre de chercheurs du prion pensent qu'il en faudra beaucoup plus pour sortir les États-Unis de leur complaisance. En 2002, Adriano Aguzzi, éminent chercheur suisse du prion, a averti les Américains qu'ils sous-estimaient la « menace intérieure » que constitue le dépérissement chronique[18]. « Sa propagation horizontale parmi la faune est de plus en plus rapide, elle va atteindre un taux de prévalence supérieur à celui de l'ESB en Grande-Bretagne quand il était à son maximum. »

Avec le goût du secret et la négligence manifestés par l'USDA, les Creutzfeldt-Jakobins n'ont pas besoin du dépérissement chronique du ruminant pour craindre le pire. Dès que plusieurs cas de maladie de Creutzfeldt-Jakob se succèdent sur une période brève dans un même État, ils invoquent la possibilité d'une irruption de vache folle chez l'homme (ou variant de la MCJ). Ces dernières années, le cas s'est présenté à Allentown (Pennsylvanie), à Athens (Géorgie), au cœur de la Caroline du Sud, à Nassau County et Ulster County (New York) et, fin 2005, dans l'Idaho. Nos activistes montrent du doigt certains points communs rapprochant les victimes – qui ont par exemple subi un acte de chirurgie dans le même hôpital ou mangé dans le même restaurant – en s'appuyant sur la thèse que l'étonnante occurrence de tant de cas de MCJ dans un espace si restreint et sur une si courte durée relève moins du hasard que de l'irruption épidémique.

Le plus gros de ces foyers soupçonnés est celui associé au

Garden State Race Track, le champ de courses de Cherry Hill, dans le New Jersey, resté en service jusqu'en 2001. S'il est jamais établi que Carrie Mahan souffrait bien du variant de la MCJ – le deuxième test de Gambetti s'étant encore avéré négatif, son frère a envoyé des échantillons en Angleterre pour analyses sur la transmission –, elle en constituera la première victime confirmée. C'est l'une de ses amies, Janet Skarbek, qui la première a remarqué que les morts de la MCJ s'accumulaient autour du champ de courses, où Carrie Mahan avait occupé un emploi. Skarbek se distingue de Terry Singeltary et de la plupart des Creutzfeldt-Jakobins par le fait qu'elle n'hésite pas à se définir comme une mère de famille traditionnelle, républicaine de surcroît. Son époux est consultant financier ; leur ménage a toutes les raisons du monde d'avoir foi dans le système. La mort de Carrie, en 2000, n'a pas spécialement intrigué Janet, qui y a vu « une tragédie », dit-elle, mais sans plus.

Trois ans plus tard, en juin 2003, parcourant la rubrique nécrologique d'un journal local, elle tombe sur l'annonce du décès d'une nommée Carol Olive. Olive aussi est morte de la MCJ – or, comme Carrie Mahan et une centaine d'autres personnes, elle avait travaillé au Garden State Race Track. « C'est là que j'ai failli tomber à la renverse », se souvient Janet Skarbek : en fouillant diverses bases de données, elle débusque une autre victime de la MCJ, John Weber, résident de Pennsauken, une commune voisine, décédé en 2000. Le frère de Weber dira à Skarbek que John détenait un abonnement annuel au champ de courses et qu'il « y prenait au moins un repas par semaine ».

Comptable de formation, Janet Skarbek croit aux chiffres. Elle calcule que le petit groupe des abonnés et des employés administratifs du champ de courses ne devrait compter qu'un cas de MCJ tous les neuf cent neuf ans, pas trois en quatre ans. Elle poursuit ses recherches et découvre d'autres décès dus à la MCJ dans la région. En 1997, Jack Schott, transporteur routier de cinquante-neuf ans, y a succombé. Ainsi qu'un musicien de jazz nommé Kenneth Shepherd en 2003, puis, la même année, un homme de soixante et onze ans, John LaPaglia. Janet Skarbek récolte des informations auprès des parents et des proches et déniche deux victimes de plus : Walter Z., comptable fiscal, et Alfred P., tous deux morts en 1997 de la MCJ.

Skarbek parvient à relier chacune des victimes au champ de courses : Alfred P. y a dîné une fois en compagnie d'un député du New Jersey. Walter Z. et John LaPaglia ont été tous deux abonnés à l'année. La femme de Kenneth Shepherd se souvient qu'il y a mangé. Schott, lui, s'y est rendu au début des années 1990. « Il y a commandé du bœuf, dit Skarbek. Sa femme a pris du poisson. » Carol Olive, selon sa sœur, était « dingue de hamburgers ».

Skarbek informe les Centers of Disease Control (CDC) et les autorités sanitaires du New Jersey. Elle explique qu'il suffit d'un simple coup d'œil sur la carte pour constater que quatre des victimes habitaient des communes jouxtant Cherry Hill. La population totale de ces communes était de 124 121 habitants. Selon ses calculs, la MCJ sporadique n'étant censée frapper qu'une personne sur un million, une population de cette taille ne devrait recenser qu'un cas tous les huit ans. Le CDC et les autorités sanitaires ne manifestent pas le moindre intérêt pour les données que leur fournit Janet Skarbek. En décembre 2003, lorsque survient le cas de la vache de l'État de Washington, elle interrompt ses activités de comptable pour pleinement se consacrer aux cas du Garden State Race Track.

Le premier problème quant aux allégations de Janet Skarbek, c'est que les pathologistes qui ont examiné le cerveau de ces victimes supposées de la MCJ sporadique n'y ont pas vu le variant de la MCJ mais bien la MCJ sporadique. Ces deux maladies ne présentent pas du tout le même aspect. Le type sporadique produit généralement des perforations du cerveau. Le variant se caractérise tout aussi généralement par la présence, outre les perforations, de plaques amyloïdes, ces épais dépôts de prions morts.

Pour répondre à cette objection et relier entre eux les différents cas, Skarbek brandit une étude de John Collinge, le chercheur britannique. En 2002, Collinge a trouvé que, chez la souris pourvue de gènes humains du prion, le variant ressemble parfois à la MCJ sporadique. On ne peut pas toujours extrapoler à l'homme ce qui se produit chez la souris, mais la découverte n'en est pas moins frappante. Skarbek connaît aussi très bien l'étude menée par Richard Marsh dans les années 1990 démontrant qu'il pourrait y avoir aux États-Unis une souche indigène d'ESB ne ressemblant pas à la maladie de la vache folle en Angleterre. Skarbek est persuadée qu'une telle souche était présente dans la viande servie aux clients du Garden State Race Track ; ils en ont été infectés, et la souche est apparue sous forme de variant de la MCJ ressemblant à la MCJ sporadique. Elle réduit la fenêtre de la contamination à une période d'une semaine située quelque part entre 1988 et 1992.

La thèse de Skarbek suppose qu'une souche de maladie de la vache folle frappant l'homme a été suffisamment rare, ou distincte du variant de la MCJ de Grande-Bretagne, pour avoir échappé à la détection. Or, le scénario ne paraît pas convaincre les experts américains de la MCJ. Pour Ermias Belay, directeur de la veille sur le prion au CDC, s'il existait un second variant de la vache folle chez l'homme, on l'aurait déjà détecté en Grande-Bretagne, ce que Collinge lui-même admet.

Le schéma infectieux reconstitué par Skarbek autour du champ de courses pose problème, lui aussi. Il implique que la souche d'ESB ait été présente dans une seule vache, ou à peine quelques-unes, dont la viande aurait exclusivement été consommée par le petit groupe de gens qui ont mangé au même endroit sur une courte période de temps voici plus de dix ans. Et s'il suffit d'une infime quantité de prion d'ESB pour provoquer l'infection fatale d'une vache – une étude a démontré en 2005 qu'un milligramme suffit –, les experts britanniques estiment que la consommation répétée de protéines infectées joue un rôle dans l'infection chez l'homme, qu'il y a en quelque sorte effet cumulatif, parce que s'il suffisait d'une bouchée, les quantités de bœuf consommées en Grande-Bretagne pendant les années de la vache folle auraient dépeuplé l'essentiel de l'île. Le scénario d'une douzaine de personnes ayant fait mauvaise pioche au champ de courses en croquant le morceau de viande qu'il ne fallait pas ne ressemble pas vraiment à l'irruption d'une maladie à prion. Il évoque davantage celle d'une maladie conventionnelle, la salmonellose, par exemple, qui voit un groupe donné entrer en contact avec un agent infectieux à un moment donné[19].

Suite à l'agitation déclenchée par Skarbek et au large écho qu'elle reçoit – les deux sénateurs du New Jersey ont commandité une enquête –, le CDC et les autorités sanitaires de l'État finissent par se pencher sur les cas de victimes de la MCJ qu'elle a recensés et leurs comptes-rendus d'autopsie. En mai 2004, le CDC émet son rapport, dressé avec le concours de Pierluigi Gambetti. Il y est déterminé que sur les dix-sept victimes que Skarbek a signalées, onze sont mortes de la MCJ, trois d'autres causes identifiables, quant aux trois dernières, les raisons de leur décès ne sont pas claires. En outre, aucune des victimes dont on a pu établir le profil génétique ne montre le polymorphisme méthionine-méthionine que présentent toutes celles du variant de la MCJ en Angleterre. C'est-à-dire qu'il est peu probable qu'elles aient contracté la MCJ par infection.

Skarbek ne se donne pas pour satisfaite : « Leur investigation est tendancieuse », m'a-t-elle confié. Espérant obtenir des résultats confirmant ses soupçons, elle invite aujourd'hui les familles de victimes à ne pas envoyer d'échantillons de tissus à des chercheurs institutionnels comme Gambetti mais plutôt à des francs-tireurs, comme Frank Bastian, professeur de médecine à la Tulane University, qui est persuadé que le prion n'est pas infectieux en lui-même mais qu'il s'accompagne d'une bactérie ordinaire disséminée par les insectes.

Bien que son combat contre le CDC n'ait rien donné, Skarbek a atteint le public au point de devenir une Erin Brockovich des classes moyennes, prête à courir le risque d'un procès intenté par une industrie du bœuf réputée pugnace ou à contredire l'USDA et le CDC en déclarant que la vache folle est déjà en Amérique. Le Congrès l'a invitée à témoigner du risque de variant de la MCJ aux États-Unis, et les Japonais l'ont consultée sur l'embargo qu'ils ont décrété. Un cinéaste est même en train de préparer un documentaire sur sa croisade.

Si Skarbek est le plus apparent des investigateurs autoproclamés sur la vache folle, elle n'est pas seule, loin de là. Partout où apparaît un foyer, il se trouve toujours quelqu'un pour prendre la peine d'en calculer l'improbabilité statistique. (Le cas le plus criant est celui rapporté par Carleton Gajdusek d'un homme américain et de son épouse, supposément morts de la

MCJ sporadique à quatre ans et demi d'intervalle ; les chances que cela se produise étaient d'une sur un million de millions ; Gajdusek se dit persuadé que le couple a été infecté par une voie encore inconnue[20].)

Les Creutzfeldt-Jakobins se sont donné pour devise l'adage « Absence de preuve n'est pas preuve d'absence[21] ». De quoi inciter les profanes à se mêler de médecine, puisque cela suggère que nulle autorité n'est définitive et que chacun de nous est susceptible d'apporter sa contribution à la recherche de la cause d'une maladie ou de son remède. Évidemment, nul n'est censé oublier qu'en Grande-Bretagne ceux qui ont refusé la version officielle ont fini par avoir raison, et que c'est bien à ces scientifiques et journalistes contestataires que les citoyens doivent leur reconnaissance.

Si, dans son rapport, le CDC botte en touche quant à la vraie question soulevée par Skarbek, c'est qu'il n'a pas la réponse : à quoi ressemblerait le variant de la MCJ en Amérique ? À la souche britannique ? Quelle en serait la signature moléculaire ? Quelle classe d'âge frapperait-il ? Et surviendrait-il par foyers ? Il n'y a même aucune raison de supposer que la nourriture en soit nécessairement le vecteur ; l'ancien adjoint de Gajdusek, C. J. Gibbs, qui a traité les cas de MCJ venus à l'attention du NIH, a eu l'occasion de souligner que toutes les victimes de la MCJ sporadique qu'il a rencontrées étaient férues de jardinage[22]. Les engrais de jardin contiennent de la farine d'os, des protéines bovines aussi.

Le groupe des Creutzfeldt-Jakobins est appelé à prendre peu à peu l'ampleur d'un mouvement, parce que même si la peur de la vache folle se dissipe, l'inquiétude autour de notre approvisionnement alimentaire demeurera. Jusqu'à récemment, les sites Internet des familles de victimes, comme CJD Watch ou CJD Voice, recevaient essentiellement des messages de parents de victimes de la MCJ sporadique cherchant à contacter des personnes ayant vécu le même drame. Mais, la vache folle produisant son effet sur l'inconscient collectif américain, les messages se sont faits plus politiques. Ils ont commencé à affluer d'énergumènes du type de Skarbek ou Singeltary, persuadés, comme l'affirme ce dernier, que « la vache folle est là, elle tue des gens et ces connards ne lèvent pas le petit doigt ».

Plus récemment, on s'est mis à y trouver les textes d'internautes convaincus qu'ils sont atteints du variant de la MCJ et qui décrivent leurs symptômes. « Voilà maintenant plus de deux ans et demi que j'ai des problèmes, ça a commencé par des vertiges positionnels, puis de la fièvre et des fassiculations [*sic*] de partout... et je sens que j'ai du mal à réfléchir », écrit un contributeur anonyme en juin 2003 sur le site de CJD Watch. Un ancien enfant comédien raconte à l'été 2004 sa crainte d'avoir attrapé la maladie de la vache folle, en évoquant des « vertiges bizarres ». « Les vertiges sont partis, explique-t-il, mais j'ai commencé à avoir des crises d'angoisse au cours desquelles je me mettais à flipper sans raison. Ces crises sont passées à leur tour. » Les symptômes qu'il éprouve actuellement sont les suivants : « Contractions musculaires sur tout le corps (visage, membres, tronc, etc.) ; contractions de divers types : petites fasciculations locales, juste sous la peau. Difficultés concernant la pensée abstraite. Mauvaise mémoire à court terme. Esprit nébuleux. Difficultés en calcul et orthographe défaillante. Apathie (très faible émotivité). Myoclonie de deux types (quand j'essaye de dormir, ça me réveille) dont une qui survient quand je suis éveillé. Persistance constante d'un son aigu dans ma tête. Mouches volantes (taches régulières et drôles de points flottants). Tremblements survenant généralement quand j'actionne mes muscles. Exemples : si je fronce le nez, mon visage se met à trembler, si je serre le poing, c'est ma main. Chaque fois que je bande un muscle quel qu'il soit, il tremble. »

Une Hondurienne habitant la Caroline du Nord l'a rejoint sur le forum parce qu'elle croit avoir attrapé le variant de la MCJ en prenant des pilules pour augmenter la taille de sa poitrine. Les symptômes qu'elle décrit sont similaires, notamment les crises d'angoisse, la myoclonie et la cécité naissante. Elle ne doute pas d'être en train de mourir, bien que, comme le lui a fait remarquer l'acteur en 2005 alors qu'elle fréquentait déjà le forum depuis près de deux ans, « le fait que vous soyez non seulement vivante, mais capable d'utiliser un ordinateur, de marcher etc. signifie que vous n'avez probablement pas le variant de la MCJ ». Rien ne rassure cette femme, qui poursuit sa quête d'un diagnostic auprès de nouveaux médecins. « On dirait presque que vous aimeriez avoir le variant de la MCJ, lui reproche un internaute irrité début 2006. D'après ce que je lis, il est évident que vous ne l'avez pas, à tel point que ça crèverait les yeux de n'importe qui. Ce que vous avez, hormis un réel problème d'ordre émotionnel, n'est en aucune façon le variant de la MCJ. Je suppose que si vous parvenez à convaincre les médecins de vous prescrire assez de médicaments, vous finirez bien par contracter quelques symptômes qui vous donneront de quoi éviter ce que vous cherchez tant à fuir. C'est de l'aide psychiatrique qu'il vous faut. Trouvez-en. » Tout cela n'empêche pas notre femme d'en fustiger une autre qui assure avoir soigné sa MCJ par la thérapie à l'oxygène. « Cessez d'éveiller de faux espoirs chez ceux qui souffrent vraiment de la MCJ. Désolée, mais c'est la vérité », écrit-elle en février 2006. À quoi l'autre lui répond dans une involontaire ambiguïté : « Je ne pense pas que mes informations éveillent de faux espoirs – et de toute façon, pour l'instant, que nous reste-t-il d'autre ? »

La prise d'assaut des forums de discussion sur la MCJ irrite les familles qui, les premières, y faisaient leur deuil au départ – ce petit groupe de gens qui croit encore au discours des experts, à savoir que leurs regrettés disparus ont été les victimes du hasard. L'un d'eux s'en prend à ce qu'il appelle les « jérémiades d'hypocondriaques et les théories de la conspiration de grands justiciers du peuple[23] ». Mais personne ne l'écoute. Rien ne semble devoir arrêter les Creutzfeldt-Jakobins, parce que dans un monde où absence de preuve n'est pas preuve d'absence, personne ne peut non plus vous prouver que vous n'êtes pas malade.

Quatrième partie

L'HEURE DU RÉVEIL ?

15

Pour les victimes
de l'insomnie fatale familiale
Vénétie, aujourd'hui

Au long des années 1990, les membres de la famille italienne frappée d'insomnie fatale familiale continuent de mourir. En 1993, à Cleveland, Pierluigi Gambetti met au point un test de dépistage de la mutation responsable de la maladie, et, sur insistance de Cati et Ignazio, cinquante d'entre eux se rendent à Bologne pour y subir une prise de sang. Voilà enfin du concret. Mais la chose n'est pas totalement infaillible pour autant. Le test comporte un taux considérable d'erreurs – 15 % au début.

Dans la famille, certains refusent de s'y soumettre, craignant que l'épreuve n'induise elle-même suffisamment de stress pour déclencher la maladie. Parmi ceux-là, le cousin Carlo, dont le frère Flavio est mort d'IFF en 1974. Après Flavio, ça a été le tour de l'autre frère, Terenzio, en 1975. Carlo a toujours souhaité mener une existence tranquille, et espéré dépasser l'âge fatidique sans incident, ce qu'à soixante et un ans il croit avoir réussi. Mais un soir de 1996, il rend visite à sa nièce, qui a élevé les enfants de sa sœur Teresa, et propose de joindre ses efforts à ceux d'Ignazio et Cati dans la recherche d'un remède. Sa nièce a vu autour d'elle beaucoup de monde mourir d'IFF : son grand-père, son père, deux de ses oncles, et Teresa. Elle sait à quoi cela ressemble. Voyant les pupilles de son oncle, elle comprend immédiatement de quoi il retourne. Elle envoie Carlo à Ignazio, qui le redirige sur Bologne ; elle l'accompagne en train avec la femme de Carlo. « Je savais. Il savait, dit-elle. Peut-être que sa femme savait aussi. » Carlo meurt peu après.

Bien que certaines branches de la famille soient particulièrement frappées, décès après décès, on ne cède rien de sa foi profonde en Dieu. Au contraire, c'est même parfois la macabre série qui remet sur le chemin de l'église. C'est ce qu'a vécu un jeune homme que j'appellerai Arturo. Le personnage est haut en couleur, il arbore la rousseur flamboyante de Marianna et ne peut s'empêcher de toujours tout questionner. Il a perdu trois de ses oncles avant d'atteindre trente ans. À l'adolescence, il a contacté le neurologue bolognais Pietro Cortelli pour vérifier s'il devait interpréter l'insomnie dont il souffrait comme un signe de la maladie (Cortelli l'a rassuré en lui disant qu'il était trop jeune). Arturo était alors décidé à briser le tabou familial sur la maladie et à aborder le problème de façon moderne. Il s'est même rendu dans une bibliothèque, pour consulter un ouvrage sur la question. Là, il a vu l'image des protéines fatales mal repliées qui tuent sa famille. En 2000, son père a commencé à avoir du mal à dormir. La famille a souhaité éviter de le conduire à Bologne, dont l'Institut ne les inspirait plus guère, et préféré l'emmener dans plusieurs hôpitaux régionaux, où les médecins ont fini par lui recommander d'aller voir sans plus attendre Cortelli et Elio Lugaresi. Ce qu'il a fait.

Pendant l'épreuve, la famille a beaucoup prié, tout le monde disait le rosaire chaque soir. Le chagrin a consolidé leur foi. Le fait de croire les a rendus plus forts. Déjà très affaibli, Carlo a confié à Arturo ne pas redouter de mourir, et lui a fait promettre de veiller sur sa mère et ses sœurs une fois qu'il ne serait plus là – le chef de famille, désormais, c'était lui. Un mois plus tard, le père a eu beaucoup de fièvre, il est tombé dans le coma pour mourir peu après. Bologne espérait pouvoir pratiquer l'autopsie et envoyer le cerveau à Pierluigi Gambetti, comme d'habitude, mais la famille s'y est opposée, Arturo compris. Ce dernier, qui jusqu'alors s'était toujours satisfait de son rôle d'aiguillon de la famille, avait changé d'attitude. Son père a rencontré une bonne mort auprès du Seigneur. Les prières qu'ils prononçaient ensemble chaque soir lui ont apporté davantage de réconfort que les électroencéphalogrammes des médecins. Arturo était impatient d'aller retrouver son père au paradis.

Quand je lui ai parlé, une semaine après, son discours était dénué d'ambiguïté. Il ne voulait plus jouer les fauteurs de troubles de la famille. Il a retourné sa fougue vers l'intérieur, en quête d'une sérénité plus forte que la maladie. Il est devenu le sacristain de sa paroisse et ne mange plus que de la nourriture biologique. Quand je lui ai demandé s'il comptait se soumettre au test pour établir s'il portait la mutation qui avait emporté sa grand-mère, son père et trois oncles, il m'a répondu que non. L'angoisse du test risquait de provoquer elle-même la maladie. Et puis, que faire d'une telle information ? Il n'y a toujours pas de remède connu.

Le sort de cette famille italienne dépendra finalement moins de son propre comportement que de l'intérêt que soulèveront les maladies à prion dans le monde, facteur sur lequel elle n'a aucun pouvoir. Si beaucoup de gens craignent d'attraper le variant de la MCJ, elle en bénéficiera. Si au contraire, comme pour la grippe porcine ou le virus d'Ebola, la peur s'estompe, la famille sera de nouveau livrée à elle-même.

Les années de la vache folle l'ont mise en meilleure posture, mais le salut reste extrêmement lointain. Comment combattre une maladie qui demeure à ce point mystérieuse ? Une protéine tueuse dont on ignore la fonction lorsqu'elle est saine et dont on ne comprend toujours rien à la méthode d'élimination des cellules ? Depuis Pasteur, jamais chercheur n'a eu à combattre une infection dont on sait si peu de chose.

Contre un pathogène, l'idéal est de créer une molécule artificielle capable de s'y fixer et de le neutraliser. Malheureusement, les chercheurs ne connaissent pas la forme du prion de façon certaine. En outre, l'ensemble du processus d'élaboration d'un médicament demande dix ans et coûte entre 750 millions et 1 milliard de dollars. C'est le cheminement qu'ont suivi certains médicaments contre le VIH, mais, en l'occurrence, les victimes du VIH se comptent par millions. En comparaison, la petite quarantaine de familles frappées d'IFF dans le monde ne pèse pas bien lourd. En y ajoutant les victimes de maladies génétiques à prion – que ce soit la forme génétique de la maladie de Creutzfeldt-Jakob ou de celle de Gerstmann-Straussler-Scheinker – on atteint le nombre de trois cents. Comptons encore toutes les familles dont un membre souffre ou est mort du variant de la MCJ ou de la MCJ causée par une hormone de croissance et cela nous mène à cinq cents familles concernées. Aussi spectaculaires que soient les symptômes ou aussi criantes que soient selon certains les erreurs coupables du gouvernement, on est loin de la masse critique requise dans l'univers de la recherche médicale. En 1997, lorsque le gouvernement britannique a organisé une rencontre pour discuter d'éventuels remèdes au variant de la MCJ, seuls s'y sont présentés les émissaires de trois entreprises pharmaceutiques : il n'y avait tout simplement pas assez d'argent sur la table[1].

Alors, pour soigner les maladies à prion, les chercheurs sont obligés de faire avec les médicaments existants. On dispose, pour soigner toutes les maladies qui frappent l'homme, d'une centaine de composés nettement distincts, desquels moins de quinze sont capables d'agir dans le cerveau, où le prion fait l'essentiel de ses dégâts. En laboratoire, on fait tester automatiquement par des machines les variations de ces composés sur des échantillons infectés au prion. Dès qu'un médicament paraît prometteur, le chercheur peut directement passer aux tests sur l'homme – pas besoin d'établir laborieusement la preuve que le médicament est sûr, puisqu'il a déjà été approuvé pour d'autres maladies humaines. Le chercheur n'a plus pour seul souci que celui de l'efficacité.

Le premier médicament à avoir suivi ce parcours est la quinacrine. Pendant la Seconde Guerre mondiale, l'armée américaine a pris d'importantes mesures contre le paludisme, qui se traite à la quinine. Cette dernière, extraite de l'écorce du quinquina, est en fait le premier remède à avoir été employé contre quelque maladie que ce soit. Elle s'est avérée si efficace qu'à travers l'histoire nombre de gouvernements, d'organisations et de scientifiques – dont l'ordre des jésuites ou le baron von Liebig – ont cherché à s'en accaparer l'approvisionnement. Au début de la Seconde Guerre mondiale, les Japonais ayant occupé l'essentiel de l'Extrême-Orient, où pousse le quinquina, les États-Unis ont lancé la production massive d'un substitut de synthèse. Les soldats américains ont donc avalé des millions de doses de quinacrine, faisant quasiment disparaître les cas de paludisme en leur sein.

La quinacrine est constituée de très petites molécules. C'est cette qualité qui plus que toute autre a attiré les chercheurs du prion – elle permet au médicament de franchir la barrière sang/cerveau. En 1997, les laboratoires ont testé *in vitro* l'effet de composés dérivés de la quinacrine sur des cellules de souris infectées de prions. C'est un chercheur japonais nommé Katsumi Doh-Ura qui, le premier, a publié en collaboration avec Byron Caughey, du NIH, un rapport suggérant qu'on parviendrait à réduire l'infectiosité à l'aide de ce médicament autour de l'an 2000. Mais, comme d'habitude, c'est le laboratoire de Prusiner à San Francisco qui, présentant des résultats similaires un an plus tard, a récolté les lauriers[2].

À l'été 2001, un Anglais nommé Stephen Forber surfe sur Internet à la recherche d'un traitement pour Rachel, sa fille de vingt ans, qui compte parmi la centaine de Britanniques ayant reçu le diagnostic du variant de la MCJ. Forber contacte Stephen Dealler, le microbiologiste qui avait averti très tôt que la vache folle allait se transmettre à l'homme. Ses craintes s'étant avérées, Dealler consacre à présent toute son énergie à la recherche d'un remède.

Dealler sait que le laboratoire de Prusiner obtient des résultats encourageants avec la quinacrine, alors lorsque Forber le contacte, il le renvoie vers cette équipe, qui accepte de donner le médicament à Rachel. On sait le produit sûr lorsqu'on l'emploie aux dosages requis pour la malaria, mais ces derniers sont trop faibles pour agir sur une maladie à prion. N'empêche, voilà longtemps que Prusiner promet un médicament et les premiers résultats de celui-ci – constatés sur des cellules de souris – sont très encourageants. On met donc Rachel sous quinacrine. La suite est miraculeuse : l'état de santé de Rachel s'améliore. À son arrivée à San Francisco, en juin, elle était incapable de parler, de marcher ou de comprendre ce qui se passait autour d'elle. Quatre semaines plus tard, elle a quasiment recouvré tous ses moyens.

Jusqu'alors, le gouvernement britannique a beaucoup renâclé à financer la recherche d'un traitement pour le prion, mais la guérison apparente de Rachel le convainc d'investir 200 000 livres dans la recherche autour de la quinacrine. Pour Prusiner, c'est une revanche au goût de miel. Ce gouvernement, qui l'a mis à l'écart du drame de la vache folle est à présent en train de mesurer son erreur. Trois ans auparavant, il avait prédit qu'il lui faudrait cinq ans pour vaincre la MCJ, et voilà qu'il a deux ans d'avance. C'est alors que les choses se gâtent.

À haute dose, la quinacrine peut provoquer la stérilité, des tremblements, et endommager le foie. C'est la raison qui a conduit les militaires à remplacer dès qu'ils l'ont pu la quinacrine par un remède de synthèse. Les doses que reçoit Rachel Forber sont extrêmement élevées : à l'hôpital, le teint que lui donnent ses complications au foie lui vaut le surnom parmi les médecins de « princesse Citron ». Après sa sortie, le foie cesse totalement de fonctionner. Il faut interrompre le traitement. À peine la quinacrine a-t-elle quitté son métabolisme que les symptômes reparaissent. Au bout d'une rapide déchéance, elle meurt en décembre 2001, six mois après le diagnostic. À ce jour, plus de trois cents sujets atteints d'une maladie à prion ont testé la quinacrine et, d'après Graham Steele, qui dirige la CJD Alliance au Royaume-Uni, « ils sont tous morts ».

Les nombreux ennemis de Prusiner ne se font pas prier pour lui attribuer la responsabilité de cet échec. Mais, à son laboratoire, on considère au contraire que le traitement a été une réussite. À en croire son équipe, les analyses post mortem des cellules de Rachel ont révélé une baisse importante de l'infectiosité du prion. Et puis, quelle aurait été l'alternative ? « Face à une personne souffrant de maladie mortelle, on prend ce qu'il y a », dit Fred Cohen, un biochimiste qui a étroitement collaboré avec Prusiner au traitement de Rachel, et cherche aujourd'hui à mettre au point une variante moins toxique de la quinacrine.

Après la mort de Rachel Forber, les familles de la plupart des victimes de la MCJ placent leurs espoirs sur un autre médicament, le pentosan, un dérivé du hêtre habituellement prescrit pour les infections de la paroi de la vessie. En 1984, Alan Dickinson, le coléreux directeur de l'Unité de neuropathogénèse d'Édimbourg, l'a testé sur des souris infectées de la tremblante du mouton, pour constater que, même à très faible dose, il retarde le déclenchement de la maladie. Depuis, plusieurs chercheurs en ont donné à des rats, des hamsters et des chiens, avec le même succès. Dickinson a bien envisagé de passer aux tests sur l'homme, mais s'en est toujours abstenu par crainte des effets secondaires. Le pentosan est un fluidifiant sanguin qui, à trop forte dose, peut provoquer une attaque.

C'est alors qu'un autre père d'enfant malade frappe à son tour à la porte de Stephen Dealler[3]. Donald Simms a lu sur Internet certaines choses au sujet du pentosan. Jonathan, son fils de vingt-deux ans, ancien talent prometteur du football, est en train de mourir de la MCJ à Belfast. Dealler peut-il l'aider à s'en procurer ? Dealler lui explique que le médicament est trop épais pour franchir la barrière sang-cerveau. Il présenterait éventuellement quelque utilité sur une personne très récemment infectée, chez qui les prions n'ont pas eu le temps de pénétrer le système nerveux central, mais ce n'est pas le cas de Jonathan.

Dealler dit également que personne dans le pays ne cherche sérieusement à approfondir la piste du pentosan, mais Simms, entrepreneur bourru au physique de rugbyman, n'est pas homme à se laisser dissuader. Le hasard veut que Doh-Ura, le chercheur japonais qui a testé le premier la quinacrine sur le prion, soit prochainement attendu en Écosse. Don Simms parvient à le localiser en appelant tous les hôtels d'Édimbourg. Et le chercheur lui dit ce qu'il espère entendre : le pentosan pourra peut-être ralentir ou arrêter l'infection.

Le problème de l'acheminement du pentosan jusqu'au cerveau de Jonathan n'est pas vraiment insurmontable. À cette époque, les chercheurs savent faire pénétrer une aiguille à travers le crâne pour y libérer des médicaments contre le cancer. Simms trouve un neurochirurgien disposé à tenter la procédure sur Jonathan. Reste à convaincre les autorités britanniques de le permettre. Les institutions médicales nationales sont encore sous le choc de la mort de Rachel Forber. On craint d'exposer les jeunes victimes de la MCJ au risque d'une double trahison – celle de l'État, suivie de celle de leurs parents. Simms porte l'affaire en justice et, en 2003, il obtient le droit de traiter son fils. Étonnamment, le jeune homme a tenu pendant les dix-sept mois d'attente.

Le traitement de Jonathan est plus efficace que celui de

Rachel Forber, parce que le pentosan se loge à l'endroit précis où les protéines prion se convertissent en prions malins. C'est comme si l'on introduisait une fausse clé dans une serrure pour empêcher la vraie clé d'y entrer. Au moment de son diagnostic initial, en 2001, les médecins ne donnaient à Jonathan qu'un an à vivre. Pourtant, à l'heure où cet ouvrage part sous presse, cinq ans plus tard, il vit encore, ce qui fait de lui le plus ancien porteur vivant connu d'une maladie à prion. On n'ira toutefois pas jusqu'à prétendre qu'il se porte bien. Si dans le cas de Rachel Forber on a observé une fantastique guérison suivie d'un déclin précipité, le traitement de Jonathan consiste surtout à constamment repousser la mort, et peut-être accomplir de tout petits pas vers la guérison. Sa tension a baissé, il a repris un peu de poids et retrouvé la capacité d'ingurgiter et de dormir. Un an après le début de son traitement, ayant entendu quelqu'un dire qu'on retransmettait un match de son équipe préférée, il a montré du doigt le téléviseur et dit « *on* », « allumé » – c'est du moins ce qui s'est raconté en 2004. John peut à nouveau discerner les gens, mais il demeure incapable de se retourner dans son lit ou de manger seul, et n'y parviendra probablement plus jamais. Les scannographies ont révélé que l'atrophie de son cerveau se poursuit, bien que les progrès qu'il accomplit semblent indiquer le contraire. « Johnny est dans un état stable, m'a dit Donald quand je l'ai rencontré lors d'une réunion de famille en 2005, mon garçon est stable. »

Inévitablement, la bonne nouvelle concernant Jonathan Simms parvient aux États-Unis. Le premier Américain à recevoir du pentosan s'appelle James Alford. En 2002, alors qu'il n'est encore qu'un jeune soldat de vingt-quatre ans parmi les forces spéciales en Irak, il commence soudainement à perdre ses moyens. Souvent confus et inattentif, il est déclaré en situation d'absence illégale, parce que l'armée le soupçonne de simulation. En 2003, on lui retire son grade de sergent d'état-major et on le dote d'un stylo et d'une feuille de papier pour noter les instructions. L'armée est sur le point de le traduire en cour martiale pour insubordination lorsqu'un médecin militaire l'examine enfin et établit le diagnostic de la MCJ. Alford est donc réformé en avril 2003 et autorisé à rentrer mourir paisiblement parmi les siens. Mais c'est compter sans les talents d'agitateur de Terry Singeltary, qui veut faire d'Alford une *cause célèbre**. Lorsque son affaire est évoquée dans l'émission de journalisme à sensation *The O'Reilly Factor*, le consultant militaire de la chaîne qualifie le traitement subi par Alford de « pire cas d'abus sur un soldat que j'aie vu en trente ans[4] ».

Alford se considère comme une victime de guerre. Il raconte qu'un banquet auquel lui et d'autres soldats ont été conviés lors d'une mission secrète à Oman en 2001 n'a pas été si chaleureux qu'il en avait l'air – on y aurait délibérément servi du mouton infecté de tremblante aux convives américains. L'hypothèse d'Alford apparaît fantaisiste aux chercheurs du prion parce qu'aucun cas de transmission à l'homme de la tremblante n'a jamais été constaté. « Nous en avons vidé des seringues entières dans des singes à mon laboratoire et ça n'a jamais rien donné, m'a dit Carleton Gajdusek comme je lui parlais de l'histoire d'Alford. Ces singes sont encore là aujourd'hui. » Toujours est-il que, sous la pression des médias, l'armée réincorpore Alford à pleine solde et lui accorde le même traitement que tout soldat ayant contracté une maladie ou reçu une balle au combat. L'armée facilite aussi l'accès d'Alford au pentosan, qui ne produit pas sur lui les mêmes résultats que sur Jonathan Simms. Chaque mois, Alford se fait conduire à l'hôpital le plus proche, celui de Karnak, dans le Texas, où les médecins versent quelques gouttes du produit dans un soluté salé et l'acheminent par shunt jusque dans sa tête. Au début du traitement, en 2004, Alford ne mange que des aliments liquides. Il ne réagit plus au son des voix. Aujourd'hui, il n'a rien récupéré de ses capacités perdues – il n'a cessé de décliner et se maintient dans un état comateux – et vit encore, mais à peine. Stephen Dealler estime que la différence entre son cas et celui de Jonathan Simms tient peut-être au fait que Simms recevait simultanément de fortes doses de vitamine E, mais cela reste à prouver. Début 2006, dans le monde, une trentaine de patients atteints du variant de la MCJ ou de sa version sporadique se traitent au pentosan, et tous sont en vie sauf

---

* En français dans le texte. (*N.d.T.*)

un[5]. Les perspectives des victimes de maladies héréditaires à prion ne sont pas si prometteuses. En 2005, une Américaine qui commençait à montrer les symptômes d'une forme héréditaire de la maladie de Gerstmann-Straussler-Scheinker a contacté Donald Simms, découvert l'existence du pentosan, et entrepris le traitement. Elle est morte à la fin de l'année, comme deux autres patients atteints du même mal et qui ont testé le produit sans grand succès, ce qui laisse supposer que les formes héréditaires de maladie à prion sont plus virulentes que leurs formes sporadiques ou infectieuses.

La famille italienne suit tout cela de près. Ignazio, qui lit très bien l'anglais, consulte les sites Internet consacrés à la MCJ pour se tenir à jour, mais ni lui ni Cati ni qui que ce soit dans la famille n'est, comme Donald Simms ou Stephen Forber, prêt à tout pour un remède. Chaque mois apporte la nouvelle d'un médicament récent susceptible d'enrayer la malformation du prion, mais c'est toujours en éprouvette ou sur des souris, et jamais sur des personnes. L'évolution de la situation leur procure bien une certaine excitation, mais elle les incite aussi à se tenir à l'écart. Ils ont vu des experts qui les ont renvoyés sur d'autres experts qui n'ont fait qu'ajouter de nouvelles expertises aux anciennes. Vivre avec l'IFF les a épuisés. Et rendus prudents. Ils savent pertinemment que malgré tout ce qu'on sait désormais de leur mal, la délivrance est encore loin.

En 2001, au premier conseil de famille, il n'avait été question que d'Amérique. On allait y ouvrir une fondation. « C'est en Amérique, disait-on, que se trouvent l'argent et la recherche. » *Lo zio d'America*, l'oncle d'Amérique, est un personnage récurrent dans les esprits italiens, et ces gens-là ne font pas exception. L'Amérique a souvent volé au secours de leur pays, pourquoi ne le ferait-elle pas à nouveau ? En outre, ont songé certains, en Amérique, la famille retrouverait l'anonymat. Elle y gagnerait à la fois l'intimité et l'argent.

Sauf qu'ils y ont réfléchi à deux fois. Prusiner semble préférer les prions aux gens, m'ont-ils dit. Et la perspective du pentosan les emplit d'horreur. Comme le dit Fred Cohen, chimiste à l'USCF, « se laisser insérer un tuyau dans le crâne » pour qu'un technicien puisse « vous verser quelque chose dans le cerveau », c'est un prix très élevé pour quelques années de vie supplémentaires.

La famille est consciente de détenir une certaine valeur aux yeux de la recherche. Les victimes d'une maladie à prion ne courent pas les rues, et encore moins les grandes familles souffrant d'une maladie héréditaire à prion. Un jour, dans le bureau de Pierluigi Gambetti à Cleveland, je l'ai entendu parler au téléphone de certains échantillons qu'il attendait. Dans son anglais soigné et à l'accent chantant, il a clos la conversation par ces termes : « Avez-vous un moyen de l'empêcher de décongeler ? [...] Vous pensez que ça tiendra jusqu'à demain ? Vous avez un congélateur, ou un réfrigérateur ? Pouvez-vous y ajouter de la neige carbonique ? [...] Non, nous ne pouvons pas recevoir de coursier après dix-huit heures. Pas moyen d'entrer. [...] Voyez si vous parvenez à le caser dans le congélateur. »

Par ailleurs, l'IFF est une maladie du sommeil, et nous vivons une époque où l'insomnie frappe à peu près 10 % du monde occidental, soit quelque cent vingt millions de personnes. « Si j'étais à la tête du NIH, j'investirais de l'argent dans la recherche sur l'IFF, m'a confié William Dement, le fondateur de la médecine du sommeil. Il se pourrait qu'elle trouve un remède à l'insomnie. Mais cela lui permettrait à coup sûr de concevoir des somnifères considérablement moins dangereux et plus pratiques. » La famille joue quand même ses cartes avec prudence, boxant les ombres du passé. Elle s'est récemment associée à un prestigieux institut milanais de recherche sur les protéines, avec l'ambitieux objectif de trouver un médicament capable d'interrompre la production de prions dans les cellules de la peau, puis dans le cerveau.

Entre-temps, pour récolter des fonds et entrer en contact avec d'autres victimes d'IFF, la famille a lancé le site Internet de son association (www.afiff.org/). La page d'accueil arbore une représentation d'Hypnos, le dieu grec du Sommeil, penché sur un homme inerte. En marge, un menu déroulant propose les dernières nouvelles mondiales de la recherche et des thérapies des maladies à prion ; Hypnos est si proche de ce menu qu'il semble n'avoir qu'à déposer son inutile trompette et tendre le bras pour y piocher la thérapie qui remettra d'aplomb le personnage gisant à ses pieds.

Début 2003, un nouveau membre de la famille qui vivait à l'extrême sud de la lagune de Venise est tombé malade. Il appartenait à une branche lointaine de la famille ; le point d'intersection avec celle de Cati est si ancien qu'Ignazio en ignorait tout bonnement l'existence avant de recevoir un appel des deux filles de cet homme. Elles avaient récemment lu un article sur l'association dans un journal italien, et voulaient savoir si ce dont souffrait leur père pouvait être l'IFF. Il avait déjà été vu dans trois hôpitaux, Sottomarina – où on l'avait estimé alcoolique –, Piove et Padoue, où les mystérieux cas d'Assunta et de Pierina étaient depuis longtemps oubliés des neurologues. Ignazio leur a expliqué les tenants et aboutissants de la maladie, et les tests de leur père ont confirmé qu'il en était bien atteint. Personne autour de lui n'avait jamais entendu parler de l'IFF auparavant.

On a découvert que cet homme était un descendant direct de Giuseppe, dont le fils de quatorze ans, Costante, fut autour de 1828 la première victime avérée du mal. La grand-mère et l'arrière-grand-mère des deux sœurs sont toutes deux mortes de la même chose, et les anciens ont toujours parlé de malédiction familiale. Personne n'avait jamais cru bon d'en parler aux deux sœurs.

Quand, peu après le décès de leur père, j'ai rencontré les deux sœurs – des Italiennes modernes, cultivées, coiffées et maquillées selon la dernière mode – elles étaient encore sous le choc de ce qu'elles avaient vu. Il n'avait fallu que quelques mois à cet homme athlétique pour se transformer en spectre. Au plus fort de la maladie, il mimait les gestes joyeux d'un pêcheur de l'Adriatique. La mort elle-même avait été particulièrement pénible – les tremblements myocloniques, l'état de stupeur, la suffocation – mais elles étaient soulagées de ne plus avoir à souffrir seules, de savoir que des dizaines de membres de leur famille se battaient contre le mal depuis des siècles et qu'il y avait même un écrivain pour s'intéresser à la question. Elles m'ont dit qu'à la mort de leur père elles avaient tenu à céder son corps à la recherche. Elles n'ont pas hésité à se confier à des amis. Puis elles ont fait ce que personne dans cette famille n'a fait pendant deux siècles. À la sortie de l'église où la messe funéraire a été dite, elles ont placé un réceptacle avec ces mots visibles de tous : « Pour les victimes de l'insomnie fatale familiale ».

Postface : un mot sur l'auteur

Je connais bien votre maladie et j'espère que notre travail permettra un jour sa guérison.

Stanley Prusiner, dans un mot adressé à l'auteur

Au moment d'achever mes recherches pour le présent ouvrage, j'en suis venu à éprouver qu'un gouffre séparait le cas de la famille italienne, avec ses deux siècles de calvaire, du mien. Les souffrances des personnes atteintes d'IFF – peut-être la pire maladie qui soit – m'ont alors paru uniques et de nature à imposer le respect de chacun. À l'entame de mes travaux, en revanche, je nous croyais réellement liés par le fait que nous étions atteints eux comme moi d'une pathologie due à la présence de protéines mal repliées, mais ce lien a fini par me sembler insignifiant. Eux souffrent d'une maladie neurodégénérative rapide et mortelle à prion. Moi, j'ai une maladie neuromusculaire lente, non mortelle, et sans rapport avec le prion. Je me suis senti, dans les termes du jeune homme au conseil de famille de 2001, comme un *curioso*, c'est-à-dire au mieux un spectateur bienveillant, au pire un voyeur. En tout cas, je n'étais pas des leurs.

Or, un jour que je travaillais à ce livre, j'ai reçu le message reproduit en exergue du présent chapitre. Prusiner lui-même rétablissait le lien entre nous – moi, la famille italienne, les victimes de la MCJ, celles des maladies d'Huntington et d'Alzheimer – tel que je l'avais senti au départ.

Voici à quoi tient notre lien : le syndrome dont je souffre est

283

étroitement associé à l'amyotrophie spinale et à la maladie de Charcot-Marie-Tooth (CMT), deux pathologies neuromusculaires évoquant une version lente de la sclérose latérale amyotrophique (SLA, ou maladie de Lou Gehrig). Ces maladies se situent un cran plus loin du prion que les troubles neurodégénératifs que sont les maladies d'Huntington ou d'Alzheimer, qui produisent des plaques amyloïdes. L'amyotrophie spinale, la CMT et la SLA ne sont pas des maladies à prion et ne déposent pas de plaques amyloïdes, mais elles naissent de protéines mal repliées.

Hormis cela, il est très difficile de dire quelles maladies ressemblent à la mienne. Prenons la CMT. C'est un salmigondis d'une bonne trentaine d'afflictions diverses réparties sur une demi-douzaine de chromosomes[1]. Les différentes sous-catégories de CMT sont de gravité très variable. On peut en être atteint sans jamais rien en savoir, mais aussi se trouver immobilisé dans un fauteuil roulant dès l'enfance. C'est peu avant la trentaine que je me suis aperçu que quelque chose n'allait pas. Mon pied gauche s'était mis à traîner. Un jour, j'ai senti le sol se dérober. En un éclair, la simple conservation de l'équilibre est devenue un acte conscient. Après cela, il ne m'a plus été possible de marcher simplement ; je marchais en veillant à garder l'équilibre. Je serrais des mains en veillant à garder l'équilibre. Je discutais en veillant à garder l'équilibre. J'avais la sensation constante de chercher à tenir debout sur un matelas à eau. Comme mon mal progressait, un neurologue m'a prescrit un appareil orthopédique, particulièrement difficile à mettre parce que mes mains s'étaient aussi affaiblies.

Mon problème physique est dû au fait que les plus longs de mes nerfs, ceux qui courent du bas de la colonne vertébrale jusqu'à la pointe des pieds et des mains, ne fonctionnent plus correctement. Ils ne parviennent plus à communiquer avec les muscles correspondants, ce qui provoque l'atrophie de mes membres. Sur le plan moléculaire, c'est la mutation d'un de mes gènes qui a modifié la structure ou la quantité des protéines nécessaires à mes nerfs pour émettre des signaux électriques à mes muscles. La conductivité électrique des nerfs sollicite des centaines de protéines différentes : certaines transportent le courant, d'autres isolent le nerf, convoient efficacement l'électricité ou réparent les protéines défectueuses.

Nul ne sait de quelle mutation je souffre ni sur quel gène elle se situe, mais le syndrome dont les manifestations cliniques sont les plus proches des miennes est une forme de CMT provoquée par la mutation d'un gène du chromosome 81. Le gène produit des protéines nommées neurofilaments L (NFL), qui s'assemblent d'elles-mêmes sous forme de filaments au sein de l'axone, la longue partie filandreuse du nerf. Chez les individus bien-portants, les NFL composent avec une infinie précision de longs tubes constituant une voie de circulation le long de l'axone pour les autres molécules. Le rêve de Shuguang Zhang, du MIT, par exemple, est fait d'une molécule capable d'autoassemblage aussi agile que les NFL mais créée par l'homme. En revanche, chez ceux dont le gène présente une mutation, la protéine perd toute rigidité et ne peut plus constituer le tube, ce qui interrompt le trafic des molécules véhiculant les impulsions nerveuses. Mes nerfs ne dysfonctionnent donc pas parce qu'ils sont défectueux eux-mêmes mais parce que l'échafaudage qui les maintient est mal constitué. Le problème ne tient pas au câble téléphonique mais aux poteaux qui le soutiennent.

Pour les chercheurs du prion, deux pistes sont susceptibles de mener à la rectification de ce défaut. Ce sont des experts en structure des protéines, ils peuvent donc soit se focaliser sur l'anomalie structurelle du NFL dès sa formation et tenter d'y substituer un acide aminé rétablissant le bon fonctionnement de la protéine, soit insérer dans mes cellules nerveuses une protéine assistante qui compense les carences de mes NFL et leur restitue leur rigidité. Il faudra des années avant qu'une méthode ou l'autre fasse la preuve de son efficacité ou pas, mais on possède assez de connaissance et de technologie pour entreprendre les travaux de laboratoire sans attendre – d'ailleurs, des méthodes similaires sont à l'essai pour d'autres maladies neurodégénératives ou du prion.

En tout cas, le message que m'a adressé Prusiner est quelque peu exagéré, et les brèves précisions fournies par son assistant ne laissent aucun doute à ce sujet : « Ce qu'il a voulu dire par là, écrit ce dernier, c'est que la CMT partage certaines caractéristiques avec les maladies à prion, ce qui pourrait dans une certaine mesure bénéficier à la recherche sur la CMT ; mais il n'a aucunement voulu signifier que nous soyons en train de travailler sur la CMT. Le Dr Prusiner ne connaît malheureusement personne qui travaille actuellement sur la CMT. »

Prusiner tiendrait-il la pilule magique à ma disposition que je ne sais si je l'avalerais. Il n'est pas rare que l'homme ne tienne pas ses promesses (que l'on songe à la pauvre « princesse Citron »). Et puis, la condition de malade engendre une habitude, qu'un traitement perturbe – ce qui peut précipiter l'évolution du mal, ou en tout cas faire qu'on se sente plus mal, la famille italienne ne le sait que trop bien. Non que je ne sois pas tenté par la publicité, la cause, la célébrité, l'affirmation de vie qu'implique la recherche d'un traitement. Si ma maladie trouve un jour sa place dans la course narcissique au prix Nobel d'un *autre* brillant spécialiste des protéines, peut-être serai-je amené à dire : « Oui, utilisez-moi. » Je sais qu'il faut beaucoup de bruit pour rendre à un malade ce que le médecin français René Leriche a appelé « le silence des organes[2] ».

En outre, tout porteur d'une maladie génétique a le devoir de songer à l'avenir. J'ai deux enfants en bas âge. Il y a cinquante chances sur cent que l'un d'eux attrape ma mystérieuse maladie. En regardant marcher mon fils, je constate que son pied gauche est un peu rentré – serait-ce le premier signe de la maladie ? Puis ça passe, et je me rassure. Mon bébé tarde un peu à adopter la marche à quatre pattes – comment l'interpréter ? Alors il me revient que mon mal n'est peut-être pas héréditaire du tout. Toutes les analyses génétiques auxquelles je me suis soumis se sont révélées négatives. Personne dans ma famille ne présente de symptômes similaires. Peut-être ma maladie non identifiée n'est-elle pas génétique mais sporadique – sauf que je ne crois pas vraiment aux maladies sporadiques. Les substances chimiques auxquelles j'ai été exposé à l'enfance, les vaccins, les rayons X pour les dents, le thon en boîte et les microgrammes de mercure qu'il contient : quelque chose m'a rendu malade, j'en suis sûr. Pourquoi sinon toutes ces pathologies neuromusculaires étaient-elles encore si rares voici quarante ans ?

On peut donc dire que moi aussi, dans une certaine mesure en tout cas, je suis un Creutzfeldt-Jakobin. En déambulant dans les couloirs de la Salpêtrière, où il a identifié la maladie qui porte son nom, le grand neurologue français Charcot se plaisait à

s'exclamer : « Qu'avons-nous fait, ô Zeus, pour cette destinée ?
Nos pères ont failli, mais nous, qu'avons-nous fait[3] ? » J'aurais
envie de lui répondre « rien ». Nous sommes par nature des animaux malades et c'est la vie fabuleusement longue et saine d'une
bonne part d'entre nous aujourd'hui qui n'est pas naturelle, « en
opposition à notre créateur », comme nous en a averti Richard
Parkinson dès 1810. Rien n'a fait que cette version légèrement
différente d'une maladie neuromusculaire à la fois familiale et
familière tombe sur moi, mais rien ne l'a empêché non plus.

Mon Padoue à moi, c'est le Columbia Presbyterian Medical
Center, au sommet d'une colline venteuse du nord de Manhattan,
et ce matin-là des années 1990 – mais cela aurait aussi bien pu se
produire en 2000 comme en 2010, à Montefiore, Baylor ou Yale
– je me tiens en slip devant un neurologue et une nuée d'étudiants
attentifs. La scène n'a pas changé depuis le temps de Charcot – le
grand savant et son aréopage. L'examen proprement dit n'a pas
beaucoup évolué non plus. Je tends les bras. Le neurologue me
demande de pousser vers le haut tandis qu'il pousse vers le bas. Je
pousse vers le haut. Il veut que je pousse vers le bas tandis qu'il
pousse vers le haut. Je pousse vers le bas. Il veut que je compose
un cercle de l'index et du pouce. De la main, il essaie d'en forcer
l'ouverture. Il me demande de fermer les yeux. Il tente d'écarter
mes paupières. Il me demande de fermer la bouche. Il ne parvient
pas à l'ouvrir de sa main. Les étudiants regardent.

Il me demande de m'asseoir jambes tendues, j'obtempère.
Il les pousse vers le bas. Je pousse vers le haut. Nous forçons
l'un et l'autre. Il transpire. Il s'accroupit et pousse mes pieds
vers le bas, et ils s'abaissent comme des pétales fanés. Il pousse
mes pieds vers le haut et ils s'élèvent comme des barrières. Bien
que son regard ne croise jamais le mien, je sens qu'il jouit de
l'instant.

Il s'empare d'une épingle à nourrice, l'ouvre, et me pique la
plante des pieds. Je dis que c'est la pointe. Il me touche de
l'autre extrémité. Je dis que c'est l'arrondi. (J'ai le choix entre
l'un et l'autre.) Il pique mon gros orteil. Pointe. Il prend un orteil
et le pousse vers le haut. Je dis « en haut ». Il en attrape un autre
et le baisse. « En bas. » Il prend un autre orteil et commence à le

pousser vers le haut mais le baisse aussitôt. « En bas. » Je sens l'odeur de ma propre transpiration.

Du regard, je suis son index de droite à gauche puis de gauche à droite. Allez savoir pourquoi, il claque des doigts à côté de mon oreille. Il sort un diapason de la poche de sa blouse, le fait vibrer, et en pose la base sur mon pied jusqu'à la fin de la vibration. « Là », je dis. Avec son marteau à réflexes, il teste mes genoux et mes chevilles. J'ai envie de dire « réflexes de la cheville réduits, réflexes du genou normaux », mais je m'abstiens. La neurologie, telle que définie par Charcot, exige que le neurologue constate le mal par lui-même. Il ne doit jamais se fier à qui que ce soit ni quoi que ce soit d'autre. Charcot était un disciple du positivisme, un adversaire de la foi, en toute humilité. Le positivisme s'attache à ce que l'on voit, pas à ce que l'on croit. Appliqué à la médecine, il permet de décrire la façon dont un patient traîne sa jambe, dont ses muscles paraissent faibles. On peut appeler la maladie « syndrome de la jambe traînante » ou « atrophie musculaire », mais pas spéculer sur le fait qu'elle est due à l'hérédité, au hasard ou aux séquelles d'une précédente maladie. Le positivisme rejette toute spéculation au profit de la rigueur et de la classification. Ce refus d'envisager, qui apparaît aujourd'hui si brutal, était alors moderne.

« Imaginons qu'on dise d'un médecin qu'il connaît vraiment sa physiologie ou son anatomie sur le bout des doigts, ou encore qu'il est très dynamique, a dit un jour Charcot. Ce ne sont pas là des compliments ; mais dire de lui que c'est un observateur, qu'il sait voir, c'est le plus grand compliment qu'on puisse lui faire[4]. » À travers le positivisme, Charcot proposait de faire avec la science ce que la photographie avait fait avec la peinture : remplacer des notions métaphysiques par la vérité. Cela supposait donc que, tel un photographe, le neurologue exerce son métier sans états d'âme. Charcot a par exemple embauché une femme de ménage atteinte de sclérose disséminée, dont il a suivi année après année la dégradation, au prix de ce que Freud, son disciple, a qualifié de « petite fortune en vaisselle[5] », avant de l'admettre à la Salpêtrière, où il a pu l'observer de près, puis, à sa mort, obtenir son corps à des fins de diagnostic.

Fidèle à cet esprit, le neurologue qui se tient devant moi ne veut rien savoir de mes observations sur mon corps. Il n'a pas l'intention de s'arrêter de pousser sur mes bras et mes jambes comme sur les leviers d'une machine en panne. L'acolyte du clinicien note les résultats en inscrivant sur le schéma d'un bonhomme des chiffres de 1 à 5. Après notre corps à corps, j'obtiens des 4+ et des 4–, 3+ aux jambes. « Le patient n'abaisse pas totalement ses cils », écrit-il – les muscles de mon visage faiblissent. Le patient est conscient de cela, il sait bien qu'il ne parvient plus à cligner l'œil gauche. Le patient présente un faciès en V, un pied tombant, un cas de steppage, des jambes de cigogne, et – particulièrement embêtant – un tremblement terminal. Il manque de dorsiflexion et ses pieds sont en canard.

Il est des médecins pour prétendre que la neurologie attire surtout les étudiants inhabituellement timides ou inhibés, ceux qui préfèrent avoir à interpréter les résultats de l'EMG ou de l'IRM d'un patient qu'à parler avec lui de ce qu'il ressent. Mais je crois que ce qui fait qu'on ne vous regarde jamais dans les yeux lors d'un examen neurologique, c'est la honte – la honte du neurologue. C'est un fait, le neurologue est capable d'établir votre diagnostic, mais pas de vous soigner. Il est resté en 1860. Près de cent cinquante ans plus tard, il n'a toujours rien de mieux à offrir que la minutie de son observation clinique. Tant d'impuissance désespérait Charcot lui-même, alors qu'il était au sommet de la gloire et que ses cours attiraient à Paris les étudiants du monde entier, dont Freud, Babinski ou La Tourette. Un jour de 1888, à la Salpêtrière, il a examiné un patient atteint d'une grave maladie neurodégénérative, qui avait ressenti ses premiers symptômes seize mois auparavant. Son esprit était intact, mais il ne parvenait plus à parler. L'homme salivait tellement qu'il conservait constamment un mouchoir à la main. Ses réflexes étaient exagérés. De petites secousses spasmodiques apparaissaient sous sa peau, comme un frétillement de poissons minuscules. Après avoir conduit son audience à travers une exploration complète de ce corps à la dérive, Charcot a livré son diagnostic : sclérose latérale amyotrophique – qu'on appelle communément aujourd'hui maladie de Lou Gehrig aux États-Unis, mais connue en Europe sous le nom de maladie de Charcot. Cette maladie, a claironné Charcot, « est l'une des mieux comprises [...] du royaume de la médecine clinique ». Après tout, ledit royaume ne devait l'essentiel de ce savoir à nul autre que lui. Une fois l'examen achevé, Charcot s'est adressé pour la première fois au patient : « Vous pouvez à présent quitter la pièce, mon ami, et l'on vous dira dans un instant ce qu'il conviendra de faire pour vous rétablir. » Soutenu par son fils, le patient s'est exécuté. Une fois les deux hommes sortis, Charcot s'est tourné vers ses confrères pour leur souffler : « À présent messieurs que le patient n'est plus là, nous pouvons et devons parler en toute franchise. Le pronostic est déplorable. » Charcot ne laissait à l'homme que quelques mois à vivre, « peut-être un an tout au plus »[6].

Après mon examen, le neurologue m'invite à me rhabiller et à le rejoindre dans son bureau, où ses disciples finissent de s'installer. Il me dit que je souffre d'une variante de la CMT – l'AMS. « C'est la même maladie avec un autre nom », je cherche à plaisanter. Ça ne le fait pas sourire. Charcot non plus ne souriait jamais. Si je lui demande si la CMT est pire que l'AMS ou si l'AMS est pire que la CMT, le neurologue me dira forcément que la pire est celle dont je ne souffre pas. J'en ai de la veine.

Mon pronostic n'est pas déplorable, seulement chronique. Je marche, j'avance : ça fonctionne encore. Je porte un appareil orthopédique aux jambes. Pour la thérapie, j'emploie un petit transformateur électrique qui stimule mes muscles atrophiés, une technique expérimentée par Charcot. « Nous savons d'expérience que l'étincelle électrique agit très favorablement sur la nutrition du muscle », a-t-il écrit. Je prends un complément d'acides aminés nommé créatine, une invention du baron Liebig. Je me suis habitué à ma situation. C'est sûr qu'à côté d'une personne atteinte d'une maladie à prion, j'ai la chance d'avoir le temps de m'habituer à tout. Alors que je m'apprête à partir, le neurologue me dit de revenir le voir dans un an ou deux. Parfois, je le fais. Parfois non. Parfois, je vais chez un autre médecin, pour voir s'il y a encore quelque chose à apprendre. Après tout, absence de preuve n'est pas preuve d'absence. Un jour, quelque part, quelqu'un trouvera un remède – ou au moins un nom – à ce que j'ai.

Remerciements

J'adresse un immense remerciement aussi profond que sincère à Ignazio et Elisabetta, à Lucia, la cousine de cette dernière et aux autres membres de la famille italienne dont ces pages retracent l'histoire. Puisse le présent ouvrage être un pas vers la victoire sur l'IFF !

Il aurait fallu encore plus de temps à ce livre pour voir le jour sans le concours de deux personnes : Walker Jackson, du Whitehead Institute au MIT, dont la grande connaissance du prion et le talent pour l'expliquer aux profanes me paraissent absolument exceptionnels ; et Jennifer Harbster, spécialiste de la recherche scientifique à la Bibliothèque du Congrès, dont l'infaillibilité pour trouver un livre, un journal ou un article, aussi obscurs soient-ils, dans une si vaste collection, mérite amplement citation.

Je tiens aussi à remercier Pierluigi Gambetti, qui dirige le National Prion Disease Pathology Surveillance Center à la Case Western Reserve, pour son généreux concours et ses conseils scientifiques ; Elio Lungaresi, le pape du sommeil de Bologne, sage, espiègle et fin connaisseur de la meilleure façon d'aller du point A au point B (qui n'est jamais, en Italie, une ligne droite), Howard Kiernan, du Columbia Presbyterian Medical Center, pour sa collaboration (et le quasi-diagnostic de mon état) ; James Lupski, du Baylor College of Medicine, pour ses lumières sur le syndrome de Charcot-Marie-Tooth ; et Christopher Goetz, de la Rush University à Chicago, pour la biographie de Charcot. Tim White, de l'université de Californie (Berkeley), m'a fait la grâce de partager ses connaissances en paléoarchéologie, et Rosalind Ridley ne m'a rien caché de son témoignage personnel de l'histoire des maladies à prion, dont elle a été à l'origine. Je tiens aussi à attester de ce que je dois à son livre, *Fatal Protein*, coécrit avec son mari, Harry Baker (Oxford, New York, 1998), qui m'a initié à la question.

Je dois une bonne part du travail complémentaire de recherche à la gentillesse d'un ensemble de journalistes et d'étudiants de licence croisés dans les plus étranges endroits tout au long du périple, dont notamment, dans l'ordre chronologique approximatif de nos rencontres : Daisy Prince, Christian Hunter, Maya Ponte, Anya Kamenetz, Marcelo Ortigao, Laila Weir, Marcel Schmidt, Kirsten Jackson, Alan Wirzbicki et Amos Kenigsberg. Mario Sartor, à vélo, et Sabrina Marconi, en voiture, m'ont conduit à travers la Vénétie. L'écrivain Philip Weiss, tout en menant son propre travail en Papouasie-Nouvelle-Guinée, a constamment eu l'œil sur moi, ce qui lui a valu de lire un premier jet de ce livre, dont ses commentaires ont permis l'amélioration.

Deux bibliothécaires ont su voler à mon secours au moment décisif : Kathy Creely a réalisé de véritables fouilles dans les rapports de patrouille à la Mandeville Special Collections Library de l'université de San Diego ; et Martha Whittaker a exploré les mystérieux contenus de la boîte d'archives « laine » de Joseph Banks, à la Sutro Library de San Francisco. Je tiens également à remercier Neil Chambers, son homologue du musée d'Histoire naturelle de Londres. Puissiez-vous un jour tous deux vous rencontrer ! La National Library of Medicine de Bethesda (MD) m'a fourni les originaux de Charcot et de nombreux documents en rapport avec la tremblante du mouton (je remercie plus particulièrement le coordinateur des services publics, Stephen Greenberg) ; la National Agricultural Library de Bethesda (MD) avait gardé d'anciens numéros de la revue britannique *Dairy Farmer*. Je leur dois une fière chandelle. L'Oxfordienne Jennifer Quilter – spécialiste parmi les spécialistes de John Ashbery – a fourni un remarquable travail d'investigation sur l'alimentation moderne du bétail en Grande-Bretagne. Je voudrais aussi remercier trois historiens italiens : Ernesto Gallo, pour sa profonde

connaissance de l'histoire de la ville où réside la famille italienne ; Andrea Peressini, pour ses recherches sur le médecin
vénitien ; et Achille Giachino pour son expertise en matière de
médecine vénitienne du dix-huitième siècle. Enfin, Nicoletta
Pireddu, de l'université de Georgetown, m'a permis de répondre
à beaucoup de questions concernant la culture et la trompeuse
grammaire italienne, tout comme mon oncle adoré aujourd'hui
disparu, le dramaturge Jerry Max.

La liste de ceux qui m'ont accordé un entretien est longue,
et j'y ai omis ceux qui ne souhaitaient pas y figurer : à propos du
kuru, Michael Alpers, Paul Brown, Judith Farquharson, D. Carleton Gajdusek, William Hadlow, Igor Klatzo, Shirley Lindenbaum et Gunther Stent ; en Océanie, Hank Nelson de l'Austra-
lian National University et les agents de patrouille Jack Baker,
Patrick Dwyer et Jim Sinclair ; à propos de la vache folle, David
Bee, Gerald Bradley, John Collinge, Stephen Dealler, Alan Dickinson, Hugh Fraser, James Ironside, Howard Rees, Carol
Richardson, Colin Whitaker, Raymond Williams ; sur le variant
de la MCJ en Grande-Bretagne, Donald Simms et Graham Steel
de la CJD Alliance ; pour m'avoir ouvert sa documentation sur le
variant de la MCJ, Maureen Treadwell ; sur le dépérissement
chronique du ruminant et la menace de vache folle en Amérique,
Peter Crino, Allen Mahan, Gene Schoonveld, Terry Singeltary et
Janet Skarbek ; pour leur vision d'ensemble de l'univers souvent
obscur de la science du prion, Byron Caughey, du NIH, Susan
Lindquist, du Whitehead Institute au MIT, A. C. Palmer, de
Cambridge University, Bob Peterson, de Case Western, Charles
Weissman, du Scripps Research Institute ; sur la génétique des
populations, David Goldstein de l'University College de
Londres ; à l'université de San Francisco, Fred Cohen, Stephen
D'Armond, Stanley Prusiner (par intermittence) ; au Cold Spring
Harbor Laboratory, James Watson par courrier électronique ; sur
les systèmes auto-assemblés, le toujours prodigue Shuguang
Zhang, du MIT.

Je tiens encore à remercier cinq auteurs généreusement
venus à moi partager leur savoir et leur documentation : Robert
Draper, auteur de « The Genious Who Loved Boys », *GQ*,
novembre 1999 ; Maxime Schwartz, auteur de *How the Cows*

Turned Mad, UC Berkeley Press, Berkeley (Cal.), 2003 ; Gary Taubes, auteur d'une fameuse attaque contre Stanley Prusiner, « The Name of the Game is Fame but Is It Science ? », *Discover*, décembre 1986 ; Claudia Winkler, auteur de « Ignoble Nobel-man », *Weekly Standard*, 7 octobre 1996 ; et Roger J. Wood et Vitezslaw Orel, auteurs de *Genetic Prehistory in Selective Breeding*, Oxford University Press, New York, 2001.

De nombreuses personnes m'ont offert le gîte et le thé pendant mes recherches et la rédaction de cet ouvrage aux délais si souvent élastiques, dont Lisa Gabor, Carmen Greenebaum, Maurice et Jessica Hochschild, mon frère et ma belle-sœur Adam et Diane Max, Barbara Thomas, ainsi que deux boulangeries : Firehook Bakery et St Elmo, à Alexandria (Virginie).

À mon agent, Elyse Cheney, à son assistante, Stephanie Hanson, à son collègue Peter McGuigan et à leurs collaborateurs de l'Abner Stein Agency de Londres, j'exprime toute ma reconnaissance de l'interminable effort fourni pour porter ce livre jusqu'à ses lecteurs. Et aux éditeurs qui l'ont accompagné de l'idée initiale jusqu'à l'objet fini – Daniel Zalewski, Daniel Menaker, James Ryerson et Lisa Chase – je me serais déjà estimé chanceux de n'avoir connu que l'un d'entre vous, alors, pensez, les quatre ! Enfin, je dédie ce livre à la mémoire de Robert Jones, son premier éditeur, qui face à la maladie dont il est ici traité a montré un grand courage mêlé d'acceptation.

NOTES

À *propos de mes sources*

Tout en veillant à rester succinct, j'ai cherché par ces notes à fournir une piste aussi claire et exhaustive que possible au lecteur qui souhaiterait approfondir. La plupart des citations sont extraites d'entretiens qu'on m'a accordés ; lorsque tel n'est pas le cas, la source en figure ci-dessous. Sont aussi précisés les travaux sur lesquels je me suis particulièrement appuyé ou dont je reproduis des extraits. En revanche, les références écrites universelles ou aisément accessibles par l'Internet ne font pas l'objet d'une note.

Les notes et attributions des épisodes italiens de l'ouvrage ont constitué un tout autre défi. D'une part, j'ai consenti à ne pas livrer le patronyme de la famille frappée d'insomnie fatale familiale. En outre, pas grand-chose n'ayant été publié à son sujet avant que je ne fasse leur connaissance, aucun ouvrage écrit n'est à citer ici. Les faits narrant leur histoire proviennent essentiellement de leurs souvenirs, mais aussi de lettres, de documents civils et de dossiers médicaux qu'ils m'ont montrés, et, dans la mesure du possible, de journaux intimes, d'entretiens avec d'autres participants ou d'articles de presse. Le chapitre sur le médecin vénitien, possiblement le premier membre de la famille à avoir souffert de la maladie, est par nature spéculatif (bien que je me sois efforcé de restituer le contexte historique et médical avec fidélité). La confirmation de sa maladie viendra de recherches en cours actuellement. Comme par le passé, l'identité du patient zéro de la famille est susceptible de changer à nouveau. Les autres chapitres concernant la famille reposent sur des bases documentées. Les pensées, émotions ou citations apparaissant dans ce premier chapitre sont parvenues à moi parce que leurs auteurs les ont écrites ou évoquées à l'époque avec leurs parents proches. En rédigeant leur histoire, j'ai veillé à ce qu'elle soit strictement véridique et aussi exacte que possible.

J'assume évidemment toute responsabilité concernant d'éventuelles erreurs.

Abréviations utilisées dans les notes pour les ouvrages fréquemment cités

PDHA : Stanley Prusiner, John Collinge, *et al.* (sous la direction de), *Prions Diseases of Humans and Animals*, Ellis Horwood, Chichester, Angleterre, 1992.

Kuru : Carleton Gajdusek et Judith Farquhar (sous la direction de), *Early Letters and Field Notes from the Collection of D. Carleton Gajdusek*, Raven Press, New York, 1981.

JFN : Carleton Gajdusek, *1955-1957 Journal and Field Notes : Australia, Territory of Papua and Trust Territory of New Guinea*, National Institute of Health, Bethesda, Maryland, 1996.

KEP : Carleton Gajdusek, *Kuru Epidemiological Patrol from the New Guinea Highlands to Papua, August 21, 1957-November 10, 1957*, National Institute of Health, Bethesda, Maryland, 1963.

NOTES

Introduction

1. Le chercheur en question est Paul Brown, du NIH, dans l'émission *The Brain Eater*, diffusée sur la chaîne PBS le 10 février 1998.

2. « Neurologist Says Nobel Prize Supports Work », Reuters Online Ser vice, 6 octobre 1997.

3. Judy Siegel-Itzkovich, « A "Crazy Idea" That Happened to Be True », *Jerusalem Post*, 24 mai 1998.

4. Cité dans Christian Guilleminault (sous la direction de) *et al.*, *Fatal Familial Insomnia : Inherited Prion Diseases, Sleep, and the Thalamus*, Raven Press, New York, 1995, p. xiii.

5. Randy Gardner, « ... To Stay Awake for Eleven Days », *Esquire*, vol. 142.2, août 2004, p. 87.

6. Expérience conduite dans les années 1960, à son laboratoire de l'université de Chicago. A. Rechtschaffen *et al.*, « Physiological Correlates of Prolonged Sleep Deprivation in Rats », *Science*, 221, 8 juillet 1983, p. 182-184.

7. Laske *et al.*, « The Effects of Stress on the Onset and Progression of Creutzfeldt-Jakob Disease : Results of a German Pilot Case-Control Study », *European Journal of Epidemiology*, vol. 15, n° 7, août 1999, p. 631-635.

8. Charles Tanford et Jacqueline Reynolds, *Nature's Robots : A History of Proteins*, Oxford University Press, New York, 2001.

9. Cité dans Carol Ezell, « Proteins Rule », *Scientific American*, vol. 286, n° 4, avril 2002, p. 42.

10. www.cjdvoice.org, 27 octobre 1998.

11. www.cjdvoice.org, 11 novembre 1998.

12. www.cjdvoice.org, 2 janvier 2006.

Chapitre 1 : Le dilemme du médecin

1. Concernant la Venise du dix-huitième siècle, je dois beaucoup à *La storia di Venezia nella vita privata dalle origini alla caduta della repubblica*, de

Pompeo Molmenti, Istituto italiano d'arti grafiche, Bergame, 1905-1908, et notamment au volume III, sur la décadence de la *Serenissima*, dans lequel on découvre par exemple qu'à la chute de la république Venise comptait 852 barbiers et perruquiers. Une version abrégée de ce merveilleux ouvrage a paru en 1906 aux États-Unis, dans une traduction de Horatio F. Brown. J'ai aussi beaucoup appris dans *La Venezia è caduta*, Venise, Neri Pozza, 1997, et *Venezia e l'esperienza « democratica » del 1797*, Venise, Ateneo Veneto, 1997, de Paolo Scandaletti, présentés par Stefano Pillinini.

2. Toujours avides d'argent, les Vénitiens ont parfois rouvert le livre de noblesse pour y inscrire des familles capables d'une substantielle contribution financière à l'État – 100 000 ducats au moins. Mais ils n'ont jamais oublié la différence entre les nouveaux nobles et leurs propres augustes personnes.

3. Entre autres exploits récents, Padoue venait de produire les premiers croquis exacts du corps humain (Vésale), la découverte de la circulation du sang (Harvey), les premières études d'anatomie pathologique (Morgagni), sans oublier la preuve définitive de l'invalidité de la notion aristotélicienne de génération spontanée. En 1668, Francesco Redi a démontré que la présence d'asticots sur la viande avariée ne devait rien à ce phénomène mais au fait que des mouches y pondent leurs œufs. Deux cents ans plus tard, avec ses bouillonnantes éprouvettes, Pasteur ne ferait que confirmer la théorie de Redi.

4. Galilée, *Il Saggiatore* (L'Essayeur), Rome, Giacomo Mascardi, 1623 (traduction libre de l'auteur).

5. Goethe, *Voyage en Italie*, traduction de J. Porchat, Bartillat, Paris, 2003.

6. Chez les victimes d'IFF, la fièvre est due à la détérioration par les prions du thalamus, qui régule la température corporelle, plutôt qu'aux efforts de l'organisme pour combattre l'infection. Les maladies à prion n'affectant pas le thalamus – comme la maladie de Creutzfeldt-Jakob (MCJ) et la maladie de Gerstmann-Strausselr-Scheinker – ne s'accompagnent généralement pas de fièvre.

7. L'histoire figure au chapitre 7 des fort peu fiables Mémoires de Casanova.

8. Arthur Young, *Voyage en Italie pendant l'année 1789*.

9. En 1787, la réclame typique d'une pharmacie vénitienne pour la *theriaca ex Galieno* dresse la liste de trente ingrédients, dont « *Iunci Arabii* et *Dictamini Cretici* » (en gros, de la gomme arabique et de l'écorce de dictame crétois). Trouvé dans Nelli-Elena Vanzan Marchini (sous la direction de), *Dalla scienza medica alla practica dei corpi*, Neri Pozza, Venise, 1993, p. 178.

10. On trouve cette citation d'Aldrovandi dans Giuseppe Olmi, « Farmacopia Antica e Medicina Moderna », dans *Physis*, 1977, traduction de l'auteur, p. 203.

11. Il s'agit de Girolamo Priuli, au début du seizième siècle. Le lecteur trouvera l'histoire de l'occupation de Venise dans Michele Gottardi (sous la direction de), *Venezia e l'esperienza* et *Venezia Suddita*, Ateneo Veneto, Venise, 1999.

12. Ces chiffres sont tirés de l'enquête militaire conduite par les Autrichiens en 1849 sur la malaria en Vénétie. Cité dans A. Canalis et P. Sepulcri (sous la direction de), « *Mal aere* » e « *malaria* », Tipografia Regionale, Rome,

1961, p. 1042. Deux ans auparavant, le comte M. A. Sanfermo, membre préoccupé d'un groupe d'investigation écrivait : « Quiconque daigne porter le regard sur l'ample région qui entoure l'Adriatique n'y verra rien d'autre que de larges bandes de terre déserte, où de rares âmes malheureuses se cherchent une existence entre misère et misère noire. Trois cent mille *campi* témoignent par leur aspect des rigueurs d'un marécage aussi triste qu'insalubre », *op. cit.,* p. 1037.

13. Je dois beaucoup à la thèse de Roberta Purisiol, *La medicina nell'entroterra veneziano,* notamment sur le rapport à la maladie et les soins alternatifs dans la Vénétie du dix-huitième siècle, parue dans la série *Quaderni di Studi e Notizie,* Centro Studi Storici di Mestre.

14. On trouvera une excellente introduction générale à cette épidémie dans le premier chapitre du livre d'Oliver Sacks, *L'Éveil,* Seuil, Paris, 1989.

15. Les raisons de ceci prêtent à débat. Certains chercheurs considèrent même ce déséquilibre comme un sous-produit artificiel du fait que les grandes familles porteuses d'une mutation tendent particulièrement à attirer l'attention de la recherche, parce qu'elles constituent un meilleur terrain d'étude génétique. En tout cas, il est sûr que dans cette famille atteinte d'IFF les branches les plus pauvres sont de loin les plus frappées par le mal.

Chapitre 2 : Mérinos-mania

1. Cité dans John Sinclair, *The Code of Agriculture,* Sherwood Gilbert & Piper, Londres, 1832, p. 83. (Repris dans Roger J. Wood et Vitezslaw Orel, *Genetic Prehistory in Selective Breeding,* Oxford University Press, New York, 2001, p. 78.)

2. Pour la vie de Bakewell, je me suis appuyé sur H. C. Pawson, *Robert Bakewell,* Crosby Lockwood, Londres, 1957, ainsi que sur *Genetic Prehistory in Selective Breeding* de Wood et Orel, *op. cit.*

3. Richard Parkinson, *Treatise on the Breeding and Management of Livestock,* Cadell & Davies, Londres, 1810, p. 267.

4. Anonyme [John Lawrence], « Robert Bakewell » dans *The Annual Necrology for 1797-1798 Including Various Articles of Neglected Biography,* R. Phillips, Londres, 1800, p. 205. (Cité dans Wood et Orel, *Genetic Prehistory in Selective Breeding, op. cit.,* p. 75.)

5. La réputation de Bakewell a même traversé l'Atlantique ; en 1787, George Washington lui a commandé du matériel agricole, dans l'espoir de bénéficier d'un peu de sa magie.

6. Epicurus (pseudonyme), « Letter from a Farmer », *Farmer's Magazine,* 4 octobre 1802, p. 35-37. (Cité dans Wood et Orel, *Genetic Prehistory in Selective Breedin,* p. 109.)

7. Mon propos sur Joseph Banks – et nombre de citations dans les pages qui suivent – est en partie extrait de H. B. Carter, *His Majesty's Spanish Flock,* Angus & Robertson, Sydney, 1964, et de la correspondance, éditée par Carter, *The Sheep and Wool Correspondence of Sir Joseph Banks, 1781-1820,* Library Council, New South Wales, 1979.

8. Le spécialiste en économie agricole William Youatt a écrit des bergers de la Mesta : « C'est une singulière espèce d'homme, passionnément attaché à sa profession, qui ne l'abandonne que rarement, même pour une autre plus lucrative, et ne se marie guère davantage », *Sheep : Their Breeds, Management, and Diseases*, Baldwin et Cradock, Londres, 1837, p. 153.

9. W. Youatt, *Sheep : Their Breeds, Management, and Diseases, op. cit.*, p. 148.

10. Cité par C. P. Lasteyrie dans *Histoire de l'introduction des moutons à laine fine d'Espagne dans les divers États de l'Europe, et au cap de Bonne-Espérance*, Paris, 1802.

11. T. Comber, *Real Improvements in Agriculture (On the Principles of A. Young, Esq.) Recommended to Accompany Improvements of Rents*. Pas grand-chose de la vie de Comber n'est arrivé jusqu'à nous ; toutefois, le personnage versant dans un certain narcissisme, il n'a pas pu s'empêcher de parsemer ses écrits d'éléments autobiographiques.

12. La notoriété de Hogg tient aujourd'hui davantage à son roman gothique *Confessions d'un fanatique*, Terre de Brume, Rennes, 1998.

13. W. Nicoll, de St. Paul's Church Yard, Londres.

14. J'ai puisé certaines de ces appellations dans J. P. McGowan, *Investigation into the Disease of Sheep Called « Scrapie »*, Blackwood & Sons, Édimbourg, 1914, p. 10. L'ouvrage de McGowan marque le début des études historiques modernes sur la tremblante.

15. Lettre de John White Parsons à Banks (1800), citée dans Carter, *His Majesty's Spanish Flock, op. cit.*, p. 273.

16. On trouve certaines de ces évocations dans H. B. Carter, *His Majesty's Spanish Flock, op. cit.* Les autres proviennent des papiers non classés de Joseph Banks, à la Sutro Library, campus de l'université de Californie, San Francisco.

17. Il s'agit de Johann Georg Stumpf, « An Essay on the Practical History of Sheep in Spain », dans *Transactions of the Royal Dublin Society*, Graisberry & Campbell, Dublin, 1800, p. 98.

18. L'auteur s'appuie sur l'exemple de la maladie pour recommander aux Chrétiens de se mêler aux païens : « De même qu'il est sain pour un troupeau de moutons que quelques chèvres s'y mêlent, leur puanteur étant une bonne façon de préserver les moutons des Tremblements ; le même profit tireront les dévots du mélange nécessaire des méchants parmi eux, amenant les pieux à mieux se vouer à Dieu et au Bien », Thomas Fuller, *The Holy State and the Profane State*, imprimé par R. Daniel pour J. Williams, Cambridge, 1642, p. 401.

19. On trouve ses commentaires sur la tremblante dans « Observations in Husbandry », publié à sa mort par son fils, J. Hughs, 2ᵉ édition, Londres, 1757.

20. Charles Vial de Sainbel, *Elements of the Veterinary Art*, J. Wright, Londres, 1797, p. 3. Pour se faire une idée du caractère primitif de la médecine humaine d'alors, qu'on juge ce traitement contre les morsures de chien proposé par un grand journal médical écossais en 1825 : « Traitement des personnes mordues par un chien enragé : profondes scarifications de la blessure, que l'on barbouillera de *pulvis lyttae*, application d'une ventouse dans la région de la blessure, de façon à maintenir la suppuration, tant sous la ventouse que de la

blessure, pendant six semaines, et application d'onguent médical jusqu'à apparition des symptômes de salivation... Si les vêtements ont aussi été mordus, impérativement les brûler. » Le *Medical and Surgical Journal* ajoute que sur 233 cas de rage ainsi traités, seuls 4 sont morts.

21. Hénon, « Sur la cause de la maladie du mouton, désignée sous le nom de vertige ou tournoiement », *Mémoires et observations sur la chirurgie*, vers 1800, p. 404.

22. A. K. S. von Richthofen, « On Distinguishing the Trotting Disease from the Rot in Sheep », Korn, 1827.

23. J. Girard, « Notice sur quelques maladies peu connues des bêtes à laine », *Traité d'anatomie vétérinaire*, vol. 7, 1830, p. 32. D'autres associent la tremblante des moutons à un penchant onaniste (cité dans McGowan, *Investigation..., op. cit.*, p. 18).

24. A. Bénion, « Traité complet de l'élevage et des maladies du mouton », Paris, 1874, p. 444.

25. Lettre de Roche-Lubin à l'éditeur du *Recueil de médecine vétérinaire*, 2 juin 1835, cité dans Martin Villemin, *Les Vétérinaires français au XIXᵉ siècle*, Éditions du Point Vétérinaire, Maisons-Alfort, 1982, p. 245.

26. Just Cauvet, « Sur la tremblante », *Journal des vétérinaires du Midi*, 1854, p. 442.

27. M. de Roche-Lubin, « Mémoire pratique sur la maladie des bêtes à laine connue sous les noms de prurigo lombaire, convulsive, trembleuse, tremblante, etc. », *Recueil de médecine vétérinaire*, 1848, p. 698-714.

28. J. Girard, « Notice sur quelques maladies », p. 70.

29. Arthur Young, *General View of the Agriculture of Lincolnshire*, Londres, 2ᵉ édition, 1813, p. 372.

30. S. Stockman, *Journal of Comparative Pathology and Therapeutics*, 1913, p. 317-327.

Chapitre 3 : Pietro

1. L'homme d'État autrichien Metternich a dit lui-même de l'Italie qu'il y voyait davantage une expression géographique qu'un pays.

2. Commentaire adressé au physicien Oscar Vogt en 1894. Trouvé dans Webb Haymaker (sous la direction de), *The Founders of Neurology*, C. C. Thomas, Springfield, 1953, p. 165.

3. Dans les années 1980, une équipe emmenée par Carleton Gajdusek a réexaminé les plaquettes pour conclure qu'aucun des patients de Creutzfeldt et seuls quelques-uns parmi ceux de Jakob souffraient vraiment de la MCJ. Voir « The Spectrum of Creutzfeldt-Jakob Disease and the Virus-Induced Subacute Spongiform Encephalopathies », *Recent Advances in Neuropathology 2*, Churchill Livingstone, Édimbourg, 1982, p. 139.

Chapitre 4 : Puissante magie

1. Cité dans Vincent Zigas, *Laughing Death*, Humana Press, Totowa, New Jersey, 1990, p. 22.
2. L'histoire est rapportée dans Shirley Lindenbaum, *Kuru Sorcery*, Mayfield, Mountain View, Californie, 1979, p. 80. Les anciens agents de patrouille divergent quant au fait que Skinner se déplaçait avec une mitraillette ou un simple pistolet.
3. A. T. Carey, rapport de patrouille n° 1, sous-districts de Goroka et Kratke, 1951-1952, p. 2. Tous les rapports de patrouille cités sont conservés sur microfilm à la Mandeville Special Collections Library, université de Californie, San Diego, La Jolla. Tous ces rapports proviennent de la région des Eastern Highlands.
4. « Il était étonnant qu'une région à ce point dépourvue d'accès aux soins médicaux soit aussi épargnée par les cas de maladie grave », écrit l'agent de patrouille W. J. Kelly début octobre 1953. Rapport de patrouille n° 6, sous-district de Kainantu, 1953-1954, p. 5.
5. John McArthur, rapport de patrouille n° 4, sous-district de Kainantu, 1954-1955, p. 13. Le problème de la profondeur des latrines était déjà ancien. « Pour être efficace, le trou doit avoir une profondeur considérable », explique Tiny Carey aux Fore en 1949. A. T. Carey, rapport n° 3, sous-district de Goroka, 1949-1950, p. 5.
6. A. T. Carey, rapport de patrouille n° 4, sous-district de Goroka, 1950-1951 (15-21 août 1950), p. 5.
7. J. R. McArthur, rapport de patrouille n° 10, sous-district de Goroka, 1953-1954, p. 3.
8. John Colman, rapport de patrouille n° 14, sous-district de Kainantu, 1954-1955, p. 8.
9. J. R. McArthur, rapport de patrouille n° 4, sous-district de Kainantu, 1954-1955, p. 10.
10. John Colman, rapport de patrouille n° 14, sous-district de Kainantu, 1954-1955, p. 6.
11. *JFN*, 30 juin 1956.
12. Vincent Zigas, *Auscultation of Two Worlds* (1978), publié à compte d'auteur, et *Laughing Death*. L'histoire d'Apekono et McArthur rapportée plus bas figure dans le second, p. 122-123.
13. J. A. Wiltshire, rapport de patrouille n° 8, sous-district d'Okapa, 1959-1960, p. 7.
14. J. C. Baker, rapport de patrouille n° 7, sous-district de Kainantu, 1956-1957, p. 4.
15. *Ibid.*
16. Les tensions sociales subies par les Fore à cause du kuru sont racontées dans Lindenbaum, *Kuru Sorcery, op. cit.*
17. *Ibid.*, p. 102.

Chapitre 5 : Doc America

1. Mes informations sur Carleton Gajdusek proviennent en partie de ses loquaces journaux, qu'il a publiés en utilisant son bureau au National Institute of Health (NIH), mais aussi d'éléments biographiques et d'entretiens avec lui-même et ses anciens collaborateurs.

2. Carleton Gajdusek, *Expedition to the Flooded Uruma Settlement of Okinawan Colonists on the Rio Guapai, Amazonas of Bolivia to Search for Etiology of Fatal Jungle Fever...* 10 mars 1955-18 mars 1955, dans les articles de l'American Philosophical Library, Philadelphie, Pennsylvanie, 18 mars 1955.

3. *JFN*, 15 décembre 1955.
4. *JFN*, 8 mars 1957.
5. *JFN*, 9 mars 1957.
6. *JFN*, 14 novembre 1955.
7. *JFN*, avril 1956.

8. Gajdusek en écarte certains, plus explicites selon ses dires, mais Judith Farquhar, qui a mis en forme la plupart de ses journaux et a lu les textes rejetés, dit qu'ils ne sont pas plus suggestifs que les autres, ce qui donne du crédit à l'idée que la vie sexuelle de Gajdusek relevait en grande partie de son imagination. Selon Farquhar, Gajdusek « avait du monde une approche érotique générale assez intéressante. Il entretenait un rapport passionnel aux gens, aux choses, aux idées, aux livres, aux faits scientifiques, à tout. Il n'a probablement pas souvent investi son désir envers un individu, envers des "actes sexuels" particuliers. Le philosophe français Gilles Deleuze dit que "l'on fait toujours l'amour avec des mondes" » (courrier électronique à l'auteur).

9. *JFN*, 20 février 1956.
10. *Correspondance*, Gajdusek à Smadel, 28 septembre 1956.
11. *Correspondance*, Smadel à Gajdusek, 6 mars 1956.

12. Gajdusek écrira encore soixante volumes supplémentaires, qui s'ajoutent à près d'un millier d'articles scientifiques.

13. Burnet, personnage lui-même captivant et déterminant dans le rehaussement de la médecine australienne au niveau de la médecine européenne, a écrit une autobiographie, *Changing Patterns*, William Heinemann, Londres, 1968, où, fait remarquable, il ne mentionne son persécuteur Gajdusek qu'une fois en près de trois cents pages.

14. *JFN*, 8 mars 1957.
15. *Kuru*, Burnet à John T. Gunther, 12 février 1957.
16. *Kuru*, Gunther à Burnet, 15 février 1957.

17. Zigas finira par travailler auprès de Gajdusek au National Institute of Health de Bethesda (Maryland), et mourra d'une mystérieuse affection au cerveau en 1983.

18. Notes prises par Sir Mac lors d'une conversation avec Scragg, cité dans *Kuru*, 29 mars 1957.
19. *JFN*, 6 mars 1957.
20. *Kuru*, Gajdusek à Burnet, Ian Wood et Anderson, 13 mars 1957.
21 *Kuru*, Gajdusek à Burnet, 20 avril 1957.

22. *Kuru*, Gajdusek à Scragg, non daté, p. 28.

23. *Kuru*, Gajdusek à Scragg, 6 avril 1957.

24. *Kuru*, Gajdusek à Smadel, 25 juillet 1957.

25. *Kuru*, Gajdusek à Smadel, 28 mai 1957.

26. *Kuru*, Gajdusek à Scragg, 20 mars 1957.

27. *Kuru*, Gajdusek à Smadel, 6 août 1957.

28. *Kuru*, Gajdusek à Smadel, 25 août 1957.

29. *Kuru*, Klatzo à Smadel, 15 août 1957.

30. *Kuru*, Klatzo à Gajdusek, 15 septembre 1957.

31. *Kuru*, Gajdusek à Smadel, 18 septembre 1957.

32. *Kuru*, Gajdusek à J. Baker, Zigas et [la diététicienne de terrain Lucy] Hamilton, 8 septembre 1957.

33. *Kuru*, Burnet à Gunther, avril 1957, p. 41.

34. *Kuru*, Imus à Smadel, 8 août 1957.

35. *Time*, 11 novembre 1957, p. 55.

36. *Kuru*, Gajdusek à Roy T. Simmons, 12 novembre 1957.

37. *Kuru*, 11 septembre 1957.

38. *KEP*, 7 octobre 1957. Gajdusek a publié ces passages tels que j'ai pu les lire dans sa première version de l'histoire du kuru en 1963, mais il en a coupé certaines parties dans les éditions suivantes, plus largement diffusées.

39. *Kuru*, Gajdusek à Smadel, 4 novembre 1957.

40. Gajdusek écrit de Hollandia, côté occidental, hollandais, de la Nouvelle-Guinée. *Kuru*, 28 janvier 1958.

41. Le cas classique de maladie génétique compensant sa haute mortalité potentielle par un bienfait est l'anémie à hématies falciformes, qui protège aussi du paludisme.

42. V. Zigas, *Auscultation of Two Worlds*, *op. cit.*, p. 164.

43. R. I. Skinner, rapport de patrouille n° 5, sous-district de Kainantu, 1947-1948.

44. Rapporté dans Ronald Berndt, *Excess and Restraint*, University of Chicago Press, Chicago, 1962, p. 271. (Berndt a été l'un des premiers anthropologues présents dans la région.)

45. S. Lindenbaum, *Kuru Sorcery*, *op. cit.*, chapitre 4, auquel je dois d'avoir compris le rapport des Fore avec la nourriture et les détails de leurs agapes endocannibales. *Excess...*, de Berndt, est également très riche sur la question.

46. Rapporté dans R. Berndt, *Excess and Restraint*, *op. cit.*, p. viii. On trouve une scène quasiment identique dans le rapport de patrouille n° 8 de W. J. Kelly, sous-district de Kainantu, 1951-1952, appendice B, où il décrit les Fore jaugeant « la valeur protéique potentielle de la patrouille ».

47. *JFN*, 9 mars 1957. (Ce commentaire apparaît pour la première fois dans *JFN* en 1956. Gajdusek l'avait omis des précédentes éditions du journal couvrant la période.)

48. *Kuru*, Gajdusek à Smadel, 15 mars 1957.

Chapitre 6 : Singeries scientifiques

1. Les vétérinaires ne cachent pas leur surprise : « Lorsqu'on pose la main sur la région lombaire et que l'on palpe des doigts, le "réflexe de grattement" est très remarquable, et se manifeste par des mouvements de pincement des lèvres », F. Thorp *et al.*, « Scrapie in Sheep », *Michigan State College Veterinarian*, automne 1952, p. 86-87.

2. W. Hadlow, « The Scrapie-Kuru Connection : Recollection of How It Came About », *PDHA*, p. 43.

3. *Ibid.*

4. Il s'agit de L. Cuillé et P. L. Chelle, dont les travaux font de ravissants serre-livres. « La maladie dite tremblante du mouton est-elle inoculable ? » et « La tremblante du mouton est bien inoculable », *Comptes rendus de l'Académie des sciences*, Paris, 1936 et 1939, respectivement.

5. W. Hadlow, *op. cit.*, p. 44.

6. Les familles de victimes de la maladie de Creutzfeldt-Jakob tiennent Gibbs en si haute estime qu'elles ont consacré une page de leur site www.cjd-voice.org à sa mémoire après son décès en 2001.

7. Gajdusek et C. J. Gibbs, « Attempts to Demonstrate a Transmissible Agent in Kuru, Amyotrophic Lateral Sclerosis, and Other Sub-Acute and Chronic System Degenerations of Man », *Nature*, vol. 204, octobre 1964, p. 257-259.

8. C. J. Gibbs, « Spongiform Encephalopathies – Slow, Latent and Temperate Virus, Infections – in Retrospect », *PDHA*, p. 59. Le fameux auteur scientifique Jared Diamond conserve des installations un souvenir moins réjouissant. Dans *Le Troisième Chimpanzé*, il évoque sa vision à Patuxent d'un chimpanzé « auquel on avait injecté un virus mortel à action lente [...] laissé seul pendant les quelques années précédant sa mort, dans une petite cage d'intérieur, sans jouets », Jared Diamond, *Le Troisième Chimpanzé*, Gallimard, Paris, 2000.

9. Michael Alpers, « Kuru : Implications of Its Transmissibility for the Interpretation of Its Changing Epidemiological Pattern », dans O. T. Baile et D. E. Smith (sous la direction de), *The Central Nervous System*, Williams and Wilkins, Baltimore, 1968, p. 241.

10. Pour la version de Gibbs : « Spongiform Encephalopathies », *op. cit.*, p. 60. Celle de Gajdusek m'a été livrée par lui-même lors d'un entretien.

11. Agricultural Research Council, « Report of the Advisory Committee on Scrapie », 12 octobre 1976, p. 4.

12. Tikvah Alper, à quatre-vingts ans passés, a aussi désarmé un homme qui l'agressait. (Judy Goodkin, « Public Lives : Up and Atom », *The Guardian*, 29 avril 1992.) Son intimidante présence aux conférences et débats n'a pas été oubliée de la communauté scientifique britannique.

13. Carleton Gajdusek, « Unconventional Viruses and the Origin and Disappearance of Kuru », *Science*, vol. 197 (4307), 2 septembre 1977, p. 943-960.

14. I. H. Pattison, « A Sideways Look at the Scrapie Saga : 1961-1981 », *PDHA*, p. 21.

15. J. S. Griffith, « Self-Replication and Scrapie », *Nature*, vol. 215 (105), 1967, p. 1043-1044.

16. Gajdusek, « Unconventional Viruses », *op. cit.*, p. 958.

Chapitre 8 : « Casse-tête pour un chimiste »

1. Cité par Gary Taubes, « The Name of the Game Is Fame but Is It Science ? », *Discover*, vol. 7, décembre 1986, p. 28-52.

2. Stanley Prusiner, « Prions », *Scientific American*, vol. 251, octobre 1984, p. 50-59.

3. Qu'on en juge par ces trois articles parus à court intervalle : « Sedimentation Properties of the Scrapie Agent », dans *Proceedings of the National Academy of Sciences*, vol. 74, octobre 1977, p. 4661-4665 ; « Suppression of Polyclonal B Cell Activation in Scrapie-infected C3H/HeJ Mice », dans *Journal of Immunology*, vol. 120 [6], juin 1978, p. 1986-1990 ; et « Experimental Scrapie in Mice : Ultrastructural Observations », dans *Annals of Neurology*, vol. 4 [3], septembre 1978, p. 205-211. On n'imagine pas Gajdusek prêter son nom à ce genre de travaux, pas même en tant qu'auteur principal.

4. Gary Taubes, « The Name of the Game », *op. cit.*

5. Déclaration devant le Food Safety Caucus, House of Representatives, 27 janvier 2004.

6. University of San Francisco Office of Press Information.

7. Déposée devant la Cour supérieure de Californie (Prusiner *vs* Prusiner, dossier FL 036246).

8. « Nobel Panel Rewards Prion Theory After Years of Heated Debate », *Nature*, vol. 389 (6551), 9 octobre 1997, p. 529.

9. Frederic Wood Jones, « Lady Percy Island », *Discovery*, Londres, vol. 18 (209), mai 1937, p. 141.

10. David Perlman, *San Francisco Chronicle*, 19 février 1982.

11. Stanley Prusiner, « The Prion Diseases », *Scientific American*, vol. 272, janvier 1995, p. 48-57.

12. La maladie qui s'en rapproche le plus est le cancer, mais aucun cancer ne peut se produire des trois façons, contrairement à la MCJ, par exemple.

13. Byron Caughey, « Cell-Free Formation of Protease-Resistant Prion Protein », *Nature*, vol. 370 (6489) (11 août 1994), p. 471-474.

14. Courrier électronique de James Watson du 30 juin 2005.

15. Sandra Blakeslee, « Study Lends Support to Mad Cow Theory », *The New York Times*, 30 juillet 2004.

Chapitre 9 : Convergence

1. S'il a fallu tant de temps à la recherche pour découvrir ces mouvements oculaires, c'est qu'ils ne se produisent pas au début du cycle de sommeil, et qu'il

suffit que le chercheur s'assoupisse un instant pour qu'il passe à côté du phénomène.

2. Considérant les événements ayant précédé, il est assez remarquable que le médecin de l'hôpital ait enregistré pour cause de décès la méningite.

3. Voir l'article « Evidence for the Conformation of the Pathologic Isoform of the Prion Protein Enciphering and Propagating Prion Diversity », *Science*, vol. 274 (5295), 20 décembre 1996, p. 2079-2082.

4. Cité par Lawrence K. Altman, « U.S. Scientist Wins Nobel for Controversial Work », *The New York Times*, 7 octobre 1997.

5. D. Carleton Gajdusek, *The Decline and Fall of Prospect Hill : The End of a Decade of Manorial Living*, NIH, Bethesda, Maryland, 1991, p. 61.

6. Robert Draper, « The Genius Who Loved Boys », *GQ*, vol. 69 (11), novembre 1999, p. 313-330.

7. Interview non parue de l'enquêteur du Montgomery County, 14 avril 1999. Cité ici avec l'aimable autorisation de Robert Draper.

8. Écoutes téléphoniques de Gajdusek, 15 mars 1996. Cité ici avec l'aimable autorisation de Robert Draper.

9. Entretien reproduit dans le rapport d'un enquêteur du Frederick County, Maryland, police criminelle. Cité ici avec l'aimable autorisation de Robert Draper.

10. Entretien non paru, 14 avril 1999. Cité ici avec l'aimable autorisation de Robert Draper.

11. *Jail Journal*, deuxième édition, Gif-sur-Yvette, Institut Alfred Fessard, 2002 (30 octobre 1997).

Chapitre 10 : Apocalypse cow

On trouvera un récit étonnamment détaillé de l'épidémie de la vache folle dans les archives de l'enquête des autorités britanniques, intitulées BSE Inquiry (www.bseinquiry.gov.uk), qui comportent l'essentiel de la correspondance et des notes des protagonistes. Aucune référence à ces documents ne fait ici l'objet d'une note. Les citations proviennent de mes entretiens avec les participants ou de leur témoignage dans le cadre de l'enquête officielle.

1. Mon estimation, établie à partir de celle de Philip Yam, *The Pathological Protein*, Springer Verlag, New York, 2004, p. 139, correspond à la multiplication de la plus haute estimation du nombre de vaches ayant intégré la chaîne alimentaire britannique (1 600 000) par la plus haute estimation du nombre des personnes exposées à chaque vache consommée (400 000). Cette dernière est celle fournie par le comité scientifique directeur de l'Union européenne en 1999, que le lecteur trouvera à http://europa.eu.int/comm/food/fs/sc/ssc/out67_en.pdf.

2. M. de Roche-Lubin, « Mémoire », dans *Recueil de médecine vétérinaire, op. cit.*

3. La réaction d'Howard Rees, le chef vétérinaire, est tout autre, comme le laisse clairement apparaître l'enquête des autorités britanniques. À la question du

conseil scientifique « Les chercheurs étaient enthousiastes, n'est-ce pas ? », il répond avec une condescendance de bureaucrate : « Bien entendu, ils le sont toujours. » Plus tard, un collègue dira l'avoir vu quitter la réunion au cours de laquelle il a appris que la tremblante s'est transmise à la vache « avec de la vapeur qui lui sortait des oreilles ». http://www.bseinquiry.gov.uk/files/ws/s092t.pdf.

4. La toute première mention de ce qui deviendra le surnom familier de la maladie apparaît dans un rapport remis en janvier 1985 par l'agent enquêteur vétérinaire, après avoir visité une ferme suspecte où il avait essayé de faire monter une bête difficile sur un camion pour l'envoyer au dépistage. L'agent a noté : « La vache est devenue folle et agressive. » Le questionnaire officiel élaboré en 1987 à l'attention des fermiers dont les troupeaux ont hébergé un cas d'ESB emploie le terme « maniaque ». Un mois plus tard, en novembre 1987, le *New Scientist* parle de vaches « dingues » (vol. 116 [1585], 5 novembre 1987). Une semaine après, le *Star* s'interroge en titre : « Pourquoi les vaches sont-elles devenues idiotes ? » Un journaliste de *Farming News* interroge un éleveur anonyme de West Country qui dit qu'une de ses vaches est devenue « carrément givrée ». La première mention dans la presse nationale est celle d'un article paru le 6 novembre 1988 dans le *Sunday Telegraph* sous le titre : « Un virus tue un taureau primé ».

Chapitre 11 : Beuglements officiels

1. Le *British Friesian Journal* note, sans dissimuler un plaisir qui aurait fait rougir Bakewell : « On a amélioré les mamelles en termes de forme, de durabilité et aussi d'efficacité en relevant l'arrière-train dont on a en outre accru l'aplatissement, la longueur et la largeur... On a amélioré la robustesse ou la constitution en obtenant des pattes plus courtes sous des corps plus larges, en raccourcissant la longueur excessive du cou, en écartant les naseaux et en fortifiant la mâchoire, en renforçant la ligne de dessus de façon que les reins puissent soutenir les côtes qui, pleinement développées, contiendront le grand baril nécessaire au volumineux stockage alimentaire des productrices laitières exceptionnelles », vol. 28, juin 1946, p. 125.

2. *Dairy Farmer*, juillet 1963.

3. Le lecteur désireux d'en savoir plus sur Liebig ne manquera pas de se pencher sur William H. Brock, *Justus von Liebig. The Chemical Gatekeeper*, Cambridge University Press, New York, 1997. On remarque parmi ses projets la tentative manquée dans les années 1860 de persuader la ville de Londres d'exploiter les eaux usées pour fertiliser les cultures avoisinantes.

4. Le cube de Liebig demeure très prisé en Angleterre sous les appellations Oxo et Bovril, et sur le continent, sous celle de Liebig.

5. Augustus Voelcker, « Annual Report of the Consulting Chemist for 1875 », dans *The Journal of the Royal Agricultural Society*, John Murray, Londres, 1876, p. 293-294.

6. Manuel allemand (Dresde) de Martin Klimmer, *Scientific Feeding of the Domestic Animals*, A. Egger, Chicago, 1923.

7. Oskar Kellner, *The Scientific Feeding of Animals*, McMillan Company, New York, 1909.

8. Slogan publicitaire pour le concentré laitier Seemeel en couverture du numéro d'octobre 1985 de *Dairy Farmer*.

9. Communiqué de presse de la Meat and Livestock Commission, 1er août 1990.

10. Jojo Moyes, « Major Assured Victim's Mother Meat Was Safe », *The Independent*, 21 mars 1996.

11. Alan Watkins, « Why Is My Girl Dying ? », *Today*, 25 janvier 1994.

12. Anton Antonowicz, « Tragic Diary Note of Girl Doomed by Mad Cow Beefburger », *Daily Mirror*, 26 janvier 1997.

13. Rimmer est décédée en 1997. On n'a jamais établi qu'elle était atteinte du variant de la MCJ. James Ironside, qui, au milieu des années 1990, avait pris part à l'identification des premiers cas de variant de la MCJ a dit de Rimmer qu'elle constituait « l'un des cas les moins ordinaires et les plus complexes que j'aie jamais rencontrés ». Interview à la BBC, 27 avril 2001.

14. Commentaire de John Major auprès de Jacques Santer, président de la Commission européenne, rapporté dans Patrick Wintour et *al.*, « Ministers Decry Beef Outcry », *The Guardian*, 26 mars 1996.

15. *Dairy Farmer*, mai 1996.

16. Directeur d'Anglo Beef Processors, cité dans un rapport à la Chambre des communes de 1996 intitulé « Bovine Spongiform Encephalopathy and Creutzfeldt-Jakob Disease : Recent Developments ».

17. John Pattison, cité dans « Epidemic », *Daily Mirror*, 21 mars 1996, p. 2.

18. Liam Donaldson a livré cette estimation alors qu'il poussait le gouvernement britannique à ne pas lever l'interdit sur la vente de bœuf à l'os en février 1999. « Ce qui ne fait aucun doute, a-t-il ajouté, c'est que le nombre relativement faible des cas actuels de MCJ ne doit amener personne à conclure que le pire est passé », James Hardy, « CJD Could Still Kill Millions, Says Prof », *The Mirror*, Londres, 22 septembre 1999.

19. Cette étude est rapportée dans « Prevalence of Lymphoreticular Prion Protein Accumulation in UK Tissue Samples », dans *Journal of Pathology*, vol. 203(3), juillet 2004, p. 733-739. Les résultats préliminaires avaient déjà incité le gouvernement à commander l'analyse à ce jour inachevée des amygdales de 100 000 citoyens.

20. Martin Enserik, « After the Crisis : More Questions About Prions », *Science*, vol. 310 (5755), 16 décembre 2005, p. 1756-1758.

21. L'histoire de Clare a été rapportée par son père à la BSE Inquiry en mars 1988, alors qu'elle vivait encore.

22. « Mad Cows and Englishmen », première diffusion sur BBC2 le 15 février 1998.

23. *Ibid.*

24. La nouvelle est venue sous forme d'annonce de la Commission européenne le 27 octobre 2004. La chèvre avait été choisie au hasard dans le cadre d'un programme de surveillance. On a ensuite injecté du tissu cérébral de l'animal à des souris, qui ont ensuite montré les symptômes de l'ESB.

Chapitre 12 : Au diapason du prion

1. Cité dans Antonio Regalado, « U.S. Research Into Prion Diseases Is Limited », *Wall Street Journal*, 2 janvier 2004.

2. Hypothèse d'abord émise par l'éminent astronome Sir Fred Hoyle, qui croyait que le bétail britannique attrapait des bactéries présentes dans la poussière. « À notre avis, c'est la pratique quasi exclusivement anglaise consistant à laisser le bétail dehors en hiver qui explique que l'ESB ait frappé les fermes d'Angleterre plus que les autres », écrit en 2000 Sir Fred Hoyle avec Chandra Wickramasinghe dans une lettre à l'*Independent*. Plus extravagante, cette allégorie de T. Chase sur un site Internet new age : « La maladie de la vache folle qui s'attaque au cerveau des gens a été annoncée en Angleterre le 20 mars 1996, alors que la comète Hyakutake traversait la constellation... Virgo la Vierge. Je pense que Virgo la Vierge symbolise Isis, la déesse égyptienne représentée avec des cornes de vache, ce qui constitue un lien avec les vaches. Et Virgo peut aussi représenter Europe, qui peut incarner l'Europe, chevauchant un taureau, ce qui fait un nouveau lien avec les vaches. Et Europe, sur son taureau, évoque cette femme qui, au dernier chapitre de la Bible, le Livre de la Révélation, Révélation 17 dite « Babylone », chevauche la bête de l'Antéchrist décrite à la Révélation 13... Je crois que cette femme est l'Europe. Cette femme, Babylone, porte à la main une coupe pleine d'immondice, et le monde entier y boit. Je crois que l'immondice dans la coupe d'Europa, c'est la maladie de la vache folle, exportée dans le reste du monde par des pratiques d'élevage inappropriées. » Lu sur http://www.revelation13.net/BSE.html.

3. *Kuru*, Gajdusek à Smadel, 6 août 1957.

4. M. Sano *et al.*, « A Controlled Trial of Selegiline, Alphatocopherol, or Both as Treatment for Alzheimer's Disease », *New England Journal of Medicine*, 336 (17), 24 avril 1997, p. 1216-1222.

5. « Huntington Disease Phenocopy Is a Familial Prion Disease », *American Journal of Human Genetics*, 69(6), décembre 2001, p. 1385-1388.

6. Lawrence K. Altman, « Substance Tied to Alzheimer's in Coast Study », *The New York Times*, 7 décembre 1983.

7. Matt Clark avec Deborah Witherspoon, « A New Clue in Alzheimer's », *Newsweek*, 19 décembre 1983.

8. Christopher Dobson, biologiste des protéines à Oxford, « The Mechanism of Amyloid Formation and Its Link to Human Disease and Biological Evolution », dans A. Agelli *et al.*, *Self-Assembling Peptide Systems in Biology, Medicine and Engineering*, Kluwer, Dordecht, Boston, 2001, p. 69.

9. Per Westermark *et al.*, « Transmissibility of Systemic Amyloidosis by a Prion-Like Mechanism », *Proceedings of the National Academy of Sciences*, 99, (10), 14 mai 2002, p. 6979-6984.

10. « Evidence for the Experimental Transmission of Cerebral Beta-Amyloidosis to Primates », *International Journal of Experimental Pathology*, 74 (5),

octobre 1993, p. 441-454. Certains chercheurs se demandent si les résultats de Ridley et Baker n'ont pas été contaminés par le prion dans leur laboratoire.

11. Commentaire de Rudolph E. Tanzi à l'auteur. Voir aussi Tanzi et Ann B. Parson, *Decoding Darkness*, Perseus, New York, 2000, p. 132.

12. Wöhler, dans une lettre à son ancien maître Joens Jacob Berzelius. Ce dernier lui répond de façon assez visionnaire que s'il est possible de fabriquer de l'urine, pourquoi pas du sperme ? « Quel art magistral que celui de faire un minuscule enfant dans le laboratoire d'une école technique », écrit-il.

13. Cité dans Brock, *Liebig*, p. 205, *op. cit.*

14. « The Chemistry of Scrapie Infection : Implications of the "Ice 9" Metaphor », *Chemistry and Biology*, janvier 1995, p. (1) 1-5.

15. Gajdusek, *Jail Journal*, 4 mai 1997.

16. *Ibid.*, 2 mars 1997. Gajdusek n'a pas donné à ce journal le tirage des précédents ; à vrai dire, il n'en circule dans les bibliothèques du monde que huit copies.

17. Entretien non paru. Cité avec l'aimable autorisation de Robert Draper.

18. Cité dans « Out of Prison, Gajdusek Heads for Europe », *Science*, vol. 280, n° 5364, 1er mai 1998, p. 663.

19. D. Carleton Gajdusek, « Molecular Casting of Infectious Amyloids, Inorganic and Organic Replication : Nucleation, Conformational Change and Self-Assembly », dans A. Agelli, *Self-Assembling Peptide Systems, op. cit.*, p. 110.

20. Gareth Cook, « No Assembly Required for These Tiny Machines », *Boston Globe*, 16 octobre 2001.

Chapitre 13 : L'homme a-t-il mangé de l'homme ?

1. W. Arens, *The Man-Eating Myth*, Oxford University Press, New York, 1979, p. 84.

2. John McArthur, par exemple, écrit dans le rapport de patrouille n° 1, sous-district de Goroka, 1952-1953, p. 23 : « Il a été fermement établi par les membres [d'une précédente patrouille] que la population de la vallée de Wamu est cannibale. » De même, concernant un célèbre épisode de la Seconde Guerre mondiale, il écrit au quartier général de district : « le révérend Goldhardt m'informe que... vers 1944, un détachement de soldats australiens a constaté que les survivants du crash d'un avion Liberator avaient été tués et mangés. Je n'en trouve ici aucune trace. Vos archives en disent-elles davantage ? », rapport de patrouille n° 6, sous-district de Goroka, 1952-1953, p. 2.

3. Skinner, rapport de patrouille n° 5, sous-district de Kainantu, 1947-1948, p. 8.

4. La révulsion illogique que nous inspire le cannibalisme a attiré l'attention de Freud, parmi bien d'autres.

5. « Balancing Selection at the Prion Protein Gene Consistent with Prehistoric Kurulike Epidemics », *Science*, 300 (5619), 25 avril 2003, p. 640-643. Certains généticiens pensent que Collinge et son équipe se sont trompés dans leurs calculs. Voir, par exemple, H. Kreitman, A. Di Rienzo, « Balancing Claims for

Balancing Selection », *Trends in Genetics*, vol. 20, juillet 2004, p. 300-304, et H. Soldevila et al., « The Prion Protein Gene in Humans Revisited : Lessons from a Worldwide Resequencing Study », *Genome Research*, publication électronique du 20 décembre 2005.

6. « Clinical Features of Fatal Familial Insomnia : Phenotypic Variability in Relation to a Polymorphism at Codon 129 of the Prion Protein Gene », *Brain Pathology*, 8 (3), juillet 1998, p. 515-520.

7. Pour mon panorama de la santé humaine à l'âge de pierre, domaine connu sous le nom de paléopathologie, je me suis appuyé sur plusieurs textes, dont celui de Tony Waldron, *Shadows in the Soil*, Arcadia, Caroline du Sud, 2001, chapitre 5, « What Did Our Remote Ancestors Die Of ? ».

8. On trouvera une bonne présentation du site d'Atapuerca dans l'ouvrage signé de Juan Luis Arsuaga, l'un des codirecteurs des fouilles, *Le Collier de Neandertal*, Odile Jacob, Paris, 2004.

9. www.ucm.es/info/paleo/ata.htm.

Chapitre 14 : Bientôt aux États-Unis ?

1. Cité dans « Inquest Uncertainty Over CJD Death », BBC News, 27 avril 1991.

2. Philip Yam, *The Pathological Protein*, Springer Verlag, New York, 2004, p. 153-159.

3. Projection du site Internet Motley Fool, qui a calculé que Tyson Foods verrait son résultat financier augmenter de 400 millions de dollars si l'interdiction du bœuf américain était levée (www.fool.com, 19 mai 2005).

4. En mars 2006, Creekstone Farms a intenté un procès à l'USDA pour obtenir le droit de volontairement soumettre toutes ses bêtes au dépistage.

5. Richard Marsh, « Transmissible Mink Encephalopathy », *Revue scientifique et technique* (International Office of Epizootics), *Rev Sci Tech*, vol. 11 (2), juin 1992, p. 539-550.

6. Elias et Laura Manuelidis, « Suggested Links Between Different Types of Dementias : Creutzfeldt-Jakob Disease, Alzheimer Disease, and Retroviral CNS Infections », *Alzheimer Disease and Associated Disorders 3*, 1989, p. 100-109.

7. Donald G. McNeil Jr et Alexei Barrionuevo, « For Months, Agriculture Department Delayed Announcing Result of Mad Cow Test », *The New York Times*, 26 juin 2005.

8. Eiji Hirose, « Johanns Claims Downer Cattle Did not Have BSE », *Yomiuri Shimbun*, 19 février 2006.

9. Lettre du directeur général adjoint aux relations avec le gouvernement chez McDonald's. « Nous sommes particulièrement préoccupés du fait que la FDA ait choisi d'inclure une provision permettant l'incorporation de tissus de bétail mort dans la chaîne alimentaire, écrit-il. Notre désapprobation de la disposition autorisant l'extraction de cervelle et de moelle épinière du bétail tombant ou mort avant l'abattage et âgé de plus de trente mois tient à plusieurs raisons... D'abord, deux problèmes se posent en termes de complexité logistique. Il nous

apparaît impossible de procéder à une extraction adéquate, notamment pendant les mois les plus chauds. À la différence des abattoirs, les usines de transformation de déchets et les centres de collecte du bétail mort ne reçoivent pas de visite des inspecteurs officiels », 19 décembre 2005.

10. En 1999, par exemple, Asher a averti une mission interministérielle censée évaluer le risque de MCJ aux États-Unis qu'il jugeait « la question de la MCJ sporadique loin d'être réglée ».

11. « Infected Meat Linked to Dying Girl ; Victoria Rimmer », *The Times*, Londres, 26 janvier 1994.

12. Il s'agit du beau-frère de Jean Wake, la préparatrice de tourtes à la viande dont la mère avait eu à subir le sermon personnel de John Major sur l'intransmissibilité de la vache folle à l'homme.

13. www.qdma.com/articles/details.asp ?id=21.

14. Mike Irwin, « CWD : Report from Ground Zero », *The Capital Times*, Madison, 20 juillet 2002.

15. Mary Van de Kamp Nohl, « The Killer Among Us », *Milwaukee Magazine*, décembre 2002.

16. Cité dans « Chronic Wasting Disease Still Should Be a Priority », *Green Bay Press-Gazette*, 14 juillet 2005.

17. Après avoir qualifié l'épidémie d'urgence nationale, l'USDA s'est empressée d'ajouter qu'il ne fallait voir là qu'une tournure sémantique visant à permettre l'octroi de crédits supplémentaires à la veille sanitaire. « [Cela] ne signifie pas que les États-Unis soient confrontés à un cas de maladie animale extraordinaire », a souligné l'agence dans un communiqué de presse, bien consciente, comme toutes les agences gouvernementales, des pièges de l'information éclair, notamment sur Internet.

18. Aguzzi a fait ces commentaires en mars 2002, à l'occasion des Journées de la médecine moléculaire à La Jolla ; ils ont été reproduits dans « TSE Threats to US Increases », *Nature Medicine*, vol. 8 (5), mai 2002, p. 431.

19. Lorsque j'ai écrit ces lignes, déjà parues dans le *New York Times Magazine* en 2004, je n'avais pas songé à la possibilité, soulevée plus tard par Colm Kelleher, que le matériel du restaurant pouvait lui aussi avoir été contaminé (*Brain Trust*, Pocket Books, New York, 2004, p. 190). Sans être totalement impossible, ce cas de figure me paraît toutefois hautement improbable. Nul doute que des centaines d'établissements ont ainsi été infectés en Grande-Bretagne, or on n'y a identifié que très peu de foyers, et aucun de façon certaine.

20. D. Carleton Gajdusek, « Creutzfeldt-Jakob Disease in a Husband and Wife », *Neurology*, vol. 50 (3), mars 1998, p. 684-688. Voir aussi un article préalable de Gajdusek dans *Transmissible Subacute Spongiform Encephalopathies : Prion Diseases*, sous la direction de L. Court et B. Dodet, Elsevier, Paris, 1996, p. 433-444.

21. Formule couramment attribuée à l'astronome britannique Martin Rees, mais ce dernier m'a personnellement assuré ne pas en être l'auteur.

22. Ce commentaire dans *Dateline* le 14 mars 1997 prend toute sa saveur quand on sait que le service de Gibbs a passé des décennies à tenir lieu de bureau centralisateur des cas de MCJ parvenant au NIH.

23. Messages parus sur www.CJDvoice.org aux dates suivantes : « vertiges bizarres », 26 août 2004 ; complément pour augmenter la taille de la poitrine, 2 septembre et 16 novembre 2004 ; « le fait que vous soyez vivante », 17 juin 2005 ; « cessez d'éveiller de faux espoirs », 18 février 2006 ; « que nous reste-t-il d'autre ? », 23 février 2006 ; « justiciers du peuple », 26 juin 2005.

Chapitre 15 : Pour les victimes de l'insommnie fatale familiale

1. « At Long Last, Signs of a BSE Breakthrough : We May Soon Know the Size of the CJD Epidemic and How to Treat It », *The Guardian*, 5 septembre 2001, p. 16.

2. Les deux articles sont, par ordre de parution : Doh-Ura, « Lysosomotropic Agents and Cysteine Protease Inhibitors Inhibit Scrapie-Associated Prion Protein Accumulation », *Journal of Virology*, vol. 74 (10), mai 2000, p. 4894-4897, et celui du laboratoire de Prusiner, « Acridine and Phenothiazine Derivatives as Pharmacotherapeutics for Prion Disease », dans *Proceedings of the National Academy of Sciences of the United States of America*, vol. 98 (17), 14 août 2001, p. 9836-9841.

3. J'ai trouvé les détails de l'affaire Simms dans Lisa Belkin, « Why Is Jonathan Simms Still Alive ? », *The New York Times Magazine*, 11 mai 2003, ainsi que dans mes entretiens avec Donald Simms.

4. *The O'Reilly Factor*, 5 décembre 2003.

5. Chiffres de la CJD Alliance.

Postface : Un mot sur l'auteur

1. Si la maladie de Charcot-Marie-Tooth est la plus commune des neuropathies héréditaires, elle demeure si ignorée qu'un chercheur se souvient avoir obtenu pour l'étudier un financement accompagné de ce commentaire : « Votre demande de recherche sur les caries dentaires est approuvée » [*N.d.T.* : Tooth signifie « dent » en anglais], rapporté dans « Researchers Lupski & Chance Study a Baffling Genetic Disease – Their Own », *Journal of the American Medical Association*, vol. 270 (19), 17 novembre 1993, p. 2374-2375.

2. Cité dans David B. Morris, *Illness and Culture*, University of California Press, Berkeley, 1998, p. 52.

3. Cité dans Rudi Capildeo, « Charcot in the 80's », dans W. Clifford Rose et W. S. Bynum (sous la direction de), *Historical Aspects of the Neurosciences*, Raven Press, New York, 1982. J'ai souvent rêvé de pouvoir rencontrer Charcot et de le gifler pour sa condescendance ravie.

4. Cité dans Christopher G. Goetz, *Charcot the Clinician : The Tuesday Lessons*, Raven Press, New York, 1987, p. 175.

5. Histoire trouvée dans *Collected Papers by Sigmund Freud*, The International Psycho-Analytical Press, New York, Londres, 1924, p. 13.

6. Raconté dans Goetz, *Charcot, op. cit.*, p. 171-174.

TABLE

La photocomposition de cet ouvrage
a été réalisée par
GRAPHIC HAINAUT
59163 Condé-sur-l'Escaut

Achevé d'imprimer sur les presses de

BUSSIÈRE

GROUPE CPI

à Saint-Amand-Montrond (Cher)
pour le compte des Éditions Robert Laffont
en décembre 2007

N° d'édition : 48327. — N° d'impression : 074202/4.
Dépôt légal : janvier 2008.

Imprimé en France
R.C.L.

MAI 2008

G